Christian Berkel

Ada

Christian Berkel

Ada

Roman

Ullstein

Dieses Buch ist ein Roman, wenn auch einige seiner Charaktere erkennbare Vor- und Urbilder in der Realität haben, von denen das eine oder andere biografische Detail übernommen wurde. Dennoch sind es Kunstfiguren. Ihre Beschreibungen sind ebenso wie das Handlungsgeflecht, das sie bilden, und die Ereignisse und Situationen, die sich dabei ergeben, fiktiv.

Für Andrea

Daß doch niemals du erkenntest, wer du bist.

Sophokles

I

Erinnern

Das Traumbuch

Ich hatte es verloren. Als junges Mädchen schrieb ich jeden Tag darin. Nicht nur Träume zeichnete ich auf. Einfach alles, was mir durch den Kopf ging. Und dann, eines Tages, nach einem meiner vielen Umzüge, war es verschwunden. Weg. In den nächsten Monaten suchte ich es überall. Ich kehrte das Unterste zuoberst, durchwühlte sogar die Mülltonnen. Hatte ich es wirklich verloren? Vielleicht sogar versehentlich weggeworfen? Bei der Suche fiel mir ein Hochzeitsfoto meiner zweiten Ehe in die Hand. Sie war kinderlos geblieben und irgendwann gescheitert. Wie so oft war ich weitergezogen, um meine Zelte woanders aufzuschlagen. Eine einsame Karawane. Ich und Ich. Dazwischen ein paar Orte. Von Trennung zu Trennung war ich mir verloren gegangen, jede Verbindung zu meiner Familie war gelöscht. Nichts war geblieben. Nichts und ein paar leere Koffer.

Erinnerungen an eine Liste aus den späten Fünfzigerjahren. Ein Spiel zwischen Uschka und mir, ein Zeitvertreib unter Heranwachsenden, der immer ernster wurde. Eine von uns warf ein Wort in den Raum, die andere nahm es auf, um den Faden weiterzuspinnen. Meistens fing meine Freundin Uschka an.

»Reisen.«
»Paris.«
»London.«
»Rom.«

»New York.«

»Was machst du in New York?«

»Spielen, eine Schauspielschule, nein, warte, eine … Modelschule.«

»Gibt's das?«

»Weiß nicht. Weiter. Du bist dran, Ada, los, nicht einschlafen.«

»Was?«

»Was willst du beruflich machen?«

»Weiß nicht.«

»Egal, sag irgendwas.«

»Schöne Dinge.«

»Schöne Dinge?«

»Ja, vielleicht Mode. Irgendwas mit Menschen. Ich könnte deine Kleider entwerfen.«

»Designerin?«

»Kann ich das? Ich kann nicht mal zeichnen.«

»Man kann alles, was man will.«

»Alles?«

»Alles. Also. Was willst du?«

»Einen Mann.«

»Oh Gott, wie langweilig. Die kommen auch so. Muss man sich nicht wünschen.«

»Reisen. Überallhin. An Orte, wo noch niemand war. Gibt es so was?«

»Bestimmt.«

Ganze Nachmittage verbrachten wir damals so, sprangen von Ast zu Ast, während um uns herum die Häuser aus dem Boden schossen. Berlin wuchs schnell, grau und hässlich. Gab es in den Fünfzigerjahren so etwas wie ein Gefühl dafür, dass irgendetwas fehlte? Was war los in diesem Lummerland? *Maikäfer flieg. Der Vater ist im Krieg. Die Mutter ist in Pommernland. Und Pommernland ist abgebrannt. Maikäfer flieg.*

Der Maikäfer flog zu allen Gelegenheiten. Selbst meine Mutter trällerte das Lied beim Aufräumen oder Saubermachen. Es war, als gingen wir über eine Brücke, ohne es zu merken. Wohin? In unsere Vergangenheit? Ich glaube, dass wir gar keine Vergangenheit hatten. Zumindest versuchte jeder diesen Eindruck zu erwecken. Die Erwachsenen sprachen von der Stunde Null. Tabula rasa. Nicht *nach uns die Sintflut*, nein, wir waren die, die nach der Sintflut kamen. Wir wuchsen in den Trümmern auf, die man uns übrig gelassen hatte. Die meisten von uns sahen es nicht, weil sie es nicht anders kannten. Aber ich sah es, auch wenn ich es nicht verstand, weil ich aus Buenos Aires kam, wo es keine Bombenkrater gab. Dort tanzte die Sonne über den Dächern unversehrter Häuser. Deutschland war müde. Es roch nach Verwesung und Tod. Schweigend bauten die Menschen dieses Land wieder auf. Als kämen sie aus dem Nichts. Als hätte es vor der Stunde Null in diesem Land kein Leben gegeben. Selbst das Maikäferlied schlug von Erinnerung befreit mit seinen Flügelchen den Takt für die Zukunft. Niemand sprach. Weil nicht sein konnte, was nicht sein durfte, war nichts geschehen. Aber ihre dumpfe Angst, es könnte sich wiederholen, erinnerte sie daran, dass da noch etwas war. Diese Angst wurde zu unserer Mitgift. Auf der Suche nach einem Ventil schleppten wir sie mit uns herum. Unsere Dichtungen waren defekt. Was in uns kochte, schoss eines Tages nach allen Seiten aus uns heraus.

Falscher Abgang

Zum ersten Mal sah ich meinen Bruder auf der Bühne wieder. Er stand oben, ich saß unten. Shakespeare, *Maß für Maß*. Der Titel passte. Der Tag auch, aber das wusste ich noch nicht, als ich die Besetzung im Programmheft las. Es war der 9. November 1989.

Bei seinem Auftritt erschrak ich über seine gelb gefärbten Haare. Tat er es jetzt unserer Mutter gleich? War er Schauspieler geworden, um hinter unzähligen Masken zu verschwinden? So wie sie sich unter ihren Perücken in immer neuen Farben versteckt hatte? Fünf Jahre hatten wir uns nicht gesehen. Fünf Jahre. Eine lange Zeit. Er war älter geworden. Ich vermutlich auch, aber das ist eine Wirklichkeit, die wir lieber in den Gesichtern der anderen erkennen. Jedenfalls stand er jetzt auf dem Kopf und strampelte mit seinen Beinen durch die Luft. Das Publikum klatschte und johlte, fest entschlossen, sich zu amüsieren.

Ich war gerade vierundvierzig geworden, und entgegen der Familientradition ging ich nicht oft ins Theater. Der ganze Kulturklimbim interessierte mich nur mäßig. Ich starrte geistesabwesend auf die Bühne.

Ganz vorne am Bühnenrand saß ein dicker, kleiner Schauspieler, sein schmales Gesicht und die Halbglatze erinnerten mich an meinen Vater. Er machte gerade tagespolitische Witze. Jetzt erhob er sich, ging ein paar Schritte Richtung Bühnengasse, blieb kurz stehen, machte eine unerwartete, bedeutungsvolle Pause, um sich wieder ans

Publikum zu wenden. Später erfuhr ich, dass man so etwas unter Schauspielern einen *falschen Abgang* nannte, ein Trick, um dem darauffolgenden Satz zu größerer Wirkung zu verhelfen.

»Meine Damen und Herren ... liebe Zuschauer ... die Grenzen sind offen.« Niemand reagierte.

Er starrte uns ungläubig an, und trippelte an die Rampe.

»Das war kein Witz, liebe Zuschauer ... meine Damen ... meine Herren ... die Mauer ... die Mauer ist gefallen ... es wurde gerade im Fernsehen verkündet.«

»Im Fernsehen, ist ja zum Piiiiiepen«, hätte meine Mutter jetzt gerufen, wenn sie neben mir säße, aber da saß sie nicht. Für einen Moment glaubte ich, sie zu vermissen. An dem Tag, an dem ich zum zweiten Mal heiratete, hatte es geknallt. Meine erste Hochzeit hatte in den Siebzigern stattgefunden, ein Irrtum, kurz und schmerzlos, nicht mehr als eine Wolke am fernen Horizont. Und dann war eine billige Uhr von Tchibo der Startschuss für ein nicht enden wollendes Zerwürfnis von zunehmend alttestamentarischer Wucht gewesen. Fünf Jahre war das her, und seit achtundzwanzig Jahren durchzog eine Mauer diese Stadt. Als ich sie mit neun Jahren zum ersten Mal schwankend betreten hatte, nach dreiwöchiger Schiffsfahrt auf der Juan de Garay aus Buenos Aires nicht mehr an festen Boden gewöhnt, war sie noch ungeteilt gewesen, aber schon zerrissen. Keine Heimat. War es auch das, worüber wir seit fünf Jahren schwiegen? Zögerlich tröpfelte Applaus in die Stille. Die Menschen schienen es zu begreifen. Die Mauer war gefallen.

Nach der Vorstellung suchte ich klopfenden Herzens den Bühneneingang. Ich fühlte mich an den Personal- und Lieferanteneingang verschiedener Hotels erinnert, in denen ich quer über den Globus verteilt gearbeitet hatte, bevor ich bei meiner jetzigen Tätigkeit gelandet war. Ich passierte die Schranke, überquerte einen Parkplatz und konnte gerade noch zur Seite springen, um nicht von einem vorbeijagenden weißen Mercedes überfahren zu werden. Noch völlig außer mir gelangte ich über ein paar Stufen zu einer Tür, hinter der sich die verglaste Pförtnerloge befand. Zwischen ein paar verdrucksten Gestalten wartete ich geduldig auf meinen Bruder. Ich war die Ältere, ich musste den ersten Schritt machen, das war ich mir und unserer Geschichte schuldig.

»Der is' schon längst raus. So lange wie Se hier stehen, müssten Se ihm eigentlich begegnet sein. 'n weißer Mercedes, 'n 124er. Fährt immer wie 'ne gesengte Sau.«

Wie mein Vater, dachte ich. Wahrscheinlich hatte ich ihn nicht erkannt, weil er einen Hut oder eine Schiebermütze trug. Auch wie mein Vater. Alles an ihm erinnerte an meinen, an unseren Vater. Konnte ich deswegen seine Gegenwart so schwer ertragen? Den einen ersehnt, vom anderen überrumpelt? Von beiden enttäuscht? Wieder eine verpasste Gelegenheit?

»Wissen Sie, wohin er wollte?«

»Bin ick Pförtner oder Kindermädchen?«

Wie liebte ich diese Berliner Freundlichkeit. Man wusste gleich, woran man war, und wurde auch noch unentgeltlich belehrt.

»Na, nu gucken Se nich' so traurig. Der wird dahin sein, wo sie jetzt alle hin sind.«

»Wohin denn?«

»Mensch Kindchen, haben Se Tomaten auf den Augen?«

Er deutete auf den Bildschirm des kleinen Fernsehers, der über seinem Kopf hing. Ich starrte auf die flimmernden Bilder. Menschen auf der Berliner Mauer! Aus Trabis, die bläulichen Dunst verbreiteten, leuchteten Augen hervor.

Energisches Hämmern, Schreie, johlende Rufe. Grenzübergang Invalidenstraße. Da musste ich hin.

»Kindchen hat mich schon lange keiner mehr genannt«,
sagte ich und fragte mich, als ich die Treppen herunter-
sprang, ob jetzt auch meine Augen leuchteten.

Es war frisch. Kalt sogar. Sehr kalt. Ich saß zitternd in meinem Taxi.

»Was bibbern Se denn so, junge Frau?«

Vom Kindchen zur jungen Frau, ich war gespannt, was
die Nacht noch für mich bereithielt. Mürrisch suchte der
hagere Fahrer im Rückspiegel nach meinem Gesicht. Unsere
Blicke kreuzten sich kurz, dann sah ich im Auto neben uns
ein aufgeregt gestikulierendes Pärchen. Hinter ihnen zwei
Freundinnen. Alle schnatterten aufgekratzt durcheinander,
als wären sie unterwegs zu einem Rockkonzert.

»Gottchen, nee, was für ein Theater. Ick glaube, mein
Blechpanzer kriegt Masern.«

Ich sparte mir die Frage, ob er hier geboren war. Auch
mein Vater war ein waschechter Berliner. Als wir aus Argentinien kamen, verstand ich dieses eigentümliche Nuscheln
nicht. Mein Vater bemühte sich, Hochdeutsch zu sprechen.
Ich verzichtete ihm zuliebe auf meine Muttersprache und
lernte Deutsch in meinem neuen Vaterland.

»Ick kann das alles nich' glauben! Soll ick Ihnen mal sagen,
wie ick rüberjemacht habe, also ick meine rübergemacht,
über die Grenze, soll das heißen? Sie sind ja wahrscheinlich
aus Wessieland.«

»Sie meinen West-Berlin?«

»West-Berlin? Sie sind jut. Nee, wir sind hier Berlin, gibt
kein West-Berlin, das sagen nur die Zonis.«

»Wer?«

»Na, die Zonis, die aus der Ostzone. Sie kommen wirklich

aus Wessieland, also aus dem Westen, das merkt man sofort. Auch wie Sie angezogen sind. Ick, also ich werde mich mal hochdeutschen, damit Sie mich besser verstehen.«

Die Berliner wussten nicht nur alles, sie wussten es auch immer besser.

»Vielen Dank, das ist sehr aufmerksam von Ihnen.«

»Na, spielt doch keine Mandoline. Also, wie gesagt«, fuhr er in nöligem Singsang fort, »unter die Sitzbank habe ich mich geklemmt. Ich hab' gedacht, ick ersticke, ja? Aber das war es mir wert. Lieber tot als rot. Die haben mich mit der Mauer kalt erwischt. Ick war in der Nacht vorher noch bei meiner Freundin zu Besuch in Pankow gewesen, schön jefeiert mit allem, was dazugehört, ja, und was soll ich sagen, am nächsten Morgen, ja, da haben die das in einem Affenzahn hochgezogen, so schnell konntste gar nich' kieken. Zack, peng, Feierabend. Antifaschistischer Schutzwall, oder wie sie das Ding getauft haben. Ich war viel zu spät aufgewacht, Morgenstund hat Gold im Mund und Blei im Hintern, ick hatte die Zukunft verpennt. Ick weiß noch, wie ick 'n paar Stunden später da jestanden habe, wie bestellt und nich' abjeholt, sage ick Ihnen. Ick … nee, also wirklich, ick kam mir vor wie Max Pumpe, der durch die Rippen kiekt, wie 'n Affe durchs Gitter, also guckt, meine ich, ja? Half alles nix. Ich hab' vom ersten Tag an nur darüber nachgedacht, wie ich da wieder rauskomme. Aber so einfach war das nich'. Und dann habe ich das einzig Richtige gemacht. Ick hab meine Klappe jehalten – nich' ma meine engsten Genossen hatten auch nur den leisesten Schimmer –, bin unter die Rückbank von der Droschke von meinen Chef jeklettert, der wusste natürlich nüscht, hat an de Grenze wahrscheinlich schön unschuldig aus der Wäsche jeguckt, und bei der ersten Tankstelle im Westen war ick W wie weg. Mann, war ick froh. Jut, im Osten durfte ick als Arbeiter studieren, hier haben sie das nich anerkannt, egal, habe ich mir gesagt, fährste eben Taxe. Und was soll ich Ihnen sagen, zwei Häuser hab' ich mir zusammengekurvt, meine beiden Töchter studieren, die eine Tiermedizin, die andere Jura, was soll mir noch passieren, frage ich Sie? Ja. Und jetzt? Jetzt werden wir uns aber umgucken, wenn die alle rüberkommen, das sage ich Ihnen. Um-gu-cken werden wir uns. Gehen Sie mal rüber, laufen Sie da mal 'n bissken durch die Straßen. Um den Hals werden die Ihnen fallen. Aber warten Sie mal 'n paar Wochen, dann sieht das nämlich janz anders aus. Die werden herkommen und das Händchen aufhalten. Jelernt is jelernt. Die wissen, wie man andern die Milch aus 'm Kaffee zieht. Das wissen die aber janz jenau.«

Merkwürdig, dachte ich, ein ehemaliger Flüchtling, der sich nun durch die Nachrückenden bedroht fühlte. Die Mauer hatte auch in meinem Leben eine entscheidende Rolle gespielt. Nicht die Mauer selbst, aber der Tag, an dem sie gebaut wurde. Der 13. August 1961 war der Beginn einer Katastrophe gewesen. Vorher hatte ich gelebt, ab diesem Zeitpunkt habe ich überlebt. Wie meine Mutter. Obwohl ich als Kind, als junges Mädchen, als Frau darunter gelitten habe, merke ich, dass ich ihr immer ähnlicher werde. In meinen Träumen verfolgt sie mich, und mit ihr kommt die Angst, ich könnte aufwachen wie sie. Ausgelöscht. Lieber springe ich aus dem Fenster. Aber vorher muss ich noch ein paar Dinge erledigen. Ich möchte keine Unordnung hinterlassen.

»So, junge Frau, wir sind da. Näher geht nich. Da vorne stehen sie schon Spalier. Sehen Sie das? Mir wird immer ganz anders, wenn ich auch nur in die Nähe von dem Ding komme. Und wenn die das dreimal zerkloppen, solange ich lebe, trau ich dem Braten nich. Vielleicht is das alles auch nur ein ganz übler Trick, um uns am Ende doch noch einzukassieren. Macht Siebzehnfünfzig.«

»Zwanzig.«

»Au! Donnerwetter. Die Firma dankt.«

Ich nickte und stieg aus.

Autos parkten dicht an dicht, verlassen schlängelten sie sich durch die Nacht. Der Wind ging gen Osten. Hier war es still. Ich hatte die falschen Schuhe an. Langsam wurde mir bewusst, dass ich in meiner Theatergarderobe viel zu aufgedonnert war. Die Westtussi, die in den Osten stöckelt. Auf den letzten hundert Metern schallte mir der Jubel entgegen. Freudetrunken taumelten die ersten Besucher aus dem Osten auf mich zu. Zum zweiten Mal wurde ich Zeugin eines historischen Augenblicks, ach was, zum dritten, vierten, fünften oder sechsten Mal. Das erste Mal war mir nicht gut bekommen. Aber heute war Berlin nicht mehr Berlin. Kein einziges mürrisches Gesicht, zwei Stadthälften taumelten aufeinander zu. Ein Liebestaumel, ein Sinnenrausch.

Ich lief zur Sandkrugbrücke. Mit festem Schritt betrat ich das sinkende Schiff. Auf einem Stuhl stand der Regierende Bürgermeister von West-Berlin. Walter Momper hieß die Menschen über Megafon willkommen, etwas weiter hinten sah ich den ehemaligen Bürgermeister, Eberhard Diepgen, dem die Gunst der Stunde nicht beschieden war. Niemand nahm von ihm Notiz. Ein bisschen wie mein kleiner Bruder und ich, schoss es mir durch den Kopf. Es kann immer nur einer auf dem Stuhl stehen, immer nur einer schwenkt das Megafon.

Mit eingezogenem Kopf lief ich weiter. Alles um mich herum schwebte, ohne mich mitzureißen. Ich wollte dazugehören, nicht die Westmaus sein, die Tussi mit den Stöckelschuhen. Ich spürte die offenen Blicke der Menschen, ich hätte auf sie zugehen können. Aber ich fühlte mich wie damals, wie das neunjährige Mädchen aus Argentinien, das ihre Einladung nicht verstand.

Ein paar Hundert Meter weiter, fernab vom Strom, standen vereinzelte Grüppchen, man trank Sekt aus der Flasche, es wurde gelacht. Anders als bei uns, dachte ich, ganz anders. Ich zog meine Schuhe aus und ließ sie in den Manteltaschen verschwinden.

»Entschuldigung, ich würde gerne einen trinken gehen, wissen Sie, wo es hier 'ne Kneipe gibt?«

Die junge Frau mit den blonden Locken sah mich neugierig an. Kurz überlegte ich, ob sie jetzt über mein Parfum nachdachte oder über meine Kleidung. Ohne Schuhe war ich vielleicht schon etwas präsentabler, aber wahrscheinlich roch alles anders an mir. Das hatte mir mein Großvater vor Jahren erzählt, als ich ihn und seine Frau Dora in Weimar besuchte. »Der Westen riecht anders«, sagte er damals, »dieser saubere Duft, diese Verheißung, das wird unser größtes Problem werden beim Aufbau des Sozialismus.« Wäre er traurig, wenn er uns jetzt sehen könnte?

»Nee, haben alle zu.«

Erst jetzt sah ich, dass hier alles in Dunkelheit versank, während auf der anderen Seite der Westen leuchtete. Es war nicht nur der Geruch, es war auch das Licht. Als Kind dachte ich, jemand hätte das Licht ausgeschaltet. Damals konnte oder durfte die Sonne nicht so hell scheinen wie in Buenos Aires. Und jetzt?

»Willste 'n Schluck?«

Sie hielt mir ein Sektglas hin und schenkte ein, bevor ich nicken konnte.

»Wahnsinn.«

Sie fiel mir plötzlich um den Hals.

»Wahnsinn«, sagte sie noch einmal und drückte mir lachend einen Kuss auf die Wange. Erschrocken wünschte ich ihr viel Glück und lief weiter.

Eine Szene aus dem Stück eben auf der Bühne schoss mir durch den Kopf. Die weibliche Hauptfigur Isabella kam, um bei dem Statthalter Angelo für die Freiheit ihres zum Tode verurteilten Bruders zu bitten. Ihr könntet ihm verzeihen, beschwört sie ihn. Was ich nicht will, das kann ich auch nicht tun, sagt er.

Was ich nicht will, das kann ich auch nicht tun. Der Satz drehte Endlosschleifen in meinem Kopf. Stimmte das? Waren Wille und Möglichkeit so eng verzahnt? Ich blieb stehen. War ich selbst denn bereit zu verzeihen? Den ganzen Theaterabend über hatte mich diese Frage verfolgt. Wollte ich mir wirklich einreden, dass ich mir rein zufällig eine Karte für eine Vorstellung meines Bruders gekauft hatte? Ich, die fast nie ins Theater ging? Dann war die Mauer wohl auch zufällig gefallen.

Zweieinhalb Stunden später befand ich mich wieder auf der anderen Seite. Im Westen. Mit diesen Wechseln würde es nun auch bald vorbei sein, dachte ich. Komische Geschichte. Wie meine Familie. Erst auseinandergerissen, die klaffende Wunde mit Beton gefüllt, dann wieder zerschlagen. Aus alten Wunden neue gemacht. So konnte es nicht weitergehen. Ich musste mir Hilfe suchen.

Links und rechts vom Übergang fielen sie sich in die Arme. Jubel. Geschrei. Aus einem großen Korb wurden Bananen verteilt. Blasstrunken stolperten sie durcheinander. Und da war er. Mein Bruder. Mittendrin. Seine Augen leuchteten. Auch ihm klopften sie zur Begrüßung auf die Schulter.

»Na? Endlich Bananen, wa?«, schrie einer.

Nickte er versteinert? Als käme er von drüben? Hatte er in meine Richtung geschaut? Sollte ich zu ihm gehen? Meine Füße brannten vor Kälte. Ich schlüpfte in meine Schuhe und stöckelte davon.

Im Auge des Zyklons

Eine Woche nachdem ich meinen Bruder im Theater gesehen hatte, entschied ich mich anzurufen.

»Ich glaube, es ist nichts Besonderes. Also, ich meine, was ich brauche, ist ... ich muss ein bisschen reden. Wie nennt man das? Gesprächstherapie?«

Drei Tage später saß ich in einem kleinen Zimmer voller alter Perserteppiche an den Wänden und auf dem Boden. Was sollte schon passieren? Die Stimme am Telefon war mir abweisend erschienen. Der Mensch am anderen Ende der Leitung hatte sich wohl keine Vorstellung davon gemacht, wie schwer es mir gefallen war, seine Nummer zu wählen. Nach dieser Bankrotterklärung saß ich nun vor ihm und starrte ihn an. Seine wachen Augen erinnerten mich an meinen Großvater.

»Ja, also ... ich weiß jetzt gar nicht, was ich sagen soll, also wo ich ... womit ich anfangen soll ...«

»Womit Sie wollen, es ist Ihre Stunde.«

Meine Stunde also. Na gut.

»Ich ... also, vor fünf Jahren habe ich den Kontakt zu meiner Familie abgebrochen. Ich ... äh ... Anlass, also der rein äußerliche Anlass war ... das klingt jetzt vielleicht etwas komisch ... es war eine Uhr von Tchibo ... diese Billigdinger, wissen Sie ... die gibt's in diesen Shops ...«

»Die Kaffeeläden.«

»Ja. Ich ... äh ... wir wollten heiraten, also mein Mann

und ich … es war eine relativ spontane Idee. Einfach so, gewissermaßen. Verstehen Sie?«

»Nicht ganz.«

Nicht. Gut. Dann haben wir ja schon mal etwas gemeinsam.

»Also meine Beziehung. Ich hatte immer ganz schön viele, ja … ich weiß nicht, ob man das jetzt Beziehungen nennen kann, jedenfalls Männer … eher so Bettgeschichten … Affären. Ja, das war's eigentlich. Mehr war da nicht.«

»Aber bei Ihrem Mann war es etwas anderes.«

»Muss ich das jetzt alles erzählen?«

»Versuchen Sie es.«

»Eigentlich bin ich hergekommen, weil ich nicht schlafen kann.«

»Vielleicht können wir herausfinden, ob es da einen Zusammenhang gibt.«

»Womit?«

»Vielleicht mit verschiedenen Dingen.«

»Ja, das kann sein. Ich äh … ich rede, glaube ich, nicht so gerne, wissen Sie?«

Kann er nicht auch mal was sagen? Diese Pausen. Das ist wirklich unerträglich.

»Ich … also beruflich mache ich eigentlich was ganz anderes.«

»Was machen Sie beruflich?«

»Ich arbeite mit Gehörlosen.«

»Was genau machen Sie da? Arbeiten Sie in einer speziellen Einrichtung, einer Schule?«

»Auch, ja, also manchmal. In der Regel arbeite ich aber mit Kindern und Jugendlichen, die von Geburt an einen Hörfehler haben, also genetisch bedingt.«

»Sie verständigen sich in der Gebärdensprache?«

»Ja, und ich versuche in Zusammenarbeit mit HNO-Ärzten herauszufinden, was sich noch machen lässt. Also, ob die Schäden irreparabel sind, oder ob es vielleicht doch noch eine Chance gibt. Egal wie klein ...«

»Was machen Ihre Eltern beruflich?«

»Mein Vater ist HNO-Arzt.«

»HNO-Arzt?«

»Ja.«

»Und Ihre Mutter?«

»Hausfrau. Also, seit einigen Jahren hilft sie in der Praxis mit. Sie bildet die Lehrlinge aus, also nein, nicht direkt, sie hilft ihnen mit der Berufsschule und so ... sind ja meistens noch ganz junge Dinger, gerade mal sechzehn. Früher war sie Dolmetscherin. Davor Erzieherin. Also eigentlich umgekehrt. Ach, egal. Ich bringe gerade alles durcheinander. Ist alles etwas kompliziert gewesen ... unser Leben. Und als mein Bruder geboren wurde, da ist sie dann zu Hause geblieben. Wahrscheinlich, um es besser zu machen.«

»Was?«

»Na, die Erziehung.«

»Inwiefern besser?«

»Na ja, keine Ahnung, besser als bei mir, denke ich mal.«

»Glauben Sie, dass Ihre Mutter, Ihnen gegenüber, ein schlechtes Gewissen hatte?«

»Keine Ahnung. Nein, glaube ich eigentlich nicht. Vielleicht hat sich das alles auch einfach nur so ergeben.«

Warum guckt er jetzt so komisch? Habe ich etwas Falsches gesagt?

»Ja. Also, ich habe damals geheiratet und ... es geschah alles etwas überstürzt ...«

»Waren Ihre Eltern nicht einverstanden?«

»Ja, also nein ... nicht direkt ...«

Was soll ich jetzt noch sagen? Reicht das nicht?

»Na ja, es war eine andere Zeit ... eine ... ja, eine ganz

andere Zeit. Wir wollten … es war 1984. Es war so eine Schnapsidee, aus einer Laune heraus, einfach zum Standesamt rennen, mehr wollten wir gar nicht. Wir hatten beide schon eine gescheiterte Ehe hinter uns und … deswegen wollten wir auf eine Feier mit dem ganzen Pipapo verzichten und … na ja, das kam nicht so gut an, also dass wir sie nicht einladen wollten, dass wir allein feiern wollten … nur wir und wer sonst an dem Tag zufällig anrufen würde.«

»Ihre Familie konnte Ihre Entscheidung nicht akzeptieren?«

»So ungefähr, ja, kann man so sagen … also meine Eltern, meinem Bruder war es, glaube ich, egal, aber meine Mutter …«

Verdammt, warum fällt es mir so schwer, darüber zu sprechen, ist doch kein Grund zu heulen. Reiß dich zusammen, ist doch alles schon lange vorbei.

»Die Erinnerung ist noch sehr lebendig.«

»Ja.«

»Was ist geschehen?«

»An dem Tag? – Weiß nicht … Ich hatte ihnen geschrieben, ein paar Tage vorher … in dem Brief habe ich versucht, alles zu erklären, dass es nicht persönlich gemeint ist und so …«

Jetzt schweigt er. Sagt nichts mehr. Findet er wahrscheinlich auch nicht so toll. Das Kind heiratet und lädt seine Eltern nicht ein. Tragödie. Sehen alle so.

»Ich glaube, also eigentlich habe ich immer geglaubt, ich hätte eine schöne, also eine gute Kindheit gehabt, glauben wahrscheinlich alle, na ja, nicht alle vielleicht, aber viele, hört man doch immer wieder und wundert sich …«

»Ja, das kommt vor.«

»Dass man sich wundert?«

»Auch das.«

»Na ja, man wundert sich, weil man denkt, was, der oder

die soll eine glückliche Kindheit gehabt haben? Sieht aber nicht so aus. Wie bei Ehen, wenn Leute sagen, dass sie eine glückliche Ehe führen.«

»Wie sieht man denn aus, wenn man eine gute Kindheit hatte?«

Ha. Der war gut. Wie sieht man dann aus? Jedenfalls hat er Humor.

»Wahrscheinlich anders als ich. An dem Abend, als wir geheiratet haben, beziehungsweise schon verheiratet waren, post actum quasi, wie mein Vater sagen würde, da ... da klingelte das Telefon. Nein, Entschuldigung, es war am Abend darauf. Wir hatten Besuch. Ein Freund meines Mannes, also meines damaligen Mannes, die Ehe hat dann nicht lang gehalten, ein Irrtum, ein Schnellschuss nur, ein Jahr später schon wieder geschieden, ex und hopp ... Meine Mutter war dran und fragte, ob ihr Geschenk gefallen habe ... ihre Geschenke ... es war eine Armbanduhr von Tchibo für meinen Mann, also meinen Ex-Mann, und für mich eine billige Kette für ein paar Mark fünfzig bei Woolworth auf dem Grabbeltisch. Hätte ich wirklich aufheben sollen, zur Erinnerung, wir haben das Zeug aber direkt in der Mülltonne verschwinden lassen. Na ja, jedenfalls, als sie die Frage dann stellte, so mit gespielter Unschuld ... da bin ich explodiert, und dann hat mein Vater ihr den Hörer aus der Hand gerissen und hat losgebrüllt, was ich mir denn einbilden würde und so ... ich hätte ja keine Ahnung, ich wüsste ja nicht, unter welchen Qualen meine Mutter mich geboren habe und so weiter ... und dann habe ich ihn beschimpft ... alles Mögliche habe ich ihm an den Kopf geworfen, alles, was ich ihm immer schon sagen wollte, kam auf einmal raus, ich habe so geschrien, dass ich danach drei Tage komplett aphon war, ich konnte keinen Ton mehr rausbringen, nicht mal krächzen konnte ich, nur noch heiße Luft ... und dann war's still am andern Ende … totenstill … ich dachte wirklich kurz, jetzt hat er einen Herzinfarkt, jetzt hast du deinen Vater umgebracht. Also wenn er überhaupt mein Vater ist, aber das ist eine andere Geschichte. Der ganze Ödipuskram. Gilt das für Frauen auch?«

»Es geht um Sie, nicht um Freuds Theorie.«

Ach, das hat er jetzt aber schön gesagt, es geht um mich, na gut, aber schon komisch, wenn man im Zentrum der Theorie so gar nicht vorkommt, so im Auge des Zyklons.

»Keine Sorge, meine Mutter werde ich nicht heiraten, wollte ich nie, also wirklich nicht, auch nicht unbewusst …«

»Erzählen Sie.«

Gut, dann erzähle ich ihm eben alles. Meine ganze verdammte Lebensgeschichte. Bis nach Woodstock. Bis zur Tchibo-Uhr. Alles. Gnadenlos. Ich fange von vorne an, in Buenos Aires, ich erzähle ihm von den Zwillingen und ihren Eltern, von Mercedes und German, vom Foto aus der Kommode, vom Capitan und seiner Peitsche, von den Schwestern in La Falda, von der Sonne und den Kiebitzen und davon, wie grau hier alles war, als wir ankamen, wie grau es immer noch ist und dass sich alle hier mehr um ihren Rasen scheren, als jemandem ein Lächeln zu schenken, weil in diesem bescheuerten Land überhaupt nichts verschenkt wird, schon gar nicht an Kinder, weil sie Kinder hassen und immer fetter werden, weil sie schweigend in ihre Blechautos steigen, schweigend zur Arbeit fahren, schweigend nach Hause kommen, schweigend ihre Suppe auslöffeln, schweigend zu Bett gehen, um sich am Sonnabend einen hinter die Binde zu kippen, um dann ununterbrochen zu reden, als hätten sie Durchfall, als würde ihnen das ganze Zeug, das sie die ganze Woche über schweigend geschluckt haben, nun aus dem Maul laufen, aus den Ohren triefen. Schweigen, Schweigen, überall Schweigen, nichts als Schweigen.

Warum soll ausgerechnet ich reden? Worüber? Über ihr Schweigen?

»Wenn Sie wollen, möchte ich Ihnen gerne helfen. Ich würde vorschlagen, dass wir mit einer hohen Behandlungsfrequenz beginnen. Viermal die Woche. Können Sie sich das vorstellen?«

»Viermal die Woche? Und egal, worüber wir sprechen?«

»Ja«, sagte er.

»Gut. Ich meine, ja, ich … ich würde das gerne machen.«

»Dann fangen wir nächste Woche an. Eine Sache noch. Für die Dauer der Behandlung sollten Sie nach Möglichkeit auf alle größeren Lebensveränderungen verzichten.«

»Ja. Wie lange wird es denn dauern?«

»Fangen wir erst mal an.«

An der Tür reichte er mir die Hand.

»Bis Montag.«

»Ja, bis Montag. Danke.«

Endlich ein Lächeln. Er sieht wirklich aus wie mein Großvater.

Am Anfang war der Brudermord

Mit einem Schrei fing alles an, auch bei mir. Mein Name ist Ada. Geboren wurde ich unmittelbar vor Kriegsende, im Februar 1945, in Leipzig. Als Deutschland endlich am Boden lag. Um ein Haar wäre meine Mutter bei der Geburt verblutet. Der Gynäkologe, ein alter Naziprofessor übelster Sorte, entriss mich ihr nach sechsundzwanzig Stunden mit der Zange, was so klingt, als wollte sie mich nicht hergeben, oder nicht »loslassen«, wie man neumodisch sagt. »Eine echte Viecherei, als würde ein Lastwagen durch mich hindurchkacheln«, sagte sie.

Dieser Berliner Jargon ist eigentlich untypisch für eine Frau aus so gutem Hause, vielleicht war er der Sehnsucht nach meinem Vater geschuldet, der noch in russischer Gefangenschaft war und sich nach seiner Rückkehr weigerte, zu uns nach Argentinien zu kommen, wohin wir nach dem Ende des Krieges emigriert waren. Mein Vater »aus dem dritten Kreuzberger Hinterhof«, wie sie sagte und was je nach Tonlage bewundernd oder vernichtend klang. Ein Lastwagen also. Tja, und dieser Lastwagen auf der Durchreise in eine vor Kälte und Hunger schlotternde Welt, das bin ich. Aber nach mir kam noch etwas. »Platt wie ein Blatt«, rief die Hebamme erschrocken dem Naziprofessor zu. Dieses Blatt war mein toter Zwilling. Sein Geschlecht ließ sich nicht mehr ermitteln.

Ob mir dieser Beginn die Sprache verschlagen hatte? War mein Schrei ein Siegesschrei, weil ich die Konkurrenz noch vor der Geburt an die Wand der Gebärmutter gedrückt hatte? Hatte ich den Urkonflikt der Menschheit, den Brudermord, noch vor dem Anfang erledigt? Ich weiß es nicht. Ich weiß ja nicht einmal, ob es ein Bruder oder eine Schwester war.

Jedenfalls wollte ich die ersten Jahre meines Lebens nicht sprechen. Angeblich verstand ich sehr bald jedes Wort, »aaaaber«, wie meine Mutter nicht müde wurde hervorzuheben, ich weigerte mich, ihr auch nur ein einziges Wort nachzusprechen. Das traf sie hart. Immerhin hatte man ihren Onkel schon im zarten Alter von siebenundzwanzig Jahren auf einen eigens für ihn geschaffenen Lehrstuhl für das neue Fach der Pädagogik an der Humboldt-Universität in Berlin gehievt, ihr Vater kannte Sigmund Freud persönlich und hatte Hermann Hesse analysiert, ihre jüdische Mutter war Psychiaterin und hatte ihrerseits Vater, Mutter und Franco, den spanischen Generalissimo überlebt. Bessere Voraussetzungen konnte es kaum geben. »Punktum«, würde sie jetzt sagen. Aber ich entpuppte mich von Anfang an als eine Enttäuschung, eine Blamage, wie sie schlimmer nicht sein konnte. Ich, das Kind einer unvorstellbar großen Liebe, einer Liebe, die kein Krieg, kein Gott, ja nicht einmal der kleine österreichische Maler kleingekriegt hatte, der Gefreite mit dem neckischen Oberlippenbart, der Hitler eben. Dieses Kind, also ich, konnte oder wollte nicht sprechen. Ich hatte mich scheinbar entschieden, nicht mitzumachen, zumindest kam es meiner Mutter so vor.

Die Kommode

Sie stand in unserem kleinen Schlafzimmer und übte eine besondere Anziehung auf mich aus. Das Anwesen, in dem wir in Buenos Aires lebten, gehörte nicht uns. Die Besitzer waren ein unvorstellbar reiches argentinisches Ehepaar, sie hießen Mercedes, ja, wie das deutsche Auto, und German, nein, das heißt nicht »Deutsch«, sondern ist die spanische Übersetzung von Hermann. Zufälligerweise, falls man an Zufälle glaubt, ist das auch der zweite Vorname meines Vaters, der eigentlich Otto heißt, Otto Hermann, aber dazu komme ich später.

Warum wir aus Deutschland dorthin gezogen waren, wusste ich nicht, ich war gerade mal zwei Jahre alt. An einem fürchterlich kalten Wintertag stiegen wir auf ein großes Schiff und legten wenige Wochen später an einem strahlenden Sommertag in Buenos Aires an. Das roch eindeutig nach Verbesserung. Zunächst. Meine Mutter fand bald diese Stelle als Erzieherin von zwei verwöhnten Blagen, Zwillinge, die nichts Besseres im Sinn hatten, als mich von früh bis spät ihre Überlegenheit spüren zu lassen. Damals wäre ich durchaus gewillt gewesen zu sprechen, allein, weil meine Mutter sich so eine unsagbare Mühe mit mir gab. Sie bastelte Kartenspiele, formte Kasperlepuppen aus feuchtem Zeitungspapier, verbrachte jede freie Minute mit mir, zumindest in der ersten Zeit. Aber ich begriff sehr schnell, dass mein Schweigen die einzige wirksame Waffe im Kampf gegen die Zwillinge war. Sie begannen mich zu fürchten und nannten mich Hexe. Wenn sie versuchten, mich zu schlagen oder auszuziehen, um mich zu demütigen, begann ich, ohne jede Vorwarnung, aus Leibeskräften zu schreien. Dabei schraubte ich meine Stimme so hoch, dass sie erschrocken das Weite suchten.

Wir lebten also in einem Palast, aber bewohnten dort nur ein winziges Zimmer. Wir waren Personal, Bodenpersonal. Und da es in diesem Zimmer nicht allzu viel zu entdecken gab, kaprizierte ich mich auf die Kommode. *C'était mon caprice*, würde man auf Französisch sagen, eine Sprache, die ebenso wie meine Muttersprache Spanisch weniger konfliktbeladen für mich ist als das Deutsche, das ich erst sehr spät lernte. Außerdem klingt im Französischen alles bedeutend eleganter, was mir, über meinen »Unterschichtenkomplex« hinweghalf, ein Komplex, der mir streng genommen gar nicht zustand, kam ich doch, zumindest mütterlicherseits, aus gutem Hause. Aber scheinen wir nicht am meisten, was wir am wenigsten sind?

Diese Kommode, ein klobiges Stück aus der Zeit des argentinischen Barocks, war an sich nicht sonderlich interessant, wohl aber ihr Inhalt. Sie war ein Heiligtum, niemand durfte sie ungestraft öffnen, was ihren Reiz erhöhte. Oft saß meine Mutter schweigend neben ihr, versunken in Briefe, die sie anschließend wieder in der oberen Schublade versteckte oder gegen alte Fotografien tauschte. Auf einer stand ein junger Mann mit stillem Gesicht vor einem dunklen grauen Hintergrund. Mein Vater, wie sie mir sagte.

Ich kannte ihn nur von diesem schon einigermaßen abgegriffenen Foto, das obendrein auch noch unscharf war. Ich hatte ihn nie gesehen, nie seine Stimme gehört, und in den Augen aller, insbesondere der Zwillinge, war ich ein Bastard, ein unrechtmäßiges Kind aus einem fremden Land, dessen Mutter aus Gründen, die niemand kannte oder verstand, am wenigsten ich selbst, nach Argentinien gekommen war. Ein Kind, das nicht sprechen konnte und, schlimmer noch, nicht getauft, also auch nicht katholischen Glaubens war, wie jedes andere Kind in diesem Land. Mit einer Mutter, die allen auf die Nerven ging, weil sie so deutsch war, weil sie immer alles richtig machen wollte, weil sie kein Geld hatte und von der Gunst anderer abhängig war. Mehr wusste ich über meine Herkunft nicht.

Noch geheimnisvoller war die zweite Schublade. Dort versteckte meine Mutter ihre Unterwäsche. Ihre Schlüpfer unterschieden sich von meinen nur in der Größe, daneben aber lag etwas, dem mein ganzes Interesse galt. Etwas, das ich nicht besaß, etwas, das ich auch nicht tragen durfte, es wäre auch völlig sinnlos gewesen. Mein kleiner Körper schien nicht dafür gemacht, »noch nicht«, wie meine Mutter lachend sagte, wobei sie die Augen verdrehte. Sie ahnte nicht, wie sehr ihre Worte in meinen Ohren widerhallten. Dieses eigenartige Stück bestand aus zwei Körben, in denen meine Mutter jeden Morgen ihre Brüste verstaute. Ich dachte mir schon, dass ich eines Tages auch Brüste haben würde, aber ich war eben nur eine *kleine Frau*, eine *señorita*. Was das bedeutete, wurde mir erst sehr viel später klar, aber im Gegensatz zu den Jungen waren wir Mädchen eben keine Mädchen, sondern *kleine Frauen*, es galt also schnell groß zu werden, denn eine *kleine Frau* war streng genommen keine Frau. Da sie aber auch kein Mädchen war, war sie nichts.

War meine Mutter außer Haus, schlüpfte ich in die Körbe, stopfte mir Äpfel oder Orangen hinein, band die Enden im Rücken zusammen, um stolz vor dem Spiegel auf und ab zu schreiten. Kurze Augenblicke geborgten Glücks, eine Neugier, die ich bald teuer bezahlen musste.

Warum versteckte sich meine Mutter morgens und abends beim An- und Ausziehen vor mir? Manchmal gelang es mir trotzdem, einen Blick zu erhaschen, dann rutschten die Brüste aus den Körben oder wurden wieder hineingestopft, als seien sie eine Last. Vielleicht, dachte ich, sollte ich mir mit dem Heranwachsen doch etwas Zeit lassen. Ich beschloss, von nun an meine Umgebung aufmerksamer zu betrachten.

Der Sündenfall

Bald lernte ich, mir den Po zu waschen. Der Po geht von dem kleinen Schlitz vorne bis zu dem großen Schlitz hinten, erklärte meine Mutter. In beiden Schlitzen befanden sich Löcher, die ich nicht anfassen durfte, für beide gab es nur ein Wort: der Po. Der eine Po konnte dies, der andere das, aber alles in allem war es ein und dasselbe und immer auch ein bisschen »pfui«. Ich habe das später bei vielen Freundinnen festgestellt, unsere Mütter wollten das andere Wort nicht aussprechen, so als existierte es nicht, denn was nicht existiert, dafür kann es auch kein Wort geben, oder? Später in der Schule, ich war glaube ich schon sechzehn oder älter, gab es dann doch eins, »Vagina« oder auch »Scheide«. Das klang wenig ermutigend. Ich habe auch nie einen Jungen von seinem »Penis« reden hören, nicht mal im Biologieunterricht. Meine Mutter guckte streng, wenn sie über diese Dinge sprach. Sie schien auch zu glauben, dass ich alles verstand, was sie sagte, weil sie häufig ihre Sätze mit »nicht waaahr?« beendete. Ich wusste nichts über Wahrheit, aber die Schlitze zu waschen tat gut. Es war schön.

In unschuldiger Neugier, na ja, Neugier ist wohl nie frei von Schuld, jedenfalls nicht in einem katholischen Land, also eher verträumt betrat ich an einem frühen Nachmittag den Vorraum des herrschaftlichen Schlafgemachs. Die Sonne brannte durch die aufgerissenen Fenster. Hinter der angelehnten Tür bewegten sich die Schatten von Mercedes und German. Ihre nackte Haut glänzte feucht, sie röchelten, als

Mercedes plötzlich einen Schmerzensschrei heiser aus sich herauspresste und mir dabei für einen endlosen Augenblick mitten ins Gesicht sah. Starr stand ich da. Stirbt sie jetzt, fragte ich mich? Und wenn ja, was tue ich dann? Wohin jetzt? In unserem Zimmer schlief meine Mutter, die durfte ich nicht wecken. Voller Angst lief ich ins Bad, zog meinen Schlüpfer aus, setzte mich auf den weißen Beckenrand der Badewanne, klemmte die Hände fest zwischen meine dünnen Schenkel irgendwo in der Nähe des Lochs. Die Tür flog auf. Eine Hand packte mich am Nacken, eine andere riss mir die Finger aus dem Schlitz. Ich schrie.

Ich verstand die Worte nicht, die mir entgegengeschleudert wurden. Winselnd, wie der kleine Hund der Zwillinge, versteckte ich mich hinter der Toilette. Mercedes stand bleich vor mir. Sie schrie und spuckte. Immer wieder spuckte sie nach mir. In meinen Ohren pochte es, als ich wieder hochgerissen wurde, mein Kopf schlug gegen das Waschbecken. Heißes Wasser schoss über mein Haar, verbrannte mein Gesicht. Dann verlangsamte sich das Pochen, wurde immer leiser, mir wurde abwechselnd heiß und kalt, bis sich alles um mich herum in gleichmäßiges Rauschen verwandelte. Ich versuchte zu atmen, aber statt Luft drang jetzt Wasser in meine Lungen, eine gewisse Abneigung gegen Wasser in jeder Form ist mir seitdem geblieben. Wieder spürte ich Mercedes' eisernen Griff. Dann klopfte es laut und eindringlich in meinem Innern, als würde jemand gegen eine Tür schlagen. Ich versuchte mich zu befreien. Ich schlug und trat um mich. Es wollte nicht helfen, ich wurde immer schwächer, bis ich die leise schreiende Stimme meiner Mutter vernahm. Ich glitt aus Mercedes' Hand, schlug hart zu Boden. Warum sickerte es aus meiner Stirn? Ich fühlte keinen Schmerz, keinen Kummer, keine Angst, keine Scham. Ich fühlte nichts mehr, und dieses Nichts tat gut.

Danach wurde alles anders. Mercedes und meine Mutter sprachen nicht mehr miteinander, schlimmer noch, meine Mutter sprach auch kaum noch mit mir. Sie nahm mich hin und wieder auf den Arm oder ließ mich auf ihrem Schoß sitzen, achtete aber darauf, dass ich die Beine geschlossen hielt. Den Blick abgewandt, vermied sie jede Bewegung, kein Schaukeln, kein Wippen, wie ich es liebte. Einmal fasste ich sie am Kinn. Überrascht sahen wir einander an. Die Zeit blähte sich wie eine Seifenblase, löste sich und platzte.

Die Sonntage verbrachten wir in der Kirche. Nach dem Gottesdienst verschwand meine Mutter im Beichtstuhl. Allein verlor ich mich im hinteren Bereich der Kapelle. In einer kleinen Wölbung, allen Blicken entzogen, blieb ich erschrocken stehen. Versteckt im Dunkeln, als dürften nur Eingeweihte sie erkennen, stand eine hölzerne Skulptur der Mutter Gottes mit ihrem Sohn. Jesus sah seine Mutter forschend an, Maria wandte sich ab. Es war also richtig, dass meine Mutter mir nicht mehr in die Augen sah, die Mutter Gottes sah ihr Kind auch nicht an. Trotzdem verletzte es mich, ich nahm es meiner Mutter übel.

Wenige Tage darauf standen wir mit dem Priester feierlich beieinander. Während er dunkel etwas vor sich hin murmelte, wahrscheinlich ein Gebet, spritzte er mir Weihwasser auf den Kopf.

»Du bist jetzt eine Christin«, sagte meine Mutter zu mir.

Ich wusste nicht, was das war, aber meine Mutter schien stolz darauf zu sein, und so dachte ich, sie sei auch stolz auf mich. Ein vollkommen neues, ein erhabenes Gefühl.

Am Nachmittag las sie mir aus der Bibel vor. So lernte ich den Teufel kennen, als armer Engel vom Himmel gefallen brachte er die Menschen in Versuchung, um sich an Gott zu rächen. Dieser arme Engel tat mir so leid, dass ich zur großen Irritation meiner Mutter laut zu weinen begann. Ich glaube, sie war zum ersten Mal froh, dass ich nicht sprechen konnte. Kaum auszudenken, wie enttäuscht sie gewesen wäre, hätte sie erfahren, dass ich den armen Teufel netter fand als den lieben Gott, unter dem ich mir gar nichts vorstellen konnte, außer, dass er ein Vater war, was bedeutete, dass jeder Vater auch ein Gott war, ein strenger Gott, der einen mir nichts dir nichts aus dem Himmel werfen konnte.

Bald darauf verließen wir die Familie Sonntag. Ich kam nicht umhin zu denken, dass es wohl meine Schuld gewesen war.

Auf den Tag folgt die Nacht, ohne Teufel kein Gott. Die Konstruktion ist konsequent.

Satan

Der neue Arbeitgeber meiner Mutter war ein strenger Mann, ein Capitan. Bei ihm war das Leben noch trostloser als bei den Zwillingen. Hier war ich keine Hexe mehr, nur noch die Tochter einer Putzfrau, ich musste den Kopf senken, wenn der Capitan sich mir näherte. Tagsüber versteckte mich meine Mutter vor seinen Blicken. Allein in meinem Zimmer, auf dem Bett, legte ich mich auf den Bauch, winkelte die Beine an, fasste mit den Händen nach meinen Füßen und begann mich rhythmisch auf und ab zu wiegen. Je mehr sich mein Körper dabei spannte, umso schöner fühlte es sich an. Ein Rauschen erfasste mich, schlug immer länger werdende Wellen durch meinen Körper, bis ich innehielt, um mich gleich darauf, erst sanft, dann immer heftiger, zu wiegen, hinauf und steil hinab und wieder hinauf in schwindelnde Höhen, bis sich meine Lippen öffneten. Dann hielt ich inne, horchte in mich hinein, folgte ohne jedes Bewusstsein meinen langsamen, dann immer schneller kreisenden Beckenbewegungen, presste das Kissen zwischen meinen Beinen immer fester zusammen, spannte meinen Körper in völliger Reglosigkeit, bis er zuckte, fühlte Schauer über mich hinwegfegen. Danach lag ich still da.

Da ich nur in dieser Nähe zu mir selbst alles um mich herum vergessen konnte, zog ich mich, sooft ich konnte, ins Schlafzimmer zurück. Was ich im Verborgenen tat, war schlecht, das wusste ich, aber da mein Vater sich weigerte, zu uns zu kommen, wie mir meine Mutter erzählte, konnte ich auch gleich ein Teufel werden, wenn ich nicht schon einer war.

Eines Tages, als ich mich wieder ins Schlafzimmer begab, lag auf dem Bett die Puppe, die mir Mercedes geschenkt hatte. Ich legte mich zu ihr und dachte an Mercedes und German und auch an meine Mutter und den Mann auf dem Foto aus der Kommode, also an Gott. Ich war wirklich ein Teufel. Das war nun klar, denn ich spürte, welch diebische Freude es mir bereitete, ihn zu verhöhnen, indem ich Dinge tat, die verboten waren und die mich nun, da ich an ihn dachte, direkt vor seinen Augen, unter seinem strengen Blick zu einem wahrhaften Teufel werden ließen. Ein Teufel, der sich nicht mal heimlich wünschte, wieder ein Engel zu sein. Mit vorsichtigen Bewegungen umkreiste ich die Puppe. Ich hörte nicht die nahende Gestalt, ich sah nicht die Reitgerte durch die Luft fliegen, ich spürte nur einen Blitzschlag. Erschrocken krampfte sich mein Körper zusammen, als mich der nächste Hieb traf. Da war sie, die Strafe, die Gott auf dem Fuße folgen ließ, um mich seine Macht spüren zu lassen. Ich drehte mich um, versuchte mit den Händen meine aufplatzende Haut zu schützen. Die dunkle Gestalt packte mich, schleuderte mich in die Luft und ließ mich auf den Boden krachen. Kaputt, dachte ich, kaputt. Ich musste weg. Das wurde so angeordnet.

Ich kam in eine Klosterschule. Wir wurden von strengen Frauen bewacht. Wie der Priester, der mich getauft hatte, waren auch sie mit Gott verbandelt. Als meine Mutter mich der Schwester Oberin übergab, verstand ich, dass diese Trennung nicht vorübergehend sein würde. Zum Abschied strich sie mir übers Haar. »Machen Sie es kurz«, hörte ich die Frau in dem grauen Gewand sagen. Ihre Haare waren weiß, das Gesicht faltig, die Hände dick und feucht. Als meine Mutter ging, riss ich mich los. Die überraschte Oberin war nicht schnell genug. Ich war eine gute Läuferin, selbst die Zwillinge hatten mich nie einholen können. Ich hörte, wie sie mir keuchend und schnaufend nachrannte. Schnell versteckte ich mein Gesicht in dem warmen Schoß meiner Mutter. Aber sie schob mich zur Oberin zurück und verschwand.

Damals beschloss ich, wenn meine Mutter je wiederkehren sollte, würde ich sprechen, ich würde keine Hexe mehr sein und auch kein Teufel, sondern ein braves Mädchen, vielleicht ein Engel, jedenfalls würde ich von nun an meiner mamita jeden Wunsch von den Lippen ablesen, ich würde sie für alle ihre Mühen belohnen, ich würde alles wiedergutmachen, damit sie sich meiner nicht mehr schämen musste, damit sie stolz auf mich sein konnte, wie andere Mütter auch. Bei diesem Gedanken zog sich mein Bauch zusammen, meine Glieder begannen zu zittern, steif fiel ich zu Boden und zerbrach. Schwestern eilten herbei, packten mich. Ohne mich eines Blickes zu würdigen, legten sie mich schweigend in eine Badewanne, die sie mit Eiswasser füllten. Es sollte nicht meine letzte unerfreuliche Begegnung mit diesem flüssigen Grauen sein. Ich fiel immer tiefer, bis meine Augen vor Müdigkeit zuklappten.

Und trotzdem, ich hatte eine schöne Kindheit in Argentinien. Das Leben dort war viel schöner als in Deutschland. Das Wetter war schöner, die Menschen waren schöner, alles war schöner, und als wir noch bei Mercedes und German wohnten, hatte ich sogar ein eigenes Pferd, ohne Sattel, der war zu teuer, aber ein Pferd konnte sich meine Mutter leisten, es kostete siebenundzwanzig Dollar und hieß *Piedras*, das bedeutet Steine. Ich verstand nicht, warum wir plötzlich nach Deutschland ziehen sollten. Meine Mutter hatte nie über dieses Land gesprochen, was wollte sie dort?

Exodus

Im Herbst 1954, wenige Wochen nach meinem neunten Geburtstag, verließen wir an Bord eines riesigen Schiffes den Hafen von Buenos Aires. Inzwischen ging es uns sehr gut. Ich konnte nicht nur sprechen, die Wörter sprudelten nur so aus mir heraus, und manchmal, wenn ich kurz innehaltend meiner Mutter in die Augen sah, dachte ich, es könnte mir doch noch gelingen, ein Engel zu werden, ihr Engel, ganz für sie allein, der sie von allen Sorgen befreite, der ihren Kummer überwand und ihre Tränen trocknete. Denn immer wieder hörte ich sie schluchzen, und wenn ich auch nicht wusste, warum sie traurig war, so fühlte ich ganz bestimmt, dass sie einen Engel brauchte. Die Vorstellung, dieser Engel zu sein, machte mich glücklich, denn damit hätte ich endlich gefunden, was zu suchen sie mir aufgetragen hatte: eine Aufgabe.

In Deutschland wurde alles anders. Als Erstes bekam ich von einem Matrosen eine Ohrfeige verpasst, weil ich in Hamburg unerlaubt auf die Landungsbrücke gesprungen war. Mit diesem Klatschen endete meine Kindheit. Alles war verboten in diesem neuen Land, das über Nacht wieder zu meiner Heimat werden sollte, an das ich aber jede Erinnerung verloren hatte.

Anders als in Argentinien durfte man nicht über den Rasen gehen, beim Überqueren der Straße musste man die Ampel beachten, ging man bei Rot hinüber, weil weit und breit kein Auto zu sehen war, wurde einem wütend hinterhergerufen. »Rot! Hast du keine Augen im Kopf, Mensch?«

Und dieses »Mensch« klang wie ein Schimpfwort. Die Menschen öffneten ihren Mund hauptsächlich, um zu schimpfen oder um aufeinander aufzupassen. Egal, was man tat, bei jeder Kleinigkeit wurde man korrigiert oder zurechtgewiesen. In Hamburg, unserer ersten Station, wurden Fragen höflich und kühl beantwortet, in Berlin, wohin wir weiterreisten, gar nicht. In der Straßenbahn oder im Bus wurde man entweder angeschrien, oder schweigend auf ein Schild hingewiesen, das Gespräche mit dem Fahrer untersagte. Manche Passanten beobachteten mit größter Aufmerksamkeit einparkende Fahrzeuge, um eventuelle Schäden am vorderen oder hinteren Wagen zu notieren oder alle Indizien einer möglicherweise im Entstehen begriffenen Fahrerflucht in vorauseilendem Gehorsam aufzunehmen. Die Nichteinhaltung des Vorfahrtrechts konnte zu schweren emotionalen Entgleisungen führen. Gerade noch hatten sie der Welt den Krieg erklärt, schon attackierten sie ihre Mitbürger. Alle sahen wie Männer aus, sogar die Frauen. Das war in Argentinien umgekehrt, außerdem feuerte dort die Sonne ihr warmes Licht über die Felder, in den Paradiesbäumen kreischten Kiebitze, und die Menschen schwebten oder tanzten durch die Luft, in Deutschland war der Himmel mal grau, mal blau, aber immer hart und straff gespannt. Und wohin man auch kam, Gehorsam, Zurechtweisungen und plötzliche Wutausbrüche, die ebenso schnell verhallten, wie sie gekommen waren. Die Schultern hochgezogen, die Köpfe geduckt, schienen alle Menschen etwas zu verbergen.

Zu Beginn wohnten wir bei einer Freundin meiner Mutter, sie hieß Mopp und war so lustig wie ihr Name. Es war ein graues Haus, eingerahmt von anderen grauen Häusern, überall noch Spuren des Krieges, Einschusslöcher in den

Fassaden, hier und da eine vor sich hin bröckelnde Ruine. Über uns hörte ich jeden Abend einen Mann seine Frau verprügeln. Niemand schien sich daran zu stören. Manchmal wurde ein Fenster aufgestoßen und eine männliche Stimme schrie laut »Ruhe«. Niemand sagte etwas, wenn die Frau am nächsten Morgen mit rot geweinten und blau geschlagenen Augen durch das Treppenhaus ging.

»Die Kriegsheimkehrer haben alle einen Schuss weg«, hörte ich Mopp eines Abends sagen. Sie war nicht mehr so rundlich wie früher, sagte mir meine Mutter, aber ihr Lachen war immer noch so ansteckend, ihre Augen groß und rund. Sie saß mit meiner Mutter allein in der Küche. Ich hatte mich aus dem Bett gestohlen, weil ich in der neuen Umgebung allein nicht einschlafen konnte oder nach wenigen Minuten aus unruhigen Träumen hochschreckte. Dann schlich ich auf den Flur, rutschte mit dem Rücken an der Wand auf den Dielenboden, zog die Knie dicht unters Kinn und lauschte. Es war wie früher, wenn meine Mutter mir etwas zum Einschlafen vorlas, nur waren es jetzt keine Märchen mehr. In den Geschichten kamen Menschen oder Dinge vor, die ich tatsächlich kannte, und doch blieben sie mir meistens fremd. Woran mochte das liegen? War die Wirklichkeit zu hässlich, in der diese Geschichten spielten, bevölkert von Heimkehrern, Männern, denen ein Bein fehlte oder der Arm? Einmal begegnete mir sogar einer auf der Straße, dem fehlte das halbe Gesicht. Ich blieb wie angewurzelt stehen, meine Mutter musste mich mit Gewalt wegziehen.

»Vielleicht steht er ja im Telefonbuch«, schallte Mopps glucksende Stimme in den Flur.

»Im Telefonbuch?«

Die Stimme meiner Mutter klang ungläubig, aber auch voller Neugierde. So kannte ich sie gar nicht.

»Ja, guck doch mal nach. Kostet doch nichts«, sagte Mopp.

»Na, du bist gut. Wir haben uns zehn Jahre nicht gesehen. Ich … ich weiß ja nicht mal, wie er jetzt aussieht.«

Von wem redeten sie nur? Doch nicht etwa von meinem Vater?

»Na gib schon her.«

Meine Mutter lachte, wie sie sonst nie lachte. Für einen Moment glaubte ich zu wissen, wie sie jetzt roch. Diesen Geruch kannte ich aus dem Schlafzimmer von Mercedes und German. Es roch nach Verbotenem.

»Und wenn seine Frau am Apparat ist?«

»Dann sagst du einfach, du bist eine Patientin und möchtest den Herrn Doktor sprechen.«

»Um diese Zeit?«

So unsicher und hilflos kannte ich meine Mutter nicht.

»Krankheit kennt keine Zeit.«

War meine Mutter krank? Warum wusste ich nichts davon? Hatte sie es absichtlich verschwiegen? Ich hörte, wie sie in dem Telefonbuch zu blättern begann.

»Das gibt's ja gar nicht.«

Ich hörte sie beide lachen, wie zwei Mädchen, die heimlich etwas ausheckten.

»Er steht wirklich drin«, rief meine Mutter, ihre Stimme klang so hoch wie sonst nie.

»Na los.«

Für einen Moment war es still in der Küche. Beide rührten sich nicht.

Dann schlug etwas mit einem dumpfen Klingeln auf den Tisch. Wahrscheinlich hatte ihr Mopp das Telefon hingestellt. Ich hörte, wie meine Mutter den Hörer abnahm und eine Nummer wählte. Und während sich die Wählscheibe schicksalhaft drehte, war ich sicher, dass meine Mutter jetzt, in diesem Moment, den Mann anrief, den ich nur von dem alten, etwas unscharfen Foto aus der obersten Schublade ihrer Kommode kannte. Mein Herz schlug bis zum Hals. Übelkeit überkam mich.

»Psssst.«

Jemand musste abgehoben haben, oder läutete es noch? Ich konnte meine Freude kaum unterdrücken. Andererseits, dachte ich, wenn der Mann, den sie jetzt anrief, verheiratet war, konnte er unmöglich mein Vater sein.

»Herr Doktor?«

Ihre schrille Stimme riss mich aus meinen Gedanken. Offenbar antwortete der Angerufene nicht gleich.

»Erkennen Sie meine Stimme nicht mehr?«

Wieder Stille.

»Na, drei Mal dürfen Sie raten.«

Jetzt klang sie schon etwas selbstbewusster.

»Nein.«

Stille.

»Nein.«

Es schien ihr Spaß zu machen, ihn raten zu lassen.

»Auch nicht. Herr Doktor, Herr Doktor, Sie scheinen ja viele Frauen zu kennen. Was sagt denn Ihre Angetraute dazu?«

So fragte sie mich auch manchmal aus, wenn sie genau wusste, dass ich etwas ausgefressen hatte.

»Auch die nicht. Wie bitte? Ich meine, könnten Sie Ihre Frage bitte noch mal wiederholen? Ja. Ah, ich verstehe, ob wir etwas gemeinsam haben, im Sinne einer gemeinsamen Verbindung oder so, ja? Also, ich würde sagen schon, ich meine, Sie sind schon ganz dicht dran.«

So spannte sie einen nur auf die Folter, wenn sie eine besonders schöne Überraschung hatte, ich konnte die Lösung kaum noch erwarten.

»Nein.«

Mein Gott, der war aber auch wirklich ein bisschen begriffsstutzig. Wahrscheinlich war es doch nicht mein Vater.

»Neiiiiin, Herr Doktor.«

Wieder diese unerträgliche Stille. Dann sprach sie ruhig und klar.

»Eine Tochter.«

Mir blieb das Herz stehen. Sie sprach tatsächlich mit meinem Vater. Ich sprang auf.

»Wo?«

Sie verabredeten sich.

»Gut. Ich komme.«

Sie legte auf. Für einen kurzen Moment, der sich ewig hinzuziehen schien, blieb es still. Dann Stühlerücken. Wahrscheinlich fiel sie jetzt Mopp um den Hals.

»Oh mein Gott, Mopp, er ist es wirklich, er lebt, er lebt hier in dieser Stadt.«

»Ja, warum soll er nicht hier leben. Und? Was machst du jetzt?«

»Ich glaub, ich geh hin.«

»Du glaubst?«

»Nein, ich weiß es. Ich gehe hin. Ich will ihn sehen.«

Als ich schnell in mein Zimmer zurückhuschte, hörte ich gerade noch meine Mutter rufen.

»Was zieh ich bloß an?«

Als sie ins Zimmer stürmte, lag ich bereits mit hoch über den Kopf gezogener Decke in meinem Bett. Sie war zu nervös, um irgendetwas zu bemerken. Die Schranktür flog auf. Kleider landeten auf ihrem Bett. Ihr Atem ging schnell. Ich drehte mich auf die Seite, hob unmerklich die Decke an, um zu sehen, was geschah. Meine Mutter stand halb nackt vor dem Spiegel, abwechselnd hielt sie sich ein Kleid nach dem anderen mit dem Bügel unters Kinn, dann fing sie wieder von vorne an, um sich am Ende für einen knielangen schwarzen

Rock mit einer weißen Bluse zu entscheiden. Enttäuscht sah ich die schönen bunten Kleider aus Argentinien wieder im Schrank verschwinden. Die Zimmertür flog zu, dann schepperte die Haustür, dann klapperten ihre Füße die Treppe hinunter, dann war sie weg. Unterwegs zu meinem Vater, von dem ich hundert Bilder in mir trug, aber nur ein einziges gesehen hatte.

Der Name des Vaters

Zwei Tage später stand er bei Mopp im Wohnzimmer. Nicht der Gott, den ich mir vorgestellt hatte, und auch nur vage jenem unscharfen Bild ähnelnd. Er war klein, hatte nur noch wenig Haare auf dem Kopf und viele Narben in einem sehr dünnen Gesicht. Verloren stand er da. »Wie bestellt und nicht abgeholt«, würde meine Mutter sagen. Ich beobachtete ihn neugierig. Er schien auch nicht zu wissen, worüber er reden sollte. Der Blick meiner Mutter flatterte von ihm zu mir zu Mopp. Zu viert saßen wir um den Küchentisch, im Hintergrund kratzte eine alte Schallplatte. Es gab Brot mit Wurstaufstrich. Die Erwachsenen tranken Bier. Ich mochte seine Augen. Er konnte so schön traurig schauen.

Am nächsten Tag ging Otto, so nannte ihn meine Mutter, mit uns spazieren. Dabei nahm er meine Hand, und ich fühlte doch so etwas wie eine göttliche Wärme durch mich hindurchfließen. Am Himmel standen weiß und einsam die Wolken, viel schöner als das ewige Blau Argentiniens, dachte ich, denn was konnte ein Blau schon mehr als blau, die Wolken aber huschten in ständig wechselnder Erscheinung über uns hinweg, flüchtige Gebilde aus Vergangenheit, Gegenwart und Zukunft, zerrissen und schwer, verfärbten sie sich im Licht der fallenden Sonne, wie unsere Gesichter, die von einer Stimmung in die andere kippten.

Den Nachmittag verbrachten wir im Zoologischen Garten. Dem größten seiner Art in ganz Europa, sagten sie mir. Lange blieben wir im Affenhaus. Ein Schimpanse trat dicht an die große Glasscheibe heran. Otto und er sahen einander an. Dann hob der Affe die linke Hand, Otto erwiderte mit ernstem Blick seinen Gruß. Als Otto sich langsam in Bewegung setzte, folgte der Affe ihm. Blieb Otto stehen, tat der Affe es ihm gleich, breitete Otto die Arme aus oder verschränkte er sie vor seiner Brust, ahmte das Tier ihn nach. Plötzlich schwang es sich von Seil zu Seil hinauf zu einem Ast, kramte geheimnistuerisch in einem Versteck, blickte sich immer wieder nach uns um, um sich zu vergewissern, ob wir die Verbindung noch hielten. Endlich schwang er sich mit einem blinkenden Gegenstand zurück, um ihn mit jubilierender Geste seinem Freund und Bewunderer zu präsentieren. Es war ein Handspiegel, wie ihn meine Mutter auch benutzte. Er drehte ihn wechselnd Otto und sich selbst zu. Als Otto sich interessiert vorneigte, brach der Affe in triumphierendes Gelächter aus.

»Ist ja zum Piiiiiepen«, schrie meine Mutter begeistert.

Am Abend fuhren wir mit der Straßenbahn durch Berlin. Schneematsch spritzte grau und schmutzig unter den dahingleitenden Rädern weg. Straßenlaternen blinkten in die hereinfallende Nacht, Eisblumen warfen Gesichter an die fliehenden Fenster. Otto umfasste meine Hand. Erschrocken sah ich zu ihm auf. Er beugte sich zu mir. Was ich mir denn am sehnlichsten wünschen würde, flüsterte er. Ich sah zum Fenster hinaus. Auf der Straße bewegten sich große Männer, breit und schwer. Ich dachte an ihren säuerlichen Atem, den ich seit meiner Ankunft so oft gerochen hatte, die groben Hände, den eigenartigen Duft, der hier überall in der Luft lag. Manche erinnerten mich an die riesigen Gorillas aus dem Zoo, andere sahen aus wie die Paviane mit ihren nackten Popos. Aber Otto war anders. Ich mochte sein Gesicht. Lächelnd wiederholte er seine Frage.

»Was wünschst du dir, Ada?«

Meinen Vater, schoss es mir auf Spanisch durch den Kopf, denn ich verstand seine Sprache kaum. Meinen Papa. Dann lächelte ich und schwieg. Otto lächelte zurück. Er strich mir übers Haar und wiederholte meinen Namen.

»Ada?«

Ich drängte mich an meine Mutter.

»Was will er denn von mir?«

»Er möchte dir eine Freude machen.«

»Eine Freude?«

»Ja, du darfst dir etwas von ihm wünschen.«

»Como se dice, quiero una bicicleta?«

Meine Mutter flüsterte mir die Antwort ins Ohr. Ich nahm die Hand vor den Mund und wiederholte es ein paar Mal leise. Das letzte Wort fiel mir besonders schwer, aber dann versuchte ich es.

»Ich … wünsche … mir … ein … Fahr…rad.«

»Bitte«, sagte meine Mutter.

»Bitte«, wiederholte ich brav.

Wieder nahm Otto meine Hand und nickte.

In dieser Zeit besuchte uns noch ein anderer Mann. Er warf mich gleich beim Hereinkommen in die Luft.

»Na, du süßes Ding?«

Er war so lang und schlank wie seine Hände, mit denen er überall herumtrommelte, sogar auf meinem Kopf. Es war ein komisches Gefühl, ich kann mich nicht erinnern, ob ich es mochte oder nicht, es war weder fremd noch vertraut, weder angenehm noch unangenehm, eher so, als könnte man sich ihm nicht entziehen. Aus seinen Augen blitzte etwas, das mich erstarren ließ. Vor Angst oder vor Bewunderung? Ich konnte es nicht unterscheiden. Noch heute fällt es mir schwer. Meine Mutter war anders als sonst. Alles schien sich zu verändern, wenn er den Raum betrat, und das tat er in den folgenden Tagen oft. Trotzdem lag etwas Anziehendes in seiner Erscheinung, nur seine Stimme mochte ich nicht. Sie klang sanft und hoch, und sein Atem, überhaupt alles an ihm, roch nach Parfum. Ich musste immer niesen, wenn er mich an sich drückte, kurz bevor er mich wieder in die Luft warf. Dabei stand meine Mutter schweigend in der Ecke. Ohne ihr typisches Lachen sah sie uns wortlos zu. Einmal trafen sich unsere Blicke, und ich fragte mich erschrocken, warum sie so traurig war. Ihre Schultern hingen müde herunter. Den Kopf leicht vorgeneigt, dauerte es eine halbe Ewigkeit, bis sie die Lippen zu einem Lächeln verzog, ihre Augen aber blieben leer. Dann verschwanden sie und nahmen mich nicht mit.

»Wo geht ihr hin?«, fragte ich jedes Mal erstaunt.

»Spazieren«, kam es zurück, als würde eine dicke Eisentür für immer zugeschlagen.

Und dann stand es unten auf der Straße. Wie eine Gazelle. Sein doppelt geschwungener Schwanenhalsrahmen leuchtete in blassem Rosarot, die schmalen Schutzbleche blinkten silbern, ein verzierter Kettenkasten, am Lenkrad weiße Griffe, fein wie Damenhandschuhe, dazu ein Zweifarbsattel in braunem und gelbem Leder. Mein Fahrrad.

An diesem Nachmittag leuchteten die Straßen verheißungsvoller als zur nahenden Weihnachtszeit. Der kalte Fahrtwind stichelte mit tausend Nadeln eine neue Wirklichkeit in mein Gesicht.

Am Abend kniete meine Mutter lachend vor mir nieder. Das tat sie sonst nie. Sie nahm mich an beiden Händen. Ich spürte ihren festen Druck.

»Wen möchtest du lieber als Papa haben?«

Ich sah sie überrascht an.

»Den kleinen Mann ... oder den großen?«

Ich dachte nicht lange nach.

»Das Fahrrad.«

»Das Fahrrad«, schrie meine Mutter und lachte, »das ist ja zum Piiiiepen.«

Als Otto am nächsten Tag die Geschichte hörte, lachte er auch, und ich durfte ihn »Fahrrad« nennen, aber irgendwann nannte ich ihn »Papa«.

Den Namen des anderen Mannes vergaß ich schnell. An seine Hände hingegen erinnerte ich mich. Hände können nichts verbergen, sie erzählen die Geschichten ihrer Besitzer ohne Umwege und lassen ihnen trotzdem ihr Geheimnis. Sie sind diskret, manchmal sogar verschwiegen, aber doch beredt. Hände sind in gewisser Weise unabhängig von ihrem Besitzer, er kann sie nicht nach seinem Willen formen, egal wie er sie pflegt, man wird ihr wahres Alter erkennen, mit allem, was der Besitzer sonst noch verschweigen will.

Ottos Hände waren kräftig, die Finger kurz und breit. Wenn er mich berührte, durchströmte mich ein Licht, ich fühlte mich sicher und frei. Wenn ich krank war, wurde ich durch ihre Berührung gesund.

Die Hände des anderen, des In-die-Luft-Werfers, rutschten weg, wenn man sie halten wollte. Sie passten zu seinem unruhigen Blick, zu seinen pechschwarzen Haaren, seinen dünn und scharf gezogenen Lippen, hinter denen seine Zähne weiß aufblitzten, wenn er sie in den Kuchen schlug. Seine Hände erinnerten mich an die Krallen eines Raubvogels.

Wenige Wochen später zogen wir in Ottos kleine Wohnung in der Schaperstraße im Bezirk Charlottenburg. Mein Traum war in Erfüllung gegangen. Wie alle anderen Kinder hatte auch ich jetzt einen Vater.

Uschka

Als ich in meiner neuen Schule meiner neuen Klasse vorgestellt wurde, starrten mich alle an wie ein Mondkalb. Ich fühlte mich fremd, vor allem aber unerwünscht. Die deutschen Kinder waren verschlossen, sie gingen mir aus dem Weg, drehten sich auf dem Schulhof weg, wenn ich mich vorsichtig einer Gruppe näherte.

Ich dachte oft an den Unterricht in Buenos Aires. Bei den Schwestern war es furchtbar gewesen, aber in der Grundschule in meinem Viertel nicht. Ein buntes, lautes Durcheinander, ein Gekicher und Geplapper, ganz anders als hier. In Deutschland saßen alle die gesamte Stunde hindurch kerzengerade, vor allem aber mucksmäuschenstill. Es war mir ein Rätsel, wie meine Mitschüler das so lange aushalten konnten. Es schien so, als seien alle nur hier, um etwas zu lernen. In Argentinien ging man zur Schule, um seine Freundinnen zu treffen, um zu erzählen, was man gestern erlebt hatte, was es Neues in der Familie gab. Wenn es zu diesem Teil der Gespräche kam, hatte ich allerdings immer mein Heft aufgeschlagen, denn ich hatte ja keine richtige Familie. Das war der einzige Vorteil in Berlin, ich konnte endlich etwas von meiner Familie erzählen, aber leider tat das hier niemand. Vielleicht gab es auch nichts zu erzählen, überlegte ich.

Die Nachmittage waren in Deutschland frei, aber man verabredete sich nicht. Nach der Schule, hieß es, müsse man sich auf den nächsten Schultag vorbereiten, das sei sehr wichtig, wenn man es zu etwas bringen wolle, erklärte mir einmal ein blondes Mädchen, dessen riesige Zahnlücke ich fasziniert anstarrte. Es hieß Bettina und kam eines Morgens mit einem eigentümlichen Gerät im Mund zur Schule. Das sei ein Gebissformer, erklärte Bettina in ernstem Ton, eigentlich müsse sie das Gerät, das man auch Spange nannte, nur nachts tragen, aber ein paar Stunden tagsüber würden die Gesamtdauer der Behandlung verkürzen. Stolz führte sie vor, wie sie allein mit der Zunge den Gebissformer vom Gaumen löste, um ihn elegant, wie ich fand, hin und her zu schieben. Ein interessanter Zeitvertreib, besonders, um die Langeweile im Unterricht zu verkürzen. Zu Hause schob ich nun immer den Unterkiefer so weit wie möglich vor, um meine Eltern, insbesondere meinen Vater, von der Notwendigkeit einer Zahnspange zu überzeugen. Zu meiner Enttäuschung attestierte er mir einen tadellosen Biss.

In einer großen Pause stellte sich ein Mädchen schweigend neben mich. Sie war zwei Köpfe größer, zwei Klassen über mir, und ihr weißblondes Haar fiel ihr ins Gesicht, wenn sie lachte. Ich fand sie so schön, als käme sie aus einer anderen Welt.

»Uschka«, sagte sie, »und du kommst aus Buenos Aires, hab' ich gehört?«

Bei Buenos Aires rollte sie das R, das konnten die Deutschen eigentlich nicht.

Ich nickte.

»Dort ist es bestimmt aufregender als hier.«

Ich zuckte vorsichtig mit den Schultern.

»Ich wollte immer mal nach Südamerika.«

Ich war so aufgeregt, dass ich nicht wusste, was ich antworten sollte, die Worte in meinem Kopf fielen zusammen wie Kartenhäuser.

»Weißt du was? Du bringst mir jetzt Spanisch bei, und ich helfe dir ein bisschen mit deinem Deutsch. Hast du Lust?«

Ich nickte.

Langsam liefen wir über den Hof auf das Schulgebäude zu. In meinem Rücken spürte ich die stechenden Blicke der anderen Mädchen und Jungen. Es war eine gemischte Schule. Auch das war neu, in Buenos Aires wurden Mädchen und Jungen getrennt unterrichtet. In Deutschland war wirklich alles anders.

»Warum du mich angesprochen?«

Uschka sah mich an, als wäre meine Frage vollkommen überflüssig.

»Weil du anders bist als diese Langweiler«, sagte sie, und es war das erste Mal, dass ein Mensch mich so beschrieb, wie ich mich fühlte.

Uschka war die erste Freundin in meinem Leben. In Argentinien war ich anderen Kindern immer aus dem Weg gegangen. Da ich mit den Töchtern und Söhnen der Angestellten nicht spielen durfte, lernte ich anfangs keine anderen Kinder kennen. Ich glaube, meine Mutter bestand darauf, etwas Besseres zu sein. Wir gehörten einfach nirgendwo dazu, wir klebten wie Streichware an immer neuen Brötchenhälften.

Uschka schien in Freundschaftsdingen genauso unerfahren wie ich, wir verstanden uns sofort. Sie kam aus einer sehr vornehmen Familie. Ihre Sprache, die Bewegungen, die Ungezwungenheit, mit der sie ihre Wünsche formulierte – in allem war sie anders, und ich fühlte mich von ihrer Unberührbarkeit angezogen.

Ein andermal spazierten wir an der Spree entlang, sahen einen kleinen Kahn an uns vorbeituckern und warfen den Enten den Rest unseres Schulbrots zu, das heißt, Uschka tat das, ich hätte mich so etwas nie getraut. Wenn meine

Mutter gesehen hätte, dass ich Essen wegschmeiße, hätte es so eine Tracht Prügel gesetzt, dass ich die nächsten Tage nur noch stehend am Unterricht hätte teilnehmen können. Uschka bemerkte meine Irritation.

»Die haben auch Hunger. Von meinem Vater habe ich gelernt, dass alle Lebewesen gleich sind, zumindest sollten wir sie so behandeln.«

Sie warf wieder ein paar Krümel ins Wasser und beobachte versonnen, wie die Enten danach tauchten.

»Wie sagt man Tiere auf Spanisch?«

»Animales.«

Leider erlaubte mein Vater nicht, dass wir nachmittags einfach so in der Stadt herumspazierten. Das sei zu gefährlich, sagte er. Ich behauptete, ich würde bei Uschka meine Schularbeiten machen und sie würde mir ein vornehmes Deutsch beibringen. Auch wenn mein Vater bei dem Wort »vornehm« die Stirn runzelte, akzeptierte er diesen Kuhhandel, vielleicht auch, weil er merkte, dass ich tatsächlich Fortschritte machte. Schließlich konnte er nicht verbieten, was er selbst befohlen hatte.

Anfangs schien es ihn nicht zu stören, wenn ich mit meiner Mutter ab und zu Spanisch sprach, bis er eines Tages erschöpft von der Klinikarbeit die Haustür aufschloss und unsere lachenden Stimmen hörte. Als ich ihm entgegensprang, schwankte er, als sei er betrunken.

»Miralo, miralo Mama, handa como un boracho.«

Ja, ich dachte im ersten Moment wirklich, er sei betrunken.

Ich stand vor ihm, in eine farbenprächtige Stola seiner Frau gewickelt, und amüsierte mich königlich.

»Lacht ihr über mich?«

Für einen Augenblick dachte ich, er würde mich schlagen.

»Miralo, que pasa, Mama, me da miedo.«

Er atmete schwer. Sein Mund schnappte auf und zu wie ein halbtoter Karpfen.

»Que pasa, Mama, porque no habla?«

Der Schweiß trat kalt auf seine Stirn. Wie ein Stier in der Arena, der mit den Hufen scharrte.

»Bleib ruhig«, sagte meine Mutter, »es ist alles in Ordnung. Du bist zu Hause. Wir sind's nur. Deine Familie. Es ist vorbei. Es ist alles vorbei.«

Ich verstand kein Wort.

Sein Gesicht schwoll rot an, seine Adern traten lila hervor, sein Kopf rutschte zwischen seine vorgeschobenen Schultern und aus seiner Kehle lösten sich unartikulierte Schreie, Laute wie von einem wilden Tier.

»Sie können dir nichts mehr anhaben, sie haben verloren, sie sind tot, tot, tot.«

Meine Mutter ging vorsichtig auf ihn zu. Halb hinter ihrem Rücken versteckt, starrte ich hervor. Da schlug er mit der Faust gegen die Wand.

»Ihr ... ihr ... Ich verbiete euch, Spanisch zu sprechen. Ich verbiete es euch. Verstanden?«

»Ja«, sagte meine Mutter. Sie klang ruhig und klar.

Noch mal schlug er gegen die Wand und noch mal und noch mal, und er schrie.

»Hört endlich auf damit. Hört auf.«

Dann legte sich sein Zittern. Kurz sah es so aus, als würden ihm Tränen in die Augen steigen. Dann drehte er sich weg und verschwand. Als die Tür ins Schloss fiel, sagte meine Mutter, das komme vom Krieg und dass er wohl dachte, wir würden uns über ihn lustig machen. Dann starrte sie so merkwürdig vor sich hin und verschwand ohne ein Wort zu sagen im Schlafzimmer. Ich kannte diesen Blick, er machte mir Angst. Wahrscheinlich würde sie die nächsten Tage wie ein Geist aussehen und schweigen.

Damals wusste ich nicht viel über den Krieg, eigentlich gar nichts, in Argentinien sprachen wir nicht darüber, und ich kann mich nicht erinnern, dass in den ersten Jahren nach unserer Rückkehr in Deutschland irgendjemand darüber gesprochen hätte. Eigentlich war es so, als hätte er nicht stattgefunden. Und wenn da nicht die kaputten Häuser mit ihren Einschusslöchern gewesen wären, hätte ich es auch nicht geglaubt. Meine Mutter sagte auch, dass mein Vater aus sehr anderen Verhältnissen käme, ich glaube, aus ihrem Mund hörte ich dieses Wort zum ersten Mal. *Verhältnisse.* War das ein anderes Wort für Familie?

Andere Verhältnisse

Die Wohnung lag in Steglitz. Auf den Sprung vom dritten Kreuzberger-Hinterhof-Parterre in die Beletage dieses schmucken Vorderhauses waren alle Überlebenden stolz.

»Immer reinspaziert, in die jute Stube.«

Tante Inge, die jüngere Schwester meines Vaters, in den Nachkriegsjahren etwas rundlicher geworden, mochte ich, aber ihr Silberblick irritierte, weil ich nie wusste, in welches Auge ich zuerst gucken sollte. Wenn wir zu Besuch kamen, duftete sie jedes Mal nach einem neuen Parfum, ganz im Gegensatz zu ihrer Schwester Erna, der Gerte, die immer etwas müffelte.

Während Oma Anna und mein Vater an beiden Enden des Tisches präsidierten, saßen wir Kinder und Enkelkinder uns gegenüber. Dreimal hatte meine Oma geheiratet. Starb einer, lernte sie auf der Kirchenbank den Nächsten kennen. Ernas Vater Willy nahm sich einen Strick und ging in den Wald. Ottos Vater hieß ebenfalls Otto und fiel im Ersten Weltkrieg, drei Monate vor der Geburt seines Sohnes. Er war Oma Annas große Liebe gewesen, deswegen taufte sie meinen Vater auf seinen Namen. Ihr letzter Mann, Karl, war Hilfsarbeiter. Meistens betrunken, verprügelte er alle reihum, außer seiner geliebten Tochter Inge. Kurz vor Kriegsende starb er an den heimischen Ofen gekauert. Drei Hochzeiten, drei Geburten, drei Beerdigungen. Danach hatte sich Oma Anna Gott gewidmet.

Ein schwerer Sonntagsbraten dampfte in der Mitte des

Tisches. Hier musste niemand kerzengerade sitzen, hier lehnte man sich mit seiner erarbeiteten Körperfülle über den Tisch, stützte sich ab, um die zur Schaufel umfunktionierte Gabel unter geringstmöglichem Aufwand tief in den wie für einen zahnärztlichen Noteingriff weit aufgerissenen Mund zu schieben, den man in gemächlichem Tempo geräuschvoll seine Arbeit verrichten ließ, was ermüdende Tischgespräche mit ihren ewig wiederkehrenden Fragen nach dem Allgemeinbefinden überflüssig machte. Kam es doch zu Gesprächen, wurden sie kurz gehalten.

»Wo ist denn Sala heute?«, fragte Oma Anna.

»Zu Hause, Mutter, hab ich dir doch gesagt.«

»Nein.«

»Hab' ich dir aber gesagt.«

»Nein.«

»Doch.«

»Hast du nicht.«

Sie legte das Besteck beiseite.

»Dann eben nicht«, sagte mein Vater.

Onkel Günter langte ächzend über den Tisch. Sein Arm reichte nicht bis zur Schüssel.

»Volker, die Kartoffeln.«

Mein Cousin Volker setzte schon Speck auf den Hüften an. Seine wulstigen Lippen waren mir unheimlich. Außerdem starrte er.

»Mach ma' lauter, Junge. Man hört ja nüscht bei dem Gequatsche«, rief Onkel Günter.

Volker erhob sich stöhnend.

»Benimm dich, Günter.«

Oma Anna duldete keine schlechten Manieren. Sie war eine Dame. Ging jemand in ihrer Gegenwart zu weit, gab es eins auf die Finger, egal, wer es war, selbst vor dem evangelischen Bischof hätte sie nicht haltgemacht.

»Leise rieselt der Schnee ...«, prustete Gabi und wischte ihrem Bruder die Schuppen von den Schultern, als er sich wieder setzte.

»Noch so'n Ding, Augenring«, sagte Volker und drehte sich zu seiner Mutter.

»Richtig, mein Junge, lass dir nichts gefallen. Und du, nimm dich in Acht, Fräulein, ja?«

»Ach Gottchen, feuchte Träume, wa?«

Gabi warf ihrer Mutter einen feindseligen Blick zu. Als Onkel Günters Hand auf die Tischplatte krachte, fiel Tante Erna vor Schreck die Gabel aus der Hand. Ihr Mann, Onkel Paulchen, versteckte seine müden Knopfaugen hinter seinen panzerglasdicken Brillengläsern.

»Ruhe, ihr Pacholken. Ick will meene Sendung kieken«, brüllte Onkel Günter.

»Nie was gegen Mamas Liebling sagen«, flüsterte mir meine Cousine zu.

Gabi, das hübsche Mondkalb, wie meine Mutter sie nannte, hatte es faustdick hinter den Ohren. Bei meinem ersten Besuch lockte sie mich ins Badezimmer, zog ihr Kleidchen hoch, bückte sich, schob ihre Pobacken weit auseinander und rief stolz: »Guck mal.« Auch später brüstete sie sich immer damit, keinen Schlüpfer zu tragen.

»Haste schon 'n Verehrer?«

Ich schüttelte errötend den Kopf.

»Na ja, was nich' is', kann ja noch werden, oder biste vom andern Ufer?«

Gabi war sechzehn und klimperte mit ihren aufgeklebten Wimpern. Ich wusste nicht, von welchem Ufer die Rede war.

»Kesser Vater, wa?«, sagte sie und rollte die Augen.

Bevor ich etwas erwidern konnte, fasste sie mir zwischen die Beine. Dabei kniff sie so fest in meinen Schoß, dass mir die Tränen kamen. Wütend boxte ich sie in die Rippen. Sie schnappte kurz nach Luft, ließ mich aber den Rest des Nachmittags in Ruhe.

»Was macht die Schule, Volker?«, fragte mein Vater.

»Weeß ick nich.«

Tante Inge legte ihrem Sohn eine Hand auf den Schoß.

»Mein Volker macht jetzt eine Lehre.«

»Ah«, sagte mein Vater, »als was denn?«

»Kfz-Meister«, sagte Tante Inge.

»Gleich Meister, ja? Und der Führerschein? Hat es diesmal geklappt?«

»Nee«, sagte Volker.

»Und wie willst du dann Kfz-Mechaniker werden?«

»Ick muss die Dinger reparieren, nicht damit rumkurven.«

»So«, sagte mein Vater.

»Ja. Oder musst du deine Patienten erst heiraten, bevor du ihnen in der Nase rumpopelst?«

»Genau«, sagte Tante Inge.

»Wo ist eigentlich das Klavier, dass ich euch zu Weihnachten geschenkt habe?«, fragte mein Vater, nicht gewillt, das Thema zu vertiefen.

»Das hat Volker auseinander gebaut«, sagte Tante Inge.

Mein Vater sah sie fragend an.

»Zerkloppt«, sagte Volker.

Mein Vater richtete sich ruckartig auf, als hätte er eine Gräte verschluckt.

»Aus den Klaviersaiten hat er eine Gitarre gebastelt«, sagte Tante Inge.

»Eine Bassgitarre«, korrigierte Volker.

»Ja, eine sehr schöne Bassgitarre«, sagte Tante Inge, »hol mal her, mein Junge.«

Volker erhob sich schweigend.

»Was macht Sala zu Hause?«, fragte Oma Anna.

Hatte sie nicht gemerkt, dass meinem Vater diese Frage unangenehm war? Warum fing sie schon wieder damit an?

»Sie ruht sich aus«, sagte mein Vater.

»Warum?«

Ich blickte verstohlen zu meinem Vater. Vielleicht konnte er erklären, warum meine Mutter an manchen Tagen nur zu den Essenszeiten das Bett verließ.

»Geht ihr nicht gut«, sagte er.

»Ach.«

Meine Oma wandte sich ab. Nach einer kurzen Pause sah sie uns streng an.

»Wart ihr heute in der Kirche?«

Alle aßen schweigend weiter.

»Und Sala geht es also nicht gut, ja?«

»Das sagte ich schon.«

»Ach.«

Mein Vater faltete umständlich seine Serviette, als gäbe es im Moment nichts Wichtigeres. Vielleicht wusste er es, vielleicht ahnte er es nur. Oma Anna, seine Mutter, wurde langsam verrückt. Sie sah ihren Sohn herausfordernd an.

»Mal wieder die Seele, ja?«

»Kartoffeln, Otto?«, fragte Onkel Günter.

Volker kam mit der Bassgitarre zurück. An der Rückwand des Klaviers hatte er offenbar so lange herumgesägt, bis man darin mit einigem Wohlwollen so etwas wie die Form einer Elektrogitarre erahnen konnte. Mein Vater starrte stumm auf den Tisch.

»Mach dir nichts draus, Otto«, sagte Günter, »ick fand den Klimperkasten ooch schöner, aber bei seiner Mutter hat der Junge 'nen Freifahrtschein, Karte blank, wie der Franzose sagt.«

Unter diesen Umständen redete mein Vater sogar mit seinem Schwager.

»Was macht die Arbeit, Günter?«

»Wurde befördert.«

»Glückwunsch, Günter, das freut mich.«

»Staffelleiter der BSR.«

»Ah ja.«

»Was ist BSR, Papa?«

»Berliner Stadtreinigung«, sagte mein Vater.

»Müllabfuhr, sag's ruhig, Otto. Der Onkel Günter ist jetzt Chef bei der Müllabfuhr, mein Kind«, sagte Tante Inge.

Ich versuchte, das richtige Auge zu erwischen, um ihren Blick höflich zu erwidern.

»BSR«, wiederholte Onkel Günter. Nach dem sechsten Bier lallte er schon ein wenig.

»Die Seele«, murmelte Oma Anna leise.

Niemand nahm weiter Notiz von ihr.

»Bedenkt, wenn ihr versagt.«

Mit diesem Satz starrte sie mich unvermittelt an. Das Gespräch verstummte. Mein Vater drehte sich zu seiner Mutter.

»Was hast du gesagt?«

Meine Großmutter Anna hob ihren in Schönheit ergrauten Kopf. Lächelnd blickte sie in die stummen Gesichter ihrer Familie, als wüsste sie, dass niemand hier verstehen konnte, wovon sie sprach. Ermahnend wiederholte sie mit einem strengen Lächeln ihre Worte.

»Bedenkt, wenn ihr versagt.«

Immer noch ruhte ihr Blick auf mir.

»Wovon redest du, Mutter?«

»Hört ihr seine Stimme nicht?«

»Was denn für 'ne Stimme?«, fragte mein Vater.

Meine Großmutter sah ihn ruhig an.

»Na, die Stimme.«

»Was meinst du, Mutter?«

»Na, die Stümme ausn Fernseha«, mischte sich jetzt Günter schnaufend ein. Oma Anna reckte sich stolz empor.

»Hörst du schlecht, mein Junge? Vielleicht solltest du mal zum Ohrenarzt gehen.«

»Is' er ja selber«, lachte Gabi auf.

Oma Anna sah sie ruhig an.

»Ach.«

»Mutter, was meinst du jetzt genau mit Stimme? Die Leute, die im Fernseher reden?«

»Bedenkt, wenn ihr versagt.«

Dann sprang sie mit einem Satz von ihrem Stuhl, riss ihren linken Arm wie ein blitzendes Schwert in die Luft und schleuderte ihr Wort zum Himmel.

»Gott.«

Danach fiel sie in sich zusammen und rührte sich nicht mehr. Mein Vater war sofort aufgesprungen, beinahe hätte er sie im Fallen noch gefangen. Seine Hand fühlte ihren Puls, während seine Augen ruhig dem tickenden Sekundenzeiger seiner Uhr folgten. Er rief den Krankenwagen. Seitdem besuchte er seine Familie grundsätzlich alleine. Einmal hörte ich ihn zu meiner Mutter sagen, diese *Verhältnisse* seien nicht gut für mich. Ich habe die Familie nur einmal wiedergesehen, bei der Beerdigung meiner Großmutter. Es war das einzige Mal, dass ich meinen Vater weinen sah.

Jahre später erinnerte ich mich immer wieder an diesen Nachmittag. Hatte damals schon die Auflösung begonnen? Lebte ich als junge Frau die verkorksten Beziehungen meiner Eltern zu ihren Ursprungsfamilien nach?

Aus heutiger Sicht scheint alles klar, aber damals verstand ich es nicht. Wie sollte ich ein inniges Verhältnis zu meiner Familie entwickeln, ein Gefühl von Geborgenheit und Zugehörigkeit, wenn meine Eltern mir das Gegenteil vorlebten? Meine Mutter vergötterte zwar ihren Vater, aber das Verhältnis zu ihrer Mutter Iza war von verstörender Kälte. Ich wusste ja nicht, dass Oma Izalie, wie sie bei uns hieß, in den Zwanzigerjahren mit einem zwanzig Jahre jüngeren Mann nach Spanien durchgebrannt war, dass sie ihre sechs- oder siebenjährige Tochter ihrem bisexuellen Mann überlassen hatte, weil sie mit Kindern nicht viel anfangen konnte. Erst heute wird mir langsam bewusst, dass ich von diesen Geschichten weder damals noch später hören wollte. Versuchte meine Mutter mir von ihrer Kindheit in der Schweiz am Lago Maggiore zu erzählen, vom Monte Verità, diesem sagenumwobenen Berg, wo sie zwischen Lebensreformern, Anarchisten, Vegetariern, tanzenden Nudisten, Träumern, Psychoanalytikern und Verrückten aufgewachsen war, klappten mir jedes Mal die Ohren zu. Einerseits litt ich unter dem omnipräsenten Schweigen ihrer Generation, andererseits wollte ich diese merkwürdigen Geschichten nicht hören. Dieser Widerspruch wurde bestimmend für meine Entwicklung. Wie vielen meiner Altersgenossen ging es ähnlich? Ich glaube, was ich damals an diesem Nachmittag sah und nicht verstand, weil es mich zutiefst erschreckte, war die Scham. Aber welche Scham? Schämte mein Vater sich für seine Familie, oder schämte er sich, dass er die Verbindung zu ihr nicht halten konnte? Schämte er sich für seine Erlebnisse im Krieg? Als ich sechzehn oder siebzehn war, auch später noch, dachte ich manchmal, meine Eltern, alle Eltern seien schuldig. Ich wusste zwar nicht genau woran, aber schuldig waren sie. Wahrscheinlich denken das Pubertierende zu allen Zeiten, den Unterschied machte vielleicht nur, dass die meisten Deutschen es in meiner Jugend tatsächlich waren. Ich weiß nicht, ob sie sich dafür schämten. Manchmal glaube ich, sie haben diese Speise einfach unverdaut an uns weitergereicht, damit wir sie bis zum Erbrechen wiederkäuen. Aber selbst wenn es so wäre, wüsste ich immer noch nicht, warum ich die Dinge damals so erlebte, oder schlimmer noch, ob ich sie überhaupt erlebte oder nur in einer merkwürdigen Endlosschleife gefangen war. Ist Wiederholung nur ein anderes Wort für die Hölle, der wir nicht entkommen?

Hitler

Mit einer Freundin sah die graue Stadt gleich freundlicher aus. Außerdem konnte sie von früher erzählen, sie besaß von ihrer Familie unzählige Fotos des alten Berlins, auf einem war ihr Vater sogar mit Adolf Hitler zu sehen.

Ich glaube, von Uschka hörte ich den Namen zum ersten Mal. Das Foto zeigte die Familie auf ihrem Gut »vor den Toren der Stadt«, wie Uschka lachend sagte. Sie standen in einer weitläufigen Hofeinfahrt, im Hintergrund glänzten schwarz zwei große Limousinen. Dieser Mann namens Hitler, den sie immer mit einem etwas komischen Unterton den »Führer« nannte, streichelte einem Baby übers Haar.

»Bist du das?«, fragte ich in meinem inzwischen nahezu perfekten Deutsch.

Sie nickte.

»Und das ist mein Vater.«

»Er sieht sehr schön aus«, sagte ich nicht ganz ohne Neid. Unsere Augen hingen an dem Bild. Die hochgewachsene Gestalt wirkte leicht und erhaben zugleich.

Wieder nickte sie.

»Ich glaube, das war das letzte Mal, dass ich ihn gesehen habe.«

Sie machte eine Pause.

»Weißt du, was das Schlimmste ist?«

Ich schüttelte den Kopf.

»Ich kann mich nicht an ihn erinnern.«

Wir saßen an einer Uferböschung im Tiergarten. Unsere

Füße baumelten nackt im Wasser. Eine Hummel summte einsam um uns herum.

»Alles, was mir geblieben ist, sind ein paar Bilder und die Geschichten meiner Mutter.«

Uschka und ich erliefen uns die halbe Stadt. Noch nie war ich so ausgiebig spazieren gegangen. Berlin war seltsam. Die Häuser, die Straßen. Nichts passte so recht zusammen.

Nicht allzu weit von unserer Wohnung stand auf einem Platz eine Kirche, deren Spitze abgebrochen war, oder »weggebombt«, wie Uschka mir erklärte.

»Meinen Vater haben sie erschossen«, sagte Uschka.

Der Satz war ganz leicht aus ihr herausgekommen. Zum ersten Mal sprach jemand über den Krieg.

»Wer ist Hitler, Mama?«

Die Frage traf meine Mutter unvorbereitet. Sie starrte mich an.

»Mama?«

Um uns herum strömten jetzt die Menschen aus dem Schulgebäude. Eltern traten heran, um ihre Kinder abzuholen, Autos hupten. Ganz müde sah meine Mutter auf einmal aus, so müde, als müsste sie im nächsten Moment umfallen. Sie ballte ihre Hände zu Fäusten. Ich erschrak. Irgendetwas an meiner Frage musste schlimm gewesen sein. Oder falsch. Etwas hatte sich über uns gestülpt, als wären wir in einem gläsernen Käfig gefangen. Ich dachte an Alice im Wunderland, winzig stand ich vor meiner Mutter, pochte mit meinen Fingern an die Glaswand, sah die Menschen draußen, die sich lautlos an uns vorbeischoben, ohne Notiz von uns zu nehmen.

Zu Hause schloss sich meine Mutter im Schlafzimmer ein, flüsterte irgendetwas von Schmerzen und einem rostigen Nagel im Kopf. Es war meine Schuld.

Ich setzte mich an den Küchentisch, um meine Schulaufgaben zu machen. Hefte und Bücher lagen aufgeschlagen vor mir. Ich starrte sie an. Vorsichtig wanderte mein Blick zwischen den bedruckten Seiten und meinem leeren Heft hin und her. Ich versuchte mir meine Mutter vorzustellen, wie sie jetzt in ihrem Zimmer stand oder auf dem Bett lag. Auch in Buenos Aires war sie manchmal so gewesen. Es war immer überraschend gekommen, wie eine Lawine. Wie ein Ungeheuer, ein formloser Mondgeist. Jetzt hatte das Ungeheuer einen Namen: Hitler.

Ich musste etwas tun, bevor mein Vater heimkehrte und sie so fand. Das würde ihm sicher nicht gefallen, vielleicht würde er mir die Schuld geben. Wenige Tage zuvor hatte er mich ermahnt, immer recht lieb zu ihr zu sein, besonders wenn sie müde war, durfte ich ihr nicht zur Last fallen. Sollte ich ihm sagen, dass ein fremder Name gereicht hatte, um sie in diesen Zustand zu versetzen? Das klang wie eine ganz dumme Ausrede. Oder als wäre ich verrückt. Ich zitterte vor Kälte. Von draußen schien die Sonne herein. Vielleicht würde er denken, dass wir heimlich wieder Spanisch miteinander sprachen. Ich verstand ihn. Ich würde es auch nicht mögen, wenn mein Kind eine andere Sprache sprechen würde als ich, eine Sprache, von der ich kein einziges Wort verstand. Vielleicht würde ich dann auch schreien, vielleicht würde ich sogar das Kind packen, um es zu verhauen, und dann würde ich die Mutter verhauen, weil sie ihr Kind nicht recht erzogen hatte, weil sie ihm nicht seine Muttersprache beigebracht hatte. Aber was konnte ich jetzt tun? Leise schlich ich zum Schlafzimmer. Ich presste mein Ohr vorsichtig an die Tür. War da ein Röcheln zu hören? Vielleicht nur ein Rascheln? Bewegte sich da etwas? Wenn ich jetzt einfach hineingehen würde, könnte es furchtbaren Ärger geben, schließlich war die Tür nicht umsonst geschlossen.

Meine Mutter wollte ihre Ruhe haben, sie durfte auf keinen Fall gestört werden. Andererseits, wenn sie in ihrem Zimmer erstickte, dann wäre ich schuld an ihrem Tod. Ich musste mir etwas überlegen, einen guten Vorwand, etwas Einfaches, möglichst beiläufig vorgetragen. Mir fiel nichts ein. Je angestrengter ich nachdachte, desto schneller wuchs meine Angst. Aber es gab noch etwas, das ich mehr fürchtete als den Zorn meiner Mutter, wenn ich ungebeten ihr Schlafzimmer betrat. Was ich noch mehr fürchtete als jede Strafe, war ihr Blick, wenn sie mit weit aufgerissenen Augen starrte, große Glasperlen in den dunklen Höhlen unter ihrer Stirn, erst weich und schön, jetzt leer. Als ich meine Mutter zum ersten Mal so auf dem Bett liegen gesehen hatte, damals in Buenos Aires, hatte ich gedacht, sie sei tot. Damals hatte ich geglaubt, mein Schicksal sei besiegelt, ich wäre auf Gedeih und Verderb den Zwillingen ausgeliefert, verloren in einem Land, das nicht meine Heimat war. Woher wusste ich damals, dass es noch einen anderen Ort für mich geben musste? Der Ort, an dem ich geboren war. Ich musste jetzt etwas tun. Ich durfte nicht warten, bis es zu spät war.

Als mein Vater hereinkam, saß ich immer noch reglos am Tisch.

»Ada?«

Ich rührte mich nicht. Er legte mir seine Hand auf die Stirn, fühlte meinen Puls. Dann ging er hinüber ins Schlafzimmer.

»Sala?«

Auch meine Mutter reagierte nicht. Zurück in der Küche nahm er mich auf den Arm. Er trug mich ins Schlafzimmer und legte mich behutsam neben meine Mutter. Wie lange hatten wir nicht mehr nebeneinander gelegen? Er setzte sich zu uns, legte uns seine Hände auf die Stirn. Das Röcheln meiner Mutter wurde ruhiger, das Rasseln wich einem gleichmäßigen Ein- und Ausatmen, die Augen fielen zu, eine sanfte Röte kehrte in ihr Gesicht zurück.

Lots Weib

Rette dein Leben und sieh nicht hinter dich, bleib auch nicht ste-
hen in dieser ganzen Gegend. So warnen die Engel Lot in der
Bibel, um ihn vor der drohenden Vernichtung zu retten. Lot
und seine Töchter halten sich daran, aber als Gott Schwefel
und Feuer auf Sodom und Gomorra herabregnen lässt, um
die Städte und ihre Einwohner und alles, was auf dem Land
gewachsen war, zu vernichten, dreht Lots Frau sich um und
wird zur Salzsäule.

Wir standen vor einem Reisebüro. Überall Plakate. Italien,
so weit das Auge reicht. Frühling in Italien, Sommer in Italien, Sonne, Sand und Meer, auf grünem Hintergrund ein
tirilierendes Vögelchen, über dem der italienische Sommer
blaute, eine liebe nette Frau mit onduliertem Haar und einem farbigen Blumenstrauß vor der Brust, neben einer rö-
misch anmutenden Säule stehend, blitzende Cabrios, der
Marken Borgward, BMW, Auto Union, DKW, sogar ein
Goggo Roller, luden zur Fahrt mit der lieben Ehefrau und
den süßen Kindern in den strahlenden Süden ein. Wortlos
lief meine Mutter weiter.

Eilig gingen wir durch die Straßen, vorbei an den Baustellen, den Werbeplakaten, die Waschmittel, Kochbücher,
Automobile, Nylonstrümpfe oder Perlonstrümpfe anpriesen. Vor einer Buchhandlung blieben wir stehen. Neugierig
studierte meine Mutter die Titel in der Auslage: *Froh in den*
Hausputz, Hübsch im Haus, Schürzen schön und praktisch, Schön

sein – Schön bleiben, etwas weiter links *Ratgeber für die Frau: Die Hobbys meiner Chefs, Die Heiratschancen der Frauen.*

»Ist ja zum Piepen«, murmelte sie.

Diesmal zog sie es nicht in die Länge, hauchte es nur knapp gegen die Schaufensterscheibe. Sie beugte sich vor, auf einem der Bilder stand ein Mann mit dem Rücken zum Betrachter, den Kopf im Nacken vor einer meterhohen Tabelle, Frauensilhouetten zwischen zwanzig und fünfzig nach Jahrzehnten brav aufgereiht, von Reihe zu Reihe wurden es weniger. Bei den Fünfzigjährigen stand nur noch eine. Im nächsten Laden kauften wir Perlonstrümpfe.

Als Mopp die Tür öffnete, fiel meine Mutter ihr in die Arme. Mopp drückte sie fest und zog uns in ihre kleine Wohnung. Alles fühlte sich hier warm an. Waren es die getönten Farben, gelb, braun und rot, war es die Art, wie Mopp ihre wenigen Habseligkeiten verteilte, oder die Vorhänge, die schwer und weich in ihrem Faltenwurf Mopps Rundungen aufzunehmen schienen, bevor sie sanft auf den Boden sackten? Müde ließ sich meine Mutter in einen Sessel fallen.

»Underberg hilft jeder Frau, die sich müde fühlt und flau.«

Meine Mutter starrte mich entgeistert an. Mopp prustete laut los.

»Wo hast du das denn her?«

»Das stand auf einer der Werbetafeln an den Häuserwänden. Da saß eine Frau, ganz müde, den Kopf aufgestützt, auf dem Tisch neben ihr ein Gläschen, dazu ein Fläschchen. Und darüber stand: Underberg hilft jeder Frau, die sich müde fühlt und flau.«

»Ich bin nicht müde.« Meine Mutter sah zu Mopp. »Vielleicht ein bisschen flau.«

Sie lachten. Wieder wackelte alles an Mopp, sodass ich mitlachen musste. Alles war wieder gut.

»Underberg hab' ich nicht, aber ein Weinchen?«

Mopp kniete vor ihr.

»Um diese Zeit?«, fragte meine Mutter. Ihr Entsetzen war gespielt.

»Nachmittags ist es Medizin, abends eine Sünde«, sagte Mopp.

Wieder dieses Lachen. Eben noch war das Leben dumpf, jetzt war alles licht und blau. Mopp kam zurück mit einer Flasche Weißwein und zwei Gläsern. Still setzte sie sich auf die andere Seite des Nierentischchens.

»Spätlese. Prösterchen.«

Meine Mutter trank in schnellen kleinen Schlucken. Langsam beruhigte sie sich, ihr Blick tastete sich durch den Raum. Vieles hatte sich verändert seit unserem letzten Besuch. Die Stühle, auf denen wir saßen, die Musiktruhe, ein kleines Fernsehgerät, der Teppich, sogar die Wandlampen und die gläsernen Zapfen, die in der Mitte des Zimmers von der Decke baumelten.

»Hast du im Lotto gewonnen?«

»Nee, mein Onkel hat das Zeitliche gesegnet.«

»Dann können wir ja die Puppen tanzen lassen.«

Sie lachten.

»Ist dir denn danach? Sahst eben nicht so aus«, sagte Mopp. Ihre kleinen Augen blitzten vor Zuversicht. »Weißt du was, Ada? Die Mama und ich, wir ratschen ein bisschen in der Küche, und ich mach dir den Fernseher an. Was sagst du dazu?«

Ich nickte freudig. Zu Hause gab's keinen Fernseher, mein Vater war strikt dagegen. »Reine Volksverdummung«, sagte er und ließ sich durch nichts erweichen. In der Schule bekam ich immer rote Ohren, wenn die andern erzählten, was sie am Vortag alles geguckt hatten.

»Jetzt läuft gleich *Vater ist der Beste*.«

Meine Mutter lachte laut auf.

»Zum Piiiiiiepen.«

Ich wusste nicht, was daran so witzig war, lachte aber vorsichtshalber mit.

Mopp schaltete das Fernsehgerät an und brachte mir ein paar Schnittchen.

Die Serie handelte von einer ganz tollen amerikanischen Familie. Der Vater James, den alle Jim nannten, kam jeden Abend nach einem erfolgreichen Arbeitstag in sein Heim zurück, streifte sich einen bequemen Pullover über und erkundigte sich, wie seine liebe Familie den Tag verbracht hatte. Bei uns fragte nur meine Mutter ab und zu, wie es denn in der Klinik war, und mein Vater, der sich auch nach der Arbeit nicht von Schlips und Kragen trennte, sagte dann entweder »hör bloß auf« oder »langsam hab' ich die Faxen dicke«. Jims Frau Margaret kümmerte sich sehr liebevoll um den Haushalt, und im Gegensatz zu meiner Mutter schien ihr das auch großen Spaß zu machen. Sie hatte allerdings auch die tollsten neumodischen Sachen zur Verfügung, Geräte, wie ich sie weder bei uns noch anderswo gesehen hatte, die ihre Arbeit wie von selbst erledigten. Dann war da noch die älteste Tochter Betty, die von ihrem Vater immer *Prinzessin* genannt wurde. Sie war älter als ich, vielleicht siebzehn oder so. Ihr jüngerer Bruder Bud war ganz schön frech und wurde immer Teenager gerufen, wenn er die jüngste Schwester Kitten ärgerte. Ansonsten war alles wie im echten Leben, nur eben anders als bei uns. Vater Jim kümmerte sich um alles, wirklich alles, lächelte stets, seine liebe Frau half ihm dabei und lächelte noch mehr. Ein bisschen erinnerte mich die Familie an Mopp, deren heiteres Gelächter wieder zu mir herüberschallte. Sie war der einzige Mensch in Deutschland, der immer lächelte oder lachte. Ich sah ihr blassrundliches Gesicht, stellte mir vor, wie gut sie in die Familie von Jim,

Margaret, Betty, Bud und Kitten passen würde. Sie war nicht hübsch, aber mit ihrer leicht verrutschten Perücke, dem spitzen kleinen Mund, den runden Backen war sie viel mehr, sie war schön, denn wenn sie kam, ging die Sonne auf. Sie kannte mich seit meiner Geburt. Sie war der einzige Mensch aus dieser dunklen Zeit, über die alle schwiegen.

Vor dem Fenster sprangen die Straßenlaternen an. Gelb flackerte ihr Gaslicht herein. Mussten wir nicht nach Hause? Würde mein Vater nicht ungeduldig auf uns warten? Unruhig schlich ich mich in den Korridor. Ich blieb wie angewurzelt stehen, meine Mutter weinte. Seit Tagen hatte ich die aufkommende Veränderung gespürt, manchmal übergangslos, dann wieder schleichend. Ihr Gesicht nahm die weißgelbliche Farbe von Kerzenwachs an. Obwohl sie immer weiter zunahm, wirkte sie in solchen Momenten so entkräftet, als drohte sie im nächsten Augenblick zusammenzubrechen. Sie weinte. Das war an sich ein gutes Zeichen. Wenn es wirklich schlimm wurde, starrte sie nur. Sie sah dann aus wie eine leere Straßenbahn, die nicht mehr weiterfuhr, geräuschlos blieb sie stehen, bis alle Geister ausgestiegen waren.

»Wenn das Pferd tot ist, steigt der Reiter ab.«

Diesen Satz hatte sie eines Nachts zu meinem Vater gesagt, bevor sie schweigend die Küche verließen. Sie wussten nicht, dass ich noch wach war. Sie sahen meine weit aufgerissenen Augen in der Dunkelheit nicht.

Ich musste wissen, warum sie weinte. Dicht an der Wand schlich ich weiter bis zur Küchentür.

»Ich glaube …« Sie holte tief Luft. »Ich glaube …«

Es fiel ihr schwer zu sprechen, ich fühlte es, ich kannte das. Hinter mir kündigte Walzermusik aus dem Fernseher die nächste Sendung an, wir mussten dringend gehen, mein

Vater würde jetzt schon wie ein wütendes HB-Männchen in der Küche herumspringen. Draußen begann es zu schneien, die ersten Flocken taumelten im Wind, klatschten sterbend gegen das Wohnzimmerfenster.

»Ich glaube, ich muss hier weg. Ich glaube, ich möchte nach Paris«, hörte ich meine Mutter sagen. »Im Reisebüro eine Zugfahrkarte kaufen, nach Hause gehen, eine Geschichte erfinden, mehr für Ada als für Otto, zwischendurch immer wieder weinen, vor Freude, vor Sehnsucht. Und wenn das Herz zerspringt, ich weiß, dass es richtig ist, Mopp. Wie damals aussteigen, an der Gare de Lyon. Keine Lola mit Chauffeur zur Abholung, aber egal, Hauptsache Paris, nur kurz, ich finde schon zurück, nur ein wenig Luft, Atemholen. Warum darf ich das nicht? Und wenn ich dort auf Hannes träfe, so zufällig wie damals, im Deux Magots? Mein Gott.« Sie lachte leise. »Ich sehe noch die deutschen Soldaten vor mir, dazu die beiden jungen Französinnen, an die sie sich plump ranmachten, mit Klopfzeichen im Morsealphabet haben sie Schweinereien ausgetauscht. Und plötzlich saß er neben mir. Aufgetaucht aus dem Nichts, die dunklen Haare elegant mit feiner Pomade zurückgekämmt, ein dezenter Duft von Zitrusfrucht, strahlend weiße Zähne, unverschämt gut sah er aus, wie ein amerikanischer Filmstar. Wie Cary Grant. Dann übersetzte er mir flüsternd das Fingergetrommel der Soldaten. Er sprach einfach Deutsch mit mir. Ohne ein Wort von mir zu hören, zweifelte er keine Sekunde an meiner Herkunft.« Wieder lachte sie. »Seine langen Hände, die schlanken Finger, die erste Berührung. Wir gingen raus und starrten zum Himmel. Über uns der Mond. Ein paar Tage, ein paar Nächte, dann war er verschwunden und Otto stand vor der Tür. Genau wie in Leipzig.«

Nach einer längeren Pause räusperte meine Mutter sich.

»Verrückt.«

»Was?«, fragte Mopp.

»Immer wenn Hannes verschwand, tauchte Otto auf. Wie aus dem Nichts. Als hätten sie sich abgesprochen. In Leipzig hätte ich ihn beinahe nicht wiedererkannt. Ein Gespenst auf dem Bahnhof. Abgemagert bis auf die Knochen. Zwei Tage, dann musste er zurück an die Front. Und ich war schwanger.«

»Ja«, sagte Mopp.

»An manchen Tagen, wenn diese Erinnerungen in mir hochkommen, habe ich Angst, so zu werden wie meine Mutter. Ich weiß nicht, was ich tun soll, Mopp.«

Es wurde so still, dass ich sie beide atmen hörte. Aus dem Wohnzimmer schepperte dramatische Musik.

»Ich laufe in Gedanken mit Hannes durch die Straßen, wie damals, Hand in Hand. Kurz nach unserer Rückkehr aus Argentinien habe ich ihn wiedergesehen. Zwei Tage, nachdem ich Ottos Namen im Telefonbuch gefunden hatte, erinnerst du dich?«

»Und wie.«

»Otto und Hannes, wie in Paris und Leipzig. Erst der eine, dann der andere.«

Mein Herz klopfte so laut, dass ich meine Hände auf die Brust presste, aus Angst, es könnte mich verraten.

»Ich glaube, ich habe gehofft, dass Ada die Wahrheit spüren würde. Dass mein Kind mir die Entscheidung abnehmen könnte. Ich wollte endlich Ruhe finden. Ich wollte ein Zuhause. Und jetzt laufe ich weg. Wie meine Mutter. Ich bin genauso rastlos wie sie. Weißt du, was sie mir damals geschrieben hat, als ich fast noch ein Kind war? Ab und zu erscheine ein Meteor über dieser Welt, um den anderen den Weg zu weisen. Nur diese Meteore würden zählen, alle andern nicht.«

Sie schwiegen. »Ich bin kein Meteor, Mopp. Ich habe nicht wie sie gegen Franco gekämpft, ich bin nicht für meine Überzeugung zum Tode verurteilt worden, ich habe nicht fünf Jahre in einer Zelle auf meine Hinrichtung gewartet. Ich bin gejagt worden, eingesperrt, damals in Gurs, und nur ein Zufall hat mich vor den Gaskammern in Auschwitz gerettet.«

»Aber sie wurde begnadigt, sie hat überlebt, genau wie du.«

»Ja, genau wie ich, aber als Heldin.« Ihre Stimme klang kalt und bitter. »Eine Anarchistin, die den Tod nicht gefürchtet hat.« Wieder wurde es still. Nur der Fernseher schepperte, mein heimlicher Komplize.

»Und ich …? Ich bin durch einen glücklichen Zufall dem Tod von der Schippe gesprungen. Ich habe überlebt, während Millionen in den Gaskammern erstickten. Und selbst wenn es anders gekommen wäre … Ich wäre doch nur für die Überzeugungen der Nazis gestorben, nicht im Kampf gegen sie, nicht für meine eigenen Ideale. Ich wusste gar nicht, was das sein sollte. Als ich in Gurs mit den anderen Frauen hinter Stacheldraht saß, wollte ich einfach nur raus. Ich wollte überleben, sonst nichts.«

»Willst du dich dafür schuldig fühlen? Sala, das ist absurd.«

Ich verstand kein Wort. Ein Stuhl quietschte, als würde Mopp näher rücken.

»Ich muss immer wieder an Hannes denken. Ich kann nichts dafür. Ich bin eine schlechte Mutter, eine schlechte Ehefrau.«

»Sala, das geht vorbei.«

»Plaisir d'amour ne dure qu'un instant …«

Beide summten leise eine Melodie.

»Chagrin d'amour dure toute la vie …«

Meine Mutter lachte. Etwas raschelte. Umarmten sie sich jetzt?

»Du hast recht. Das geht vorbei. Er war nur ein Teil von mir. Beide Teile leben jetzt an anderen Orten. In anderen Zeiten. Keine Gemeinsamkeiten mehr. Na ja, wer weiß.«

»Paris?«, sagte Mopp.

»Warum nicht? Ja, warum nicht? Es gibt viele Gründe, hierzubleiben Ada, Otto, nicht davonlaufen, auch ein wichtiger Grund. Meiner Verantwortung gerecht werden. Diese Antworten klingen so falsch, wie sie richtig sind. Alles falsch. Wohin ich auch gehen würde … es geht nicht.«

»Vielleicht nicht heute …«, sagte Mopp.

Mein Blick verschwamm, würgend kämpfte ich gegen die aufsteigenden Tränen. Warum erschrak Mopp nicht? Warum geriet sie nicht außer sich? War es nicht furchtbar, was meine Mutter tun wollte? Sie wollte den Mann verlassen, den sie endlich wiedergefunden hatte, sie wollte mich verlassen. Sie war nicht besser als ihre Mutter. Genauso böse und kalt. Hasste sie uns so sehr? Eben dachte ich noch, ich müsste schreien. Jetzt war da nichts mehr. Unbemerkt trat ich in die Tür.

»Wir müssen nach Hause.«

Meine Mutter sah auf. Kreidebleich wischte sie sich eine Träne aus dem Gesicht. Mopp saß ihr gegenüber. Sie lachte nicht, sie weinte nicht. Sie war ruhig und klar wie ein Spiegel. Das Gesicht meiner Mutter belebte sich, die Farbe kehrte langsam zurück, wie ein Zug, der wieder Fahrt aufnimmt, warf sie den Kopf hoch und schüttelte ihr dunkles Haar.

»Ich muss zum Friseur.«

Stimmen

Manchmal höre ich sie heute noch im Schlaf oder wachend. Die Wörter, die damals unverständlich waren, *Gaskammer*, *Auschwitz*, *Gurs*. Sie sind fremd geblieben, auch wenn sie mit abgegriffenen Erklärungen aufgepolstert wurden. Was fehlte, waren nicht Erklärungen, es fehlte ein Gefühl. Mein Lauschangriff von damals kommt mir heute ebenso hilflos vor, als wollte ich einer Konversation in einer mir gänzlich fremden Sprache folgen. Ich sehe das kleine zehnjährige Mädchen, das ich war, wie es versucht, wie ein Lachs gegen den Strom zu schwimmen, zurück zur Quelle, nicht wissend, was es dort suchen oder finden soll.

Am nächsten Morgen wurde ich von den flüsternden Stimmen meiner Eltern geweckt. Ich stellte mich schlafend.

»Ich muss hier weg, ich halte das nicht aus.«

»Sala, es geht vorbei. Denk an das Kind.«

»Ich kann nicht.«

Ich lauschte den Geräuschen. Wasserrauschen, klapperndes Geschirr. Schweigend deckten meine Eltern den Frühstückstisch. Bestimmt ohne sich anzusehen, das kannte ich schon. Sie liebten sich, das spürte ich, aber an manchen Tagen wirkten sie so fremd, als kämen sie aus weit entfernten Ländern. Bald würde meine Mutter kommen, um mich zu wecken. Dann müsste ich ins Bad gehen. Waschen, anziehen, mit dem Bus zur Schule fahren.

»Otto, bitte.«

»Wie stellst du dir das vor?«

»Mopp könnte für eine Weile bei euch wohnen.«

»Mopp?«

»Sie wird sich um alles kümmern, du wirst sehen.«

Wieder schwiegen sie. Die Stille kroch immer näher. Ich wagte nicht mehr zu atmen.

»Wie lange?«

Keine Antwort. Warum antwortete sie nicht? Was bedeutete dieses Schweigen?

»Was willst du in Argentinien? Ich verstehe es nicht, Sala. Wir bauen uns doch hier gerade was auf. Warum läufst du weg?«

»Nur … einmal noch. Dieses Land. Die Menschen. Ich vermisse das alles so sehr. Ich möchte es noch einmal wiedersehen. Ein letztes Mal. Bitte.«

»Wie lange?«

»Ein paar Wochen vielleicht …? Ich weiß es nicht, Otto. Ich weiß es doch nicht.«

Ein paar Wochen? Vielleicht auch mehr? Vielleicht Monate? Und ich? Fehlte mir Argentinien etwa nicht? Wenn sie mich liebte, wie sie immer sagte, warum wollte sie dann weg? Warum ließ sie mich allein mit meinem Vater zurück?

»Ich krieg hier keine Luft. Ich ersticke, Otto. Kannst du das nicht verstehen? Bitte.«

»Nein. Ich verstehe es nicht. Ich verstehe nichts mehr. Ersticken? Glaubst du, ich ersticke hier nicht? Glaubst du nicht, ich könnte kotzen, wenn ich die alten Nazifressen in der Klinik sehe? Schelling und Konsorten, den Schmiss im Gesicht vom eingelegten Pferdehaar erweitert?«

Nichts rührte sich.

»Gut«, hörte ich ihn sagen.

»Du würdest das für mich tun?«

Ich lauschte atemlos. Warum antwortete er nicht? Ich

wollte nicht, dass Mopp hier einzog und die Aufgaben meiner Mutter übernahm. Was konnte ich tun? Ich war kein Kind mehr, aber immer noch eine kleine Frau. Ich dachte an Uschka. Groß stand sie jetzt vor mir. Ihr glattes blondes Haar fiel in ihr Gesicht. Hoffentlich würde sie nicht auch weglaufen.

Ein paar Tage später wachte ich in unserer kleinen Wohnung auf. Auf meinem Kissen noch ein Traum. Halb im Schlaf stand ich auf, um wie gewohnt nach meiner Mutter zu schauen. Sie war verschwunden. Erst glaubte ich, sie sei vielleicht spazieren gegangen, obwohl sie das fast nie tat. Sie bewegte sich nicht gerne. Sie ging nicht spazieren, sie saß den ganzen Tag in unserer kleinen Wohnung und starrte aus dem Fenster.

»Mama?«

Ich rannte ins Schlafzimmer. Dort war sie auch nicht. Die Schranktüren standen weit offen.

Am Abend kam mein Vater nach Hause. Ich stand in der Tür, als wollte ich ihm den Weg versperren.

»Wo ist Mama?«

Er sah mich mit abwesendem Blick an, als würde er meine Frage nicht verstehen.

»Sie …, aber das haben wir dir doch gesagt … sie musste noch mal zurück nach Buenos Aires.«

»Nach Buenos Aires, aber …?«

Ich begann zu zittern, die Tränen sprangen mir aus den Augen.

»Sei nicht traurig, sie kommt bald wieder.«

Ich war nicht traurig, es war Wut, ohnmächtige Wut, die durch meinen Körper kroch und die mich nicht verlassen wollte, egal wie fest er mich in seine Arme nahm. Ich wusste nicht, wann meine Mutter zurückkehren würde, nicht einmal, ob ich überhaupt damit rechnen konnte. Ob sie wirklich in Buenos Aires war, oder vielleicht doch in Paris? Ich wusste nicht, ob mein Vater etwas davon ahnte, was er überhaupt wusste. Kannte er diesen Hannes? Wusste er etwas über dieses komische Gurs? Wieso hatte er nichts unternommen? Warum war er nicht wie Jim aus der Fernsehserie, der sich um seine Familienmitglieder kümmerte und ihnen alle Sorgen aus dem Gesicht lächelte?

Am nächsten Morgen setzte ich mich auf meinen Platz am Frühstückstisch. Schweigend folgte ich seinen Bewegungen. Er war mit seinen Gedanken woanders. Aber wo immer das sein mochte, er fühlte sich nicht wohl, das konnte ich sehen, er war verloren. Er stand vor mir wie in einem Traum. Wenn ich die Menschen und Dinge in die Unschärfe meiner Tagträume stellte, fiel es mir leichter, sie zu verstehen. Alles Ablenkende löste sich in einem Nebel auf, aus dem die Dinge deutlicher gezeichnet hervortraten. Immer noch fiel es mir schwer, »Papa« zu sagen. In den Jahren des Wartens war kein Tag vergangen, ohne dass ich davon geträumt hätte. In meinen Träumen war er immer da gewesen, wenn ich ihn gebraucht hatte. Seine schützende Kraft war mit meiner Sehnsucht gewachsen, sie war in seine Muskeln gekrochen und hatte ihn stärker als alle Väter gemacht, die ich gesehen hatte. Immer wieder hatte ich mir damals versucht vorzustellen, wie es sein würde, dieses Wort auszusprechen. Er war in Russland gewesen, das wusste ich. Mehr nicht. Briefe gelangten damals nicht an ihr Ziel, das war normal, das erging allen so. Wie sollte er damals an ein Bild von mir herankommen? Eine merkwürdige Vorstellung, irgendwo auf der Welt, sehr weit von ihm entfernt, lebte seine Frau mit seiner Tochter, die er nie gesehen hatte, von der er sich kein Bild machen konnte.

»Warum können wir nicht allein bleiben?«

»Das geht nicht.«

»Aber warum nicht?«

»Ada …«

Endlich sah er mich an.

»Wer soll sich denn um dich kümmern, wenn du aus der Schule kommst? Wer kocht für dich? Und auch für mich?«

»Du.«

»Männer können nicht kochen.«

Er lachte.

»Aber du kannst doch alles, sagt Mama.«

»Im Haushalt habe ich zwei linke Hände.« Er lachte.

»Du lügst, du lügst«, schrie ich, »Mama sagt, dass du goldene Hände hast und heilende Hände und …«

»Aber nur in der Klinik. Zu Hause habe ich linke Hände.«

Er hatte aufgehört zu lachen und schmierte Butter auf eine Scheibe Brot, legte eine Scheibe Wurst darauf, schnitt mit schnellem Griff das Brot in zwei Hälften, die er übereinander klappte und in Butterbrotpapier einwickelte. Er packte das Schulbrot in meinen Ranzen. Dann wischte er die Krümel vom Tisch. Von wegen ungeschickt.

»Warum können wir nicht zu zweit hier leben? Nur du und ich.«

Er sah mich an, ohne mich zu verstehen.

Die Unzertrennlichen

Die erste Woche verging schnell. Morgens ging ich zur Schule. Wenn ich zurückkam, bemühte sich mein Vater, mir etwas Essbares auf den Tisch zu stellen. Als wollte er seine Ungeschicklichkeit beweisen, scheiterten seine Versuche beim ersten Rührei. Danach hielt er seinen Mittagsschlaf. Ab diesem Zeitpunkt blieb ich mir selbst überlassen, bis er abends von der Klinik zurückkehrte.

Kaum verließ er die Wohnung, verabredete ich mich mit Uschka. Ich schämte mich so sehr, von meiner Mutter verlassen worden zu sein, dass ich eine Geschichte erfand.

»Sie ist nach Madrid gefahren, zu ihrer Mutter.«

»Wie lange?«

»Keine Ahnung. Sie muss da was erledigen.« Ich versuchte das Thema zu wechseln. »Lebt deine Großmutter in Berlin?«

»Nein, sie ist im Krieg gestorben«, sagte Uschka.

»Meine wurde zum Tode verurteilt.«

»Hier, in Berlin?«

»Nein, ich glaube ich Spanien. Sie war Anar… Anarchin oder so.«

»Anarchistin?«

»Ich glaube, ja. Aber mehr weiß ich nicht«, beeilte ich mich hinzuzufügen, aus Angst vor weiteren Fragen. »Redet bei euch auch niemand darüber?«, fragte ich.

»Manchmal schon, aber nicht viel. Ich will auch gar nicht fragen.«

»Ja, oder? Es fühlt sich einfach so … na ja, irgendwie komisch an.«

Wir starrten schweigend vor uns hin.

»Kennst du Brigitte Bardot?«, fragte Uschka.

»Nein.«

»Eine französische Schauspielerin. Wahnsinnig toll und schön.«

»Ja?«

»Ich hab' noch nie einen Film mit ihr gesehen, aber Fotos in den Magazinen.«

»Und?«, fragte ich, froh, über etwas anderes zu sprechen.

»Die Französinnen sind ganz anders. Eleganter. Weiblicher. Nicht so …«

»Tapfer?«

Uschka sah mich überrascht an.

»Tapfer? Wie kommst du da drauf?«

»Weiß nicht. Als ich aus Buenos Aires kam, dachte ich, die sehen hier alle so … na ja, streng aus. Und dann sagte meine Mutter, sie hätten im Krieg auch sehr tapfer sein müssen … und stark.«

»Tapfer und stark, hm.«

Uschka sah vor sich hin.

»Ist deine Mutter tapfer und stark?«

»Weiß nicht. Wir kommen ja aus Argentinien. Da war sowieso alles anders. Aber … ja, da musste sie alles allein machen. Mein Vater war ja nicht da.«

Immer wenn ich von meinem Vater sprach, merkte ich, wie Uschka traurig wurde. Ich biss mir auf die Lippen. Dumme Kuh, warum musste ich ihn auch erwähnen. Ich versuchte das Thema zu wechseln.

»Sie haben das gewisse Etwas. Ein Flair. Dieses *Je ne sais quoi*.«

Uschka sah mich unvermittelt an.

»Du hast das auch.«

»Was?«

»Dieses *Ich weiß nicht was.*«

Wir lachten.

»Je ne sais quoi. Isch weiß nisch was …«, sagte Uschka.

»Früher konnte ich mit meiner Mutter auch so rumalbern. Seit wir hier sind, geht das irgendwie nicht mehr«, sagte ich.

Uschka richtete sich kerzengerade auf.

»Stark und tapfer.«

Wieder prusteten wir los.

»Stark …«

»Tapfer …«

»Brav …«

»Und langweilig …«

Wir fielen uns in die Arme.

»Neiiiiin.«

»So wollen wir nicht sein …«

»So werden wir nicht sein«, Uschka nahm mich an den Schultern und sah mir fest in die Augen. »Schwöre«, sagte sie.

Ich hob feierlich meine rechte Hand.

»Ich schwöre.«

»Wir werden wie Brigitte Bardot und Jeanne Moreau, oder Catherine Deneuve, kennst du die?«

Ich schüttelte den Kopf.

»Du kennst ja gar nichts. Die Welt besteht nicht nur aus Goethe und Beethoven.«

»Goethe und wer?«

Wieder schütteten wir uns aus vor Lachen.

»*Roll over Beethoven*, von Chuck Berry, kennst du das?«, fragte sie.

»Nee.«

»Elvis Presley, *Jailhouse Rock*?«

»Nö.«

»*Your Cheatin' Heart*, von Hank Williams, *Rock around the Clock*, von Bill Haley, Little Richard, *Tutti Frutti*, Jerry Lee Lewis, The Platters, Johnny Cash?«

»Kenn' ich alle nicht.«

»Aber Peter Alexander.«

»Den hört immer meine Cousine.«

»Die bucklige Verwandtschaft? Die hast du mir verschwiegen, gib's zu.«

Von nun an kümmerte sich Uschka um meine Bildungslücken, und ich machte sie mit der Welt des argentinischen Tangos und der Gauchos vertraut. In den Pausen probten wir auf dem Schulhof gemeinsam die ersten Schritte. Es dauerte nicht lange, bis Uschka die Führung übernahm, sie war nicht nur älter, sie war vor allem größer als ich. Man begann uns mit Argusaugen zu beobachten. Angestachelt von der ehrgeizigen Spangen-Bettina mit ihrem Breitmaulfroschgrinsen, wurde hinter unserem Rücken getuschelt. Ich glaube, sie setzte auch das Gerücht in die Welt, wir würden uns für etwas Besseres halten und seien obendrein auch noch verliebt, was allgemein als Schweinerei galt. Uns war es egal. Im Gegenteil, wir genossen den Status des Besonderen. Schließlich hatten wir uns geschworen, alles andere als tapfer, brav und langweilig zu sein. Wir waren auf unsere Weise stark. Ein Hauch von Verruchtheit kam uns da nur entgegen. Die Jungs schielten uns argwöhnisch nach, hielten sich aber bedeckt, noch war ihnen das alles nicht ganz geheuer. Außerdem wollten sie weder etwas mit einer Bohnenstange zu tun haben, der Tochter eines Vaterlandsverräters, wie man über Uschka munkelte, noch mit einer Ausländerin, von der man auch nicht so recht wusste, auf welcher Seite die Eltern im Krieg gewesen waren. Wir blieben suspekt.

Die Zeit mit Mopp

In der zweiten Woche kam Mopp. Sie kochte jeden Tag für uns, kaufte ein, nahm die schmutzige Wäsche mit, achtete darauf, dass ich meine Schularbeiten machte. Sie bereitete uns das Abendbrot zu, danach verschwand sie bis zum nächsten Morgen. So krochen die Tage dahin, bis wir endlich der erlösenden Nacht in die Arme fielen. Jeder in seinem Zimmer. Einsam zu zweit. War mein Vater schon vor der Abreise meiner Mutter nicht sehr gesprächig gewesen, zog er sich nun ganz in sein Schneckenhaus zurück. Mittags schlief er, abends las er. Ich begann mich zu fragen, ob er es bereute, eine Familie zu haben.

Ich arbeitete fleißig für die Schule. Vielleicht, dachte ich mir, freut er sich, wenn ich gute Noten nach Hause bringe. Aber wenn ich ihm meine Hefte präsentierte, warf er nur einen flüchtigen Blick darauf, lobte mich jedes Mal mit den gleichen Worten, fragte, ob ich seine Hilfe brauche, und ging zu seinen Büchern zurück, wenn ich stolz den Kopf schüttelte. Heute glaube ich, unsere Beziehung war voller Missverständnisse.

Aus dieser Not heraus wurde mein Verhältnis zu Mopp enger. Aus der Fremden wurde langsam eine Verbündete, der ich mich auf andere Weise anvertraute als Uschka. Nach drei Wochen brachte ich es zum ersten Mal über mich, die Frage zu stellen, die sich seit der Abreise meiner Mutter wie eine im Verborgenen keimende Entzündung in mir ausbreitete.

»Was macht Mama in Argentinien?«

»Ich glaube, sie will Abschied nehmen, ein letztes Mal, weißt du?«

»Aber warum, wir haben uns doch damals schon verabschiedet?«

Abschied. Darüber hatte ich nie nachgedacht. Ein letztes Mal. Aber wovon? Oder von wem? Ich konnte mich an keine engen Freunde erinnern, die ihr fehlen würden. Mercedes und German vielleicht? Nein. Sie schrieben einander hin und wieder. Das wusste ich, weil ich dann auch immer ein paar Zeilen beisteuern musste. Nach allem, was geschehen war, verstand ich das zwar nicht, aber meine Mutter sagte mir, wir würden ihnen sehr viel verdanken, nicht zuletzt unsere argentinische Staatsbürgerschaft, die wir ohne ihre Unterstützung niemals bekommen hätten. Das beeindruckte mich wenig, was hatte ich schon davon? Wieder gehörte ich nicht dazu, auch wenn ich langsam lernte, mich damit abzufinden. Ich sah Mopp an.

»Hoffentlich macht Mama keine Fisimatenten.«

War es mein ernstes Gesicht oder war es der Ton, jedenfalls zuckte Mopp zusammen, dann fuhr sie mir mit der Hand durch mein Haar, und ein glucksendes Lachen erschütterte ihren Körper.

»Du bist 'ne Marke, Ada, du bist wirklich 'ne Marke. Wie kommst du denn darauf?«

»Weiß nicht.«

Ich zuckte ein paarmal mit den Schultern, wagte es nicht, sie in meine Sorgen einzuweihen.

»Wie habt ihr euch in Leipzig kennengelernt?«, fragte ich stattdessen.

»Wir haben beide in dem Krankenhaus gearbeitet, in das sie kurz nach ihrer Flucht aus Frankreich eingeliefert wurde.«

»Was für eine Flucht?«

Mopp sah mich an.

»Hat Mama dir nie davon erzählt?«

Ich schüttelte den Kopf.

»Dann sollte ich es vielleicht auch nicht tun …«

»Bitte.«

»Hm …«

Wieder sah sie mich von der Seite an.

»Als sie damals in Leipzig ankam, war sie sehr geschwächt. In dem Lager in Gurs gab es kaum was zu essen.«

Gurs, da war es wieder.

»Was ist das?«

»Was?«

»Ein Lager.«

»Na … so eine Art Gefängnis.«

»So richtig mit Stacheldraht und Mauern?«

»Mauern glaube ich nicht, aber Stacheldraht … ja.«

»Wo?«

»In Gurs. Das liegt in Frankreich … in den Pyrenäen … nicht weit von Spanien.«

»Warum? Was hat sie denn gemacht?«

»Nichts.«

»Nichts? Aber dafür kommt man doch nicht ins Gefängnis. Sie muss doch etwas getan haben. Ist sie eine Verbrecherin?«

»Nein. Es war nur so ähnlich wie ein Gefängnis. Ein Lager, das ist … Also die gab es damals … Lernt ihr denn nichts in der Schule darüber?«

Wieder schüttelte ich den Kopf.

»Hm … also … ein Lager, diese Lager meine ich … die wurden von der französischen Regierung damals … Ach Gott, Kindchen, das ist alles sehr kompliziert und auch nicht sehr schön, ich weiß wirklich nicht, ob das richtig ist, wenn ich dir davon erzähle, nachher schimpft die Mama mit mir, weißt du?«

»Wir müssen es ihr ja nicht sagen.«

»Das wäre aber beinahe eine Lüge …«

»Nein, ein Geheimnis. Unser Geheimnis.«

Ich sah sie flehend an.

»Ich liebe Geheimnisse. Mit meiner Freundin Uschka habe ich auch welche. Sie hat mir zum Beispiel erzählt, dass ihr Vater von Hitler umgebracht wurde, weil er versucht hat, ihn umzubringen.«

»Hitler?«

»Ja.«

»Er hat versucht, Hitler umzubringen?«

Sie starrte mich an, als hätte ich etwas ganz Absurdes gesagt.

»Wie heißt er denn, also ich meine …«

»Ich kann mir ihren Nachnamen nie merken, er ist so lang mit von und zu und so.«

»Ein Adeliger?«

»Ich glaube, ja.«

»Gehörte er zum 20. Juli?«

»Was ist das?«

»Ja … das ist auch nicht ganz einfach … das waren ein paar sehr mutige Männer, die Hitler umbringen wollten, bevor er die ganze Welt … also bevor … hast du in der Schule nie den Namen Claus Graf von Stauffenberg gehört?«

»Graf von was?«

»Stauffenberg.«

»Nein.«

»Wahrscheinlich gehörte der Vater deiner Freundin dazu.«

»Ja, vielleicht.«

»Na ja, das Attentat, das sie lange geplant hatten, um die Welt von Hitler zu befreien, ging leider schief. Hitler ist nichts passiert. Also fast nichts. Aber Stauffenberg und seine Leute wurden noch in derselben Nacht wegen Hochverrat und dem Versuch, den Führer umzubringen, erschossen.«

»Von wem?«

»Von den Nazis.«

»Hochverrat?«

Mopp nickte.

»Vielleicht sagen deswegen manche in der Schule, Uschka ist die Tochter eines Verräters.«

»Wer sagt das?«

»Herr Dr. Hinz zum Beispiel, unser Geschichtslehrer, aber auch Schüler.«

»Das gibt's ja nicht. Euer Geschichtslehrer? Nein, Ada, das waren mutige Männer, die ihr Leben geopfert haben, um Deutschland und uns alle vor dem Untergang zu retten.«

»Aber warum wurden sie dann erschossen?«

»Weil ... weil sie Menschen wie der Mama helfen wollten, Menschen, die in Lager gesteckt oder sogar getötet wurden.«

»Sie wollten Mama töten?«

»Das ist alles so furchtbar, weißt du ... aber ... ja.«

»Meine Mama?«

Ich spürte, wie mir schlecht wurde.

»Aber warum? Du hast doch gesagt, sie hat nichts Böses getan, dann kann man sie doch auch nicht bestrafen? Sie dürfen doch nicht einfach einen Menschen töten. Das ist eine Sünde. Eine Todsünde. Das können sie nicht.«

»Doch.«

Aus Mopps Gesicht war auf einmal alle Heiterkeit verschwunden.

»Und wie ist sie dann aus diesem Lager wieder rausgekommen?«

»Das weiß ich nicht. Darüber hat sie nie gesprochen. Manchmal dachte ich, sie weiß es selbst nicht. Und weißt du, wenn jemand über etwas nicht sprechen will, dann muss man das respektieren. Vielleicht braucht er dann noch etwas Zeit.«

»Redet deswegen niemand darüber?«

»Vielleicht. Ich habe noch nie darüber nachgedacht, weißt du, aber vielleicht ist es so.«

»Aber, wenn Mama nichts getan hat, warum ... ich meine, wie konnten die sie dann trotzdem einsperren?«

Mopp sah mich an.

»Deine Mama ist Jüdin.«

»Was ist sie?«

»Das war lebensgefährlich. Sie haben die Juden umgebracht.«

»Aber ich bin doch katholisch. Und Mama auch.«

»Zur Sicherheit.«

»Wieso?«

»Damit euch so was nie wieder passieren kann.«

»Also ist Mama eigentlich jüdisch?«

»Ja.«

»Und ich? Was bin dann ich? Bin ich gar nicht katholisch?«

»Ja und nein.«

»Jüdisch und katholisch ... und argentinisch ... und deutsch?«

»Irgendwie schon.«

»Ich versteh das nicht.«

»Das ist auch schwer zu verstehen.«

»Redet deswegen keiner mit mir?«

»Vielleicht. Vielleicht fürchten sie sich auch vor deinen Fragen.«

»Warum denn?«

»Weil ... weil sie keine Antworten haben. Ich ja auch nicht.«

Heute weiß ich, dass Mopp in dieser Zeit meine Rettung

war. Sie wurde mein Halt, mein Kummerkasten, mein Lebensmensch. Wenn sie morgens die Wohnungstür aufschloss, hatte ich bereits den Tisch gedeckt. Ihr leises Schnaufen, wenn sie ihren runden Körper die Treppen hinaufwuchtete oder noch ganz außer Atem das Schlafzimmer aufräumte, weil mein Vater alles zu Boden fallen ließ, wo er gerade stand, wurde zu meinem liebsten Geräusch. Es schenkte mir eine neue Zuversicht, die Gewissheit, dass morgen auch noch ein Tag war und ich alles überstehen würde, solange es Menschen wie Mopp gab. Menschen, die ganz andere Dinge überlebt hatten, auch oder gerade, weil sie wie Mopp nie klagten oder darüber sprachen. Und doch war ihr Schweigen alles andere als dumpf. Als ich Jahre später etwas unbedacht meine Mutter fragte, ob die Perücken, die sie beide trugen, ein Zeichen ihrer Freundschaft waren und ob diese Perücken nicht etwas albern wären, sah sie mich schweigend an.

»Nein«, antwortete sie. »Mopp wurde im Krieg von einer Horde Soldaten vergewaltigt.«

Voller Scham sah ich zu Boden.

»Danach hat sie alle Haare verloren. Alle. Und in Zukunft, mein liebes Kind, denke erst nach, bevor du dumme Fragen stellst.«

So war das damals in vielen Familien, so war es auch in der Schule, wer fragte, war dumm. Ich frage mich heute noch, wie man von einer Massenvergewaltigung durch Soldaten erzählen und gleichzeitig die weiblichen Genitalien, die Möse – ich bringe das Wort heute noch kaum über die Lippen – als Po bezeichnen konnte. Sexualität war in meiner Generation ein Übungsfeld für Autodidakten, frei nach dem Motto meines Vaters, jeder Topf würde ohnehin seinen Deckel finden.

»Mopp?«, fragte ich eines Tages, als meine Mutter immer noch in Buenos Aires oder Paris war.

»Ja?«

»Und der Mann?«

Mopp sah erschrocken auf.

»Welcher Mann?«

»Von dem ihr neulich gesprochen habt …«

»Wann?«

»Na, neulich, als wir bei dir waren und ich fernsehen durfte.«

Sie strich mir sanft über den Kopf.

»Kindchen, man lauscht nicht an fremden Türen.«

Sie machte eine lange Pause. Dann nahm sie meine Hand.

»Kindchen, du bringst mich in Teufels Küche, dabei … also wirklich, wenn man dich so ansieht, würde man dir den lieben Gott zur Beichte schicken.«

Ich rückte dichter zu ihr heran. Sie legte den Arm um mich. Ihre Wärme glitt ganz sanft und langsam zu mir hinüber.

»Kenne ich den?«, fragte ich.

»Ob du ihn kennst?«

»Ja?«

Sie nahm meine Hand.

»Ja.«

»War er damals bei uns? Als wir noch bei dir gewohnt haben? Mama und ich?«

»Ja.«

»Der, der mich in die Luft geworfen hat?«

»Ja.«

»Aber Papa hat mir ein Fahrrad geschenkt.«

»Dein Papa ist dein Papa … und man hat nur einen Papa.«

»Auch, wenn man katholisch und jüdisch ist? Und deutsch und argentinisch?«

Mopp fuhr mir mit der Hand durchs Haar.

»Sie will nur Abschied nehmen, Ada. Ein letztes Mal.«

Wenn es ein Abschied war, egal ob in Buenos Aires oder Paris, bedeutete dieser Abschied auch, sie würde wiederkommen. Es bedeutete, diese Zeit würde zu Ende gehen. Katholisch, jüdisch, argentinisch oder deutsch, ich würde nicht wieder ein Mädchen ohne Familie sein, alles würde vorübergehen, egal wie lange es dauerte.

Tutti Frutti

Uschka war nicht nur zwei Jahre älter als ich, sie wusste auch alles. Sie kannte jeden Sänger, jede neue Musikrichtung, die neusten Filme, ihre weiblichen Stars und deren Gewohnheiten, sie wusste, wer mit wem verheiratet war oder wieder nur eine Affäre hatte, sie las das Jugendmagazin *Bravo*, kannte aber auch den Erwachsenenklatsch und war immer auf dem neusten Stand der internationalen Modeszene. Sie wollte Schauspielerin oder Model werden. Ihre bis in den Himmel wachsenden Beine schienen sie für beides zu prädestinieren. Vor allem aber kannte sie sich aus mit Jungs. Allein dieser Gedanke erfüllte mich mit tiefer Bewunderung. Ich war zwar erst elf Jahre alt, aber ich spürte, wie sich mein Körper veränderte. Jeden Abend stand ich nackt vor dem Spiegel. Meine Brustwarzen waren gewachsen. Am liebsten hätte ich mit Uschka darüber gesprochen, aber ich traute mich nicht. In Wahrheit war sie nicht weniger schüchtern als ich, aber wohin sie ging, überall war sie von einer Aura der Unnahbarkeit umgeben, ein Schutz, nach dem ich mich insgeheim sehnte. Ich merkte gar nicht, dass ich in ihrem Schatten begann, erste Begehrlichkeiten zu wecken, harmlos daherkommende Neckereien, deren unterschwellige Aggressivität mich derart irritierte, dass ich lange bemüht war, sie nicht wahrzunehmen, bis Uschka mich eines Tages völlig unvermittelt darauf ansprach.

»Merkst du nicht, wie sie tuscheln?«

»Wer? Wo?«

»Na, die Gruppe dort.«

Wir standen in der Schlange vor unserer Lieblingseisdiele, oben am Ku'damm, am S-Bahnhof Halensee. Jungs waren komisch. Man wusste nie, was sie eigentlich wollten. Sie lehnten jetzt betont lässig an der gegenüberliegenden Hauswand. Sie waren vielleicht zwischen zehn und zwölf Jahre alt. Feixend waren sie so ineinander verknäult, dass es mir schwerfiel, sie zu unterscheiden.

»Sie meinen dich.«

»Was? Wieso?«

»Nicht hingucken.«

»Aber …«

»Nein.«

»Warum nicht?«

»Oberstes Gebot: Wir lassen gucken.«

»Wir lassen gucken?«

»Ja, aber es interessiert uns nicht.«

»Wie … aber … dann … wie soll ich denn dann wissen, ob mir einer gefällt?«

»Du sollst bewundert werden, nicht umgekehrt.«

Ich sah sie ratlos an.

»Es ist ein Spiel, verstehst du? In Wirklichkeit wollen sie nur, dass wir sie bewundern, aber so einfach läuft das nicht. Sie müssen lernen, um uns zu kämpfen. Dann – und nur dann – schenken wir ihnen vielleicht im Vorübergehen ein klein bisschen Aufmerksamkeit, aber nicht zu viel, verstehst du, sonst glauben sie, wir gehören ihnen, und sie hören sofort auf, sich anzustrengen.«

Ich sah sie beeindruckt an.

»Woher weißt du das alles?«

»Beobachtung. Guck dir die Erwachsenen an, ihre Ehen. Ein Trauerspiel für uns Frauen. Da machen wir nicht mit.«

Sie hielt mir ihre Hand hin.

»Versprochen?«

Ich schlug ein.

»Versprochen.«

Ich war mir nicht sicher, was ich gerade versprochen hatte, aber es war mir auch egal, ich wusste, dass Uschka recht hatte, sie hatte immer recht, sie kannte das Leben, und sie wusste, dass von diesen Jungs da drüben nichts Gutes ausgehen konnte.

»Und wie soll ich nun rausfinden, wer mir gefällt?«

»Schneller sein.«

»Schneller?«

»Ja, egal wohin du kommst, sind Männer da, haben wir sie gesehen und durchleuchtet, bevor sie es merken. Alles Weitere ist nur eine Frage der richtigen Signale.«

»Signale?«

»Als wir vorhin hier angekommen sind, habe ich sofort gesehen, was für Hirnis dahinten stehen. Ich hab' es gesehen, bevor sie uns wahrgenommen haben. Jungs sind langsam und immer mit sich beschäftigt.«

»Sind wir das nicht?«

»Anders. In einem Punkt sind sie uns überlegen, sie halten zusammen, das ist so ein Ehrendings. Wir lassen uns isolieren. Dadurch sind wir leichte Beute.«

Mir schwirrte der Kopf. Bei Uschka klang alles durchdacht. Sie war ja auch schon fast vierzehn und ich erst elf. Sie sah voraus. Sie war gewappnet. Ich machte definitiv etwas falsch. Dafür war mir nicht entgangen, dass die Jungs sich mehr für mich interessierten. Eigentlich nur für mich. Ohne dass ich etwas getan hatte. Ohne Signal. Uschka las meine Gedanken.

»Guck mal. Sie schauen nur auf dich. Mit mir können sie nichts anfangen, weil ich groß bin. Größer als sie. Das ist der erste Spaltungsversuch. Dabei halten sie zusammen. Keiner tanzt aus der Reihe. Allein wir zwei würden uns niemals für den Gleichen interessieren. Das machen sie anders, und so kriegen sie uns. Sie bleiben so lange in der Gruppe, bis wir uns einen von ihnen auswählen. Der gibt dann den Sieger, dabei haben wir entschieden, aber das merkt er nicht. Die andern akzeptieren das und warten auf ihre Chance. Als Gruppe bleiben sie stark. Allein würden sie sich niemals trauen, auch nur in unsere Richtung zu gucken. Und weißt du, warum sie dich auserkoren haben?«

Mir schwante Böses.

»Weil ich kleiner bin?«

»Nein.«

»Nein …?«

»Signale.«

»Welche? Von mir?«

»Hallo? Was wollt ihr?«

Der Eisverkäufer fuchtelte mit seiner Hand vor meinem Gesicht.

»Zwei Kugeln im Becher. Zitrone, Vanille.«

»Ich … äh … also …«

»Ich hab' nich' den ganzen Tag Zeit, Mädchen.«

Ich war so wütend über diese Ansprache, dass ich nicht weiterwusste.

»Nimm zwei Kugeln im Becher, Tutti Frutti«, sagte Uschka schnell.

Ich mochte kein gemischtes Früchteeis und fand Becher langweilig.

»Eine Waffel …«

»Und?«

»Tutti Frutti … zwei Kugeln.«

Uschkas tadelnder Blick sagte mir, dass ein Becher besser für die Linie gewesen wäre. Ich war froh, dass ich mich wenigstens in diesem Punkt durchsetzen konnte. Wir schlen-

derten über den Platz. Als wir dicht an den Jungs vorbei-
kamen, fasste Uschka meine Hand. Ich erschrak. Meine
Hand war von der Hitze feucht, ihre war kühl und trocken,
als könnte ihr die Sonne nichts anhaben, als könnte ihr gar
nichts etwas anhaben. Das gerade noch laue Gekicher der
Jungs erstarb. Schweigend schwebten wir an ihnen vorbei,
das heißt, ich schwebte, Uschka bewegte ihre langen Beine
ruhig und gleichmäßig, sie ging.

»Zwei Mädchen Hand in Hand. Das macht sie fertig«,
flüsterte Uschka, als wir um die Ecke bogen, zurück auf den
Ku'damm.

»Und welches Signal meintest du eben?«

»Sie haben gemerkt, dass du keinen Plan hast, dass du
unschuldig bist. Sie lieben die Unschuld, da fühlen sie sich
stark.«

Ein Traum

Die Nacht war über mich hergefallen. Ein stechender Schmerz weckte mich. Ich starrte auf meine Armbanduhr. Meine Mutter hatte sie mir zur Erstkommunion geschenkt. Drei Uhr. Was hatte ich gerade geträumt? Die letzten Bilder huschten davon. Ein Junge rannte einen Korridor entlang. Seine fliegenden Locken erinnerten mich an einen aus der Gruppe vom Nachmittag. Er drehte sich kurz um, lachte und war verschwunden. In einem Treppenhaus raste ich die Stufen hinauf. Das Sonnenlicht fiel in kalten Bahnen durch die hoch aufragenden Fenster. Von oben hörte ich Schüsse. Erschrocken machte ich auf dem Absatz kehrt, sprang immer zwei oder drei Stufen auf einmal nehmend die Treppen hinunter. Mit dem letzten Sprung landete ich in einem großen See. Als ich auftauchte, sah ich in seiner Mitte ein verloren treibendes Ruderboot. Zaghaft schwamm ich darauf zu. Obwohl ich mir größte Mühe gab, geräuschlos voranzukommen, hörte ich lautes Geplätscher. Ich versuchte mich umzudrehen, konnte aber von der Sonne geblendet nichts erkennen. Erschöpft erreichte ich das Ruderboot. Ich zog mich seitlich hoch. Auf dem Boden entdeckte ich Uschka. Sie lag reglos da, in einem Hochzeitskleid aus weißem Leinen, ihr flachsblondes Haar war von Todesblumen durchzogen. In ihren gefalteten Händen lag ein Brief. Auf dem Umschlag stand in großer Kinderschrift NICHT ÖFFNEN. Ich klappte ihn auf und las die in fein geschwungenen Lettern geschriebenen Worte. Es waren nur zwei, *Unschuldiges Opfer.*

An dieser Stelle war ich aufgewacht. Ich stand auf, setzte mich an den Küchentisch, kramte ein frisches Heft aus meinem Schulranzen, schrieb *TRAUMBUCH – NICHT ÖFFNEN* auf das Deckblatt und versuchte die fliehenden Bilder so gut ich konnte festzuhalten.

Am nächsten Morgen beschloss ich, ab jetzt alles, was mir durch den Kopf ging, aufzuschreiben, Tag- und Nachtträume, Gedanken, Ereignisse, Begegnungen, alles. So entstanden zwei Wirklichkeiten, die erlebte und die aufgezeichnete, die, im Augenblick des Schreibens, ihre eigenen Wege ging.

Wenn ich allein in der Küche war, kramte ich es hervor. Diesmal lag es zwischen den Kochrezepten versteckt. Da meine Mutter nicht selten in den unmöglichsten Ecken putzte, beschloss ich von Anfang an, nach jeder Eintragung ein neues Versteck zu suchen. Nach ihrer überhasteten Abreise schienen mir die Kochrezepte ein sicherer Ort zu sein, da mein Vater gewiss nie davon Gebrauch machen würde.

Meine alten Notizen las ich nie. Ich wollte nicht wissen, wer ich eben noch gewesen war. Ich wollte weiter. Mein Traumbuch war ein Ort, an dem ich alles ablegen konnte, wie eine Truhe voller alter Kleider, aus denen man herausgewachsen war, die man aber aufbewahrte, ohne recht zu wissen warum. Manchmal stellte ich mir auch vor, wie es wäre, es in zwanzig, dreißig oder vierzig Jahren zu entdecken. Würde ich über das Mädchen lachen, das ich gewesen war? Würde ich es mögen, es lieben oder hassen, oder würde es mir auf die Nerven gehen? Würde ich erstaunt feststellen, wie fremd es mir geworden war?

Am liebsten schrieb ich mit Bleistift, Ungenauigkeiten ließen sich leicht beheben, ohne das Gesamtbild zu stören. Nichts war in meinen Augen hässlicher als Durchgestrichenes. Hin und wieder bemühte ich mich im Zeichnen, um die missglückten Versuche sofort wieder auszureißen. Die zwei linken Hände musste ich von meinem Vater geerbt haben. Ich fragte mich, wie es ihm gelingen konnte, winzige Operationen im Innenohr, der Nase, oder im Rachen zu bewältigen, ohne ein Blutbad anzurichten.

Auf dem Bleistift kauend starrte ich auf die weiße, linierte Doppelseite. Ich fühlte mich von meinem Vater unverstanden. Nun war ich doppelt verlassen. Mir blieben nur Uschka und Mopp. Aber hatten die nicht ihre eigenen Sorgen? Ich wollte nicht als Bittstellerin vor ihnen stehen. Immer wieder dachte ich an diesen mysteriösen Fremden, von dem meine Mutter bei Mopp gesprochen hatte. Was war mit Paris? Wollten sie mich für dumm verkaufen? Und wenn mein Vater gar nicht mein Vater war, oder schlimmer noch, wenn ich damals meinen wirklichen Vater im Tausch gegen ein Fahrrad verloren hatte?

Zum zweiten Mal bastelte ich mir damals im Stillen einen Vater zusammen, ohne etwas über ihn zu wissen. Aber es war ja auch mein Traumbuch, und in Träumen war alles erlaubt. Ich stellte mir vor, dass er in Paris lebte. Paris war eine Welt, die ich mit meinen eigenen Bildern bevölkern konnte. Nie schlug die Wirklichkeit zurück. Wir würden zusammen spazieren gehen, flanieren über den Pont Neuf. Tauben füttern im Jardin du Luxembourg, uns weitab von den Boulevards in kleinen Gassen verlieren. Er würde mich zu einem Eis auf die Terrasse eines verlorenen Cafés bitten, um mir von sich zu erzählen, von seinem Leben, bevor er meine Mutter kennengelernt hatte. Aber auch von ihrer Begegnung, wie verloren sie dasaß, Signale sendend, so wie ich jetzt, würde er sagen und lachen, Signale, die er sofort verstand. Sie war auf der Suche. Auf der Suche. Ich schrieb den Satz ganz langsam, als könnte ich mit ihm aus der Wirklichkeit in diese Zeit fallen, an den Ort meiner Wahl, um ihm zu begegnen.

Damals stellte ich mir vor, er würde einen Strohhut tragen, handgemachte Schuhe, einen sommerlich eleganten Zweireiher, feinster englischer Stoff, aber von einem Pariser Schneider, einem Couturier, den nur wenige kannten, mit einem Atelier in einem stillen Hinterhof, durch dessen Glasdecke das Sonnenlicht auf langgezogene Tapeziertische fiel, auf Stoffrollen aus seltenem Tuch nach Farben und Mustern geordnet, über denen der Staub verlegen tänzelte, auf Zeichnungen, manche schnell aufs Papier geworfen, unfertige Skizzen, andere bis ins letzte Detail ausgearbeitet, von akribischer Genauigkeit. Ich wollte ihm gestehen, wie sehr ich davon träumte, Mode zu entwerfen, eine unmögliche Zukunft, da ich, ungeschickt wie mein Vater, überhaupt nicht zeichnen könne. Er würde mich überrascht ansehen. Welcher Vater? Lachend würde ich mich bei ihm unterhaken, er würde zahlen, um schnell mit mir weiterzuziehen, von Traum zu Traum, bevor die Seifenblase platzt.

Die Rückkehr

Seit drei Monaten hatte ich, ohne es zu wissen, für diesen Augenblick gelebt. Jetzt war er da. Vor der Schule, in einem nagelneuen VW Käfer, grün wie ein Tannenbaum. Als mein Vater aus dem Auto stieg, bemerkte ich eine Frau auf dem Beifahrersitz. Die Haare waren anders. Sie trug ein Kostüm in schwarzgrauem Pepitamuster. Langsam öffnete sie die Tür. Ich sprang meinem Vater in die Arme. Vorsichtig kam sie näher. Hinter seiner Schulter versteckt sah ich sie. Meine Mutter.

»Ada«, sie trat ganz dicht heran, legte ihren Kopf auf die Schulter meines Vaters, dicht neben meinen, »du bist gewachsen«, flüsterte sie.

Du warst ja auch ein halbes Leben weg, dachte ich. Meine Augen fielen zu, ich fühlte ihren Arm, der sich um mich legte, dann wurde mir schlecht. Es passierte so schnell, dass ich gar nichts tun konnte. Jedenfalls waren sie nun beide vollgespuckt, aber sie schimpften nicht, nein, sie lachten sogar. Meine Mutter war zurückgekommen. Sie hatte mich nicht verlassen. Was spielte es da noch für eine Rolle, ob sie aus Paris oder aus Buenos Aires kam?

In den kommenden Monaten veränderte sich alles. Mein Vater kündigte in der Klinik und kaufte eine eigene Praxis. Ich weiß nicht, was seinen Sinneswandel bewirkte, vielleicht hatte er sich entschlossen, auf seine Karriere in der Uniklinik zu verzichten, vielleicht wollte er meiner Mutter ein sorgenfreieres Leben bieten, mit allem, was aus seiner Sicht dazugehörte, vielleicht konnte er sich nicht unterordnen und wollte sein eigener Herr sein. Niemand sprach mit mir darüber. Nicht, dass es mich störte, schließlich bezogen wir recht bald ein wunderschönes Haus, eine Villa im grünen Norden Berlins, in Frohnau, mit einem riesigen Garten, einem Park, der mir noch größer erschien als der Park der Familie Sonntag in Buenos Aires, obwohl er sicher viel kleiner war, ich bekam ein eigenes Zimmer mit einem eigenen Bad, lebte mitten in der Natur und verbrachte die Wochenenden auf einem echten Poloplatz, wo ich Reitunterricht bekam, während meine Eltern mir bei Kaffee und Kuchen von der Terrasse der Gaststätte winkend zuschauten. Diese süße Verwirrung überstrahlte alles, sie beschäftigte mich so sehr, dass der mysteriöse andere aus meinem Kopf verschwand.

Endlich waren wir eine richtige Familie mit einem Vater und einer Mutter, die sich so liebten, wie ich es mir immer schon gewünscht hatte. Und ein bisschen, dachte ich, hatte das auch mit mir zu tun. Meine Mutter war fast immer guter Laune, sie lachte und scherzte wieder mit mir, sie richtete mit großem Eifer unser schönes Haus ein, schleifte mich und meinen Vater durch sämtliche Berliner Antiquitätenläden, handelte mit großem Geschick so lange, bis sich die Verkäufer blass und erschöpft in ihr unausweichliches Schicksal fügten. Hatte sie sich in ein Stück verguckt, ließ sie nicht eher los, bis es an dem Ort in unserem Haus stand, den sie beim ersten Anblick dafür auserkoren hatte, meist schon beim Betreten des Geschäfts. Zu den Möbeln kamen feinstes Silberbesteck, handbemaltes Geschirr aus Meißen oder, in schlichtem Weiß mit goldenem Rand gefasst, von der Preußischen Porzellanmanufaktur.

Aus Weimar reiste mein Großvater Jean an. Dora, seiner zweiten Frau, war die Fahrt zu beschwerlich gewesen, so blieb er nur drei Tage, lobte die gute Wahl, schenkte viele

Bücher, genoss den selbst gebackenen Kuchen, die einzige Speise, in deren Zubereitung meine Mutter exzellierte, und überließ uns wieder unserem Glück. So hätte ich ewig weiterleben mögen. Meine Mutter aß und aß, als gälte es, sich dieses Leben einzuverleiben, bevor es ihr wieder jemand streitig machen konnte.

Im Kreis der Lieben

Mit dem Umzug veränderte sich auch unser soziales Leben. Waren wir bisher von wenigen Besuchern abgesehen fast ausschließlich unter uns geblieben, öffneten meine Eltern nun die Tore ihres neuen Heims. Dergleichen wäre natürlich in einer beengten Zweizimmerwohnung undenkbar gewesen.

An Sonnabenden bekamen wir nun häufig Besuch. Neu gewonnene Freunde trafen sich einmal im Monat bei uns. Diese Abende sollten nicht einfach der Zerstreuung dienen, sie waren vielleicht der Versuch meiner Mutter, an die weltläufigen Sonntage ihrer Kindheit in der Wohnung ihres Vaters anzuknüpfen. Die Zusammensetzung war nicht ganz so illuster. Statt einer bunten Mischung aus Künstlern, Intellektuellen und Straßenjungen verkehrten bei uns nur Ärzte, Bekannte oder Freunde meines Vaters, Kollegen aus seiner Zeit in der Klinik, aber »immerhinque«, wie meine Mutter sagte, gehörte auch unser Herr Pfarrer aus der Sankt Hildegard Kirche in Frohnau dazu, den meine Mutter als feurige Katholikin gerne um Rat fragte, ohne ihn deswegen zu beherzigen. Geistlicher Beistand, meinte sie, könne nie schaden. An diesen Abenden lernte ich meine Eltern von einer neuen Seite kennen. Mein Vater, der die Woche über nie trank, sagte auf einmal Sätze wie »Jetzt hab ich die Faxen dicke«, entkorkte eine Flasche Wein, wenn er sich nicht schon vorneweg einen Cognac genehmigte, was er manchmal leise murmelnd mit dem Satz begleitete »Die wärmsten Jäckchen sind die Conjäckchen«, oder er sagte zur allgemeinen Erheiterung: »Jetzt schieben wir der Sauferei aber einen Riegel vor, einen Chivas Regal.« Es wurde viel getrunken, gegessen und gelacht, es wurde geraucht und man war sich einig, dass das Leben noch nie so schön war.

Während meine Mutter mit fliegenden Händen die Abende vorbereitete, ohne jede Hilfe, wie sie am Tag danach in ihrer deutlich vorgetragenen Erschöpfung nicht müde wurde zu betonen, sollte ich den Tisch decken und das Wohnzimmer saugen.

Ich liebte dieses gleichmäßige Geräusch des Staubsaugers, dieses quietschende Ein- und Ausatmen, mit dem er seufzend seine Arbeit verrichtete, unterbrochen von den durchs Haus schallenden Anweisungen meiner Mutter, die ich ohne Murren ausführte.

Pfarrer Krajewski nahm als Erster auf dem Biedermeiersofa im Wohnzimmer Platz. Er war ein kleiner wohlbeleibter Mann, dessen inneres Seelenheil mit seinem körperlichen Wohlbefinden untrennbar verbunden schien. Mit einem zufriedenen Nicken streckte er mir sein Glas hin.

»Zu Beginn immer ein Bier, Ada. Das wussten schon die Klosterbrüder.«

Ich mochte seine Stimme, seinen in Watte gepackten Singsang. Er stammte aus Polen, woher auch die Vorfahren meiner Mutter kamen. Rechts von ihm saß Dr. Achim Pumptow mit seiner Gattin Anneliese. Achim war mit meinem Vater in russischer Gefangenschaft gewesen. Es verband sie eine stille Übereinkunft, die sich meist zu Beginn in einer warmherzigen, für meinen Vater mit anderen Männern eher unüblichen Umarmung zeigte. Obwohl Mama, wie ich sie damals noch nannte, mir immer erklärte, dass man Ehepaare nicht nebeneinandersetzte, galt dieses eherne Gesetz nicht für Anneliese und Achim Pumptow. Tante Anneliese wich ihrem Mann nie von der Seite. Meist lag seine Hand auf ihrem Knie oder umgekehrt. Sie hätten beide Schlimmes erlebt, erklärte mir meine Mutter eines Tages, ohne weiter darauf einzugehen. Es gehörte zu ihren Eigenarten, derart gewichtige Sentenzen zu verkünden, um einen darüber hinaus im Dunkeln zu lassen. Fragte man allzu hartnäckig nach, gab sie mit Voltaire zurück, das Geheimnis der Langeweile bestehe darin, alles zu sagen.

Neugierig lief ich auf Tante Anneliese und Onkel Achim zu, den Kopf voller Fragen, die ich nicht stellen konnte. Wir waren nie über »Guten Abend, Onkel Achim, guten Abend, Tante Anneliese« und die freundlich gelächelte Antwort »Guten Abend, mein Kind« hinausgekommen. So gehörte sich das.

»In welche Klasse gehst du denn jetzt, Ada?«, fragte Tante Anneliese, sie wirkte heute besonders gut gelaunt.

»Ich komme in die Sechste«, antwortete ich und verdrehte die Beine.

»Und wie alt bist du jetzt?«

»Bald zwölf.«

Deswegen ärgerte es mich auch, wenn Onkel Wolfi, der eigentlich Dr. Wolfgang Däumler hieß, mich jedes Mal auf den Schoß nahm, wie ein kleines Mädchen, das ich nun wirklich nicht mehr war und noch viel weniger sein wollte, auch wenn ich mich freute, dass er mir als Einziger immer ein Geschenk mitbrachte und wissen wollte, ob ich auch wirklich etwas damit anfangen könne, denn er hasste es, wenn sich Kinder nur aus Höflichkeit oder, »schlimmer noch«, wie er gerne ausrief, »brav und verklemmt« bedankten. Er sei »ein Freigeist«, sagte meine Mutter, auch so ein Wort, über dessen Bedeutung ich immer wieder nachdachte, vor allem, weil meine Mutter dann meist hinzufügte, »wie dein Großvater, nur nicht so …«, ohne dass ich wusste, was sie damit sagen wollte. Dr. Gerhard Buschatzki und seine Ehefrau Gertrud, die er immer in beschwichtigendem Ton »Trudchen« oder »Trudel« nannte, worauf sie meistens mit »Gerti« konterte, durften auch nie fehlen. Während Onkel Wolfi und Onkel Achim Augenärzte waren, hatte sich Onkel Gerhard auf Innere Medizin spezialisiert, und Tante Gertrud war Allgemeinmedizinerin. Außer Mopp war sie die einzige Frau im Umfeld meiner Eltern, die arbeitete.

An diesen Abenden war es zu einer festen Einrichtung geworden, dass man sich neben den Schnittchen und den alkoholischen Getränken einem Thema widmete, das ein Gast oder der Gastgeber vortrug. Diese Aufgabe fiel ausschließlich den *Herren der Schöpfung* zu, wie meine Mutter sie ironisch nannte. Die Hervorhebung war mir jedes Mal peinlich, ohne dass ich wusste warum. Vielleicht lag es an dem zuweilen stark übertriebenen, oft gedehnten Tonfall meiner Mutter. Ausgerechnet an diesem Abend jedoch bahnte sich eine kleine Revolte an, über die später immer wieder diskutiert und gestritten wurde. Zur großen Überraschung aller erhob sich nicht Onkel Gerhard von seinem Sessel, um eine seiner endlos langweiligen Reden anzustimmen, sondern seine Frau, Tante Gertrud, während Onkel Gerhard sich nur halb aufgerichtet an den Kreis wandte.

»Diesmal haben wir überlegt, dass Trudchen das heutige Thema übernehmen sollte, denn wer wäre berufener, etwas über das für unsere neue Gesellschaft so zentrale Thema der Erziehung zu sagen, als eine Frau und Mutter.«

»Eine berufstätige Frau und Mutter, Gerti, das wollen wir doch nicht unerwähnt lassen, nicht wahr?«, setzte Tante Gertrud in spitzem Ton hinzu, während sie nun, kerzengerade vor ihnen stehend, den Titel ihres Beitrags ankündigte.

»Die Erziehung unserer Kinder, Weg oder Irrweg?«

Nach einem kurzen prüfenden Blick in die Runde setzte sie sich wieder ebenso gerade, wie sie gestanden hatte.

»Ich möchte vorausschicken«, hob Tante Gertrud an, »dass mein Vortrag auf der Grundlage des erzieherischen Werkes *Die Mutter und ihr erstes Kind* der geschätzten Kollegin Dr. Johanna Haarer aufbaut.«

Besonders die Männer bemühten sich durch eifriges Mehrfachnicken, die ihnen in Onkel Gerhards einführenden Worten unterstellte mangelnde Kompetenz wettzumachen.

Es klingelte.

»Das muss der Schorschi sein«, rief mein Vater freudig aus.

Onkel Schorsch kam aus Österreich, genauer gesagt aus Wien, einer Stadt, bei deren Namen meine Mutter ins Schwärmen geriet, obwohl sie nie dort gewesen war. Das mache keinen Unterschied, wie sie erhobenen Hauptes betonte, sie kenne so viele schöne Bilder von den Gassen und Kaffeehäusern, dem Naschmarkt, dem Burgtheater, der Oper am Ring, dem Stephansdom und den Museen, sie habe die schönsten Romane von Joseph Roth bis Heimito von Doderer verschlungen, keinen Film mit der Bergner und der Wessely verpasst, die Fotografien der Aufführungen von Max Reinhardt mit dem großen Kainz, Alexander Moissi und Eduard von Winterstein, Ernst Deutsch oder Fritz Kortner gesammelt, sie kenne diese Stadt in- und auswendig, wesentlich besser jedenfalls als jene, die dort gerade mal durchgestolpert wären, und der Schorsch sei nun mal ein Wiener, ein Wiener aus Ottakring, der sich schnell in den 1. Bezirk hochgearbeitet habe, »mit allen Wassern gewaschen … wie dein Vater«, fügte sie dann oft mit vielsagendem Blick hinzu, als gäbe es da geheime Verbindungen, über die zu reden sich trotz aller Ergiebigkeit des Sujets mir gegenüber nicht schickte.

Onkel Schorsch hieß eigentlich Hans Georg, wurde aber schon als Kind immer nur Schorsch oder Schorschi gerufen. Er unterschied sich von den anderen Mitgliedern des Kreises durch seinen wachen Geist, seinen spöttischen Blick und von meinem Vater durch seinen ausgeprägten Geschäftssinn. »Alles, was er anfasst, wird zu Gold«, sagte meine Mutter in seufzender Bewunderung, oder »der weiß, wo Bartel den Most holt«. Und so musste es auch sein, wenn selbst mein Vater, der sonst niemanden um Rat fragte, ihn in solchen Dingen konsultierte. Leider schienen seine »Informationen« häufig interpretationsbedürftig, was meinem Vater selten gelang. An der Börse entschied er sich später mit schlafwandlerischer Sicherheit für die Papiere, deren Kurse am nächsten Tag ins Bodenlose stürzten. »Das liegt an seiner Herkunft«, sagte meine Mutter, »damals war immer nur Ebbe im Portemoneeee, und jetzt kann er den Hals nicht vollkriegen. Na ja, dafür holt er mit seinen goldenen Händen alles wieder rein.« Für sie gab es keinen Zweifel, mein Vater war der geschickteste Operateur weit und breit.

»Und du machst dich jetzt mal langsam bettfertig, mein Kind, nicht wahr?«, sagte meine Mutter und schickte ein knappes Kopfnicken in Richtung Treppe hinterher.

»Ein kleines Minütchen noch, Mami, ein ganz klitzekleines, bittebitte. Nur so lange, bis Onkel Schorschi sein erstes Glas getrunken hat, ja?«, flehte ich.

»Aber danach geht es unaufgefordert und ohne Murren nach oben, kleine Frau.«

Ich zuckte enttäuscht mit den Schultern, nickte aber brav.

»So ein wohlerzogenes Kind«, flüsterte Tante Anneliese Onkel Achim zu, gerade laut genug, damit alle es hörten. Ich hasste es, wenn meine Mutter mich öffentlich zu Bett schickte.

»Diese Unschuld ist entzückend, Achim, nicht?«

Wieder hatte Tante Anneliese zu laut geflüstert, wieder überhörte ich sie geflissentlich.

So war das Leben unter Erwachsenen, die ganze Kunst bestand darin zu erkennen, was man hören sollte und was nicht, daraus ergab sich mit einer gewissen Zwangsläufigkeit, worauf man antworten sollte und worauf nicht. Alle lobenden Erwähnungen überging man besser, sonst folgte eine tadelnde Bemerkung auf dem Fuße.

Schorschi trat herein.

»Servus Buam und Madeln.«

Seine Hemdsärmeligkeit wurde aus der Runde mit Gekicher und nervös winkenden Händen quittiert. Mein Vater drückte ihm ein gefülltes Glas Wein in die Hand.

»Habt's ihr wieder so an süßen Kopfschmerzwein, Otto?«

»Irrtum, mein Lieber, diesmal ist es ein Wein aus deiner Heimat, ein Rotgipfler.«

»Vergelt's Gott.«

»Schorsch, setz dich. Trudel wollte gerade mit ihrem Vortrag beginnen«, sagte meine Mutter.

»Gschamigster Diener.«

Tante Gertrud setzte zum zweiten Mal an.

»Lieber Schorsch, das Thema ist die Erziehung unserer Kinder, Weg oder Irrweg, auf Grundlage der Schriften der Kollegin Haarer, *Die Mutter und ihr erstes Kind*. Nun haben wir ja alle bereits ein erstes Kind zur Welt gebracht, meist unter nicht ganz einfachen Lebensbedingungen. Sala«, sie neigte sich lächelnd zu meiner Mutter, »schreitet mit gutem Vorbild voran und wird in wenigen Monaten einem weiteren Erdenbürger das Leben schenken.«

Ich glaubte, mich verhört zu haben. Brav hob ich den Finger, wie man es in der Schule tat, um sich zu Wort zu melden. Meine Mutter schüttelte den Kopf, zwinkerte mir aber vielsagend zu.

»Unsere älteren Kinder sind entweder im Krieg oder unmittelbar danach unter bedeutend schwierigeren Bedingungen aufgewachsen«, fuhr Tante Gertrud fort, die es nicht schätzte, in ihren Ausführungen gestört oder gar unterbrochen zu werden, »und vieles spricht dafür, dass ihnen dieser etwas härtere Einstieg ins Leben nicht geschadet hat, ganz im Gegenteil.« Sie warf mir einen strengen Blick zu. »Sie wirken oft widerstandsfähiger, auch kämpferischer, vor allem aber selbstständiger, was, wie auch die Kollegin Haarer wiederholt bestätigt, nicht zuletzt darauf zurückzuführen ist, dass sie nicht verzogen wurden.«

Alle lauschten gespannt, selbst Onkel Schorsch saß schweigend da.

»Was nun versteht die Kollegin Haarer unter einer missglückenden, das Leben der Familie sowie des Kleinkindes gefährdenden Erziehung?«

Tante Gertrud setzte eine gewichtige Pause, wie es die Männer sonst taten, dann fuhr sie mit neuem Elan fort.

»Ihr alle kennt das phänotypisch schreiende Baby, den kleinen Haustyrannen, eine Eigenschaft, die bei Jungs meist stärker ausgeprägt ist als bei Mädchen, die sich wesentlich schneller den familiären Notwendigkeiten anpassen und dadurch auch später ein besseres Sozialverhalten entwickeln.« Wieder wurde mir ein gönnerhaftes Lächeln zuteil.

»Trotzdem, das Kind allein trifft nur eine Teilschuld an diesem unangenehmen, ich möchte beinahe sagen, entwicklungsbedingten oder phänotypischen Vorgang.«

»Phänotypisch? Hört, hört«, rief Schorsch dazwischen.

Unbeeindruckt fuhr Tante Gertrud fort.

»Johanna Haarer legt großen Wert auf eine Praxis, die Frauen in Kriegszeiten vielleicht intuitiv erfassten: Eine zu große Aufmerksamkeit schadet dem Kind und stört seinen Weg zur Selbstständigkeit. Früh muss das Kind lernen, dass eine kluge und auch wohlwollende Mutter seinen unterdrückerischen Impulsen nicht einfach aus Schwäche nachgeben wird. Mit anderen Worten, das Kind lernt gleich in der ersten Phase, dass Schreien nicht zielführend ist, genauso wenig wie spätere Nahrungsverweigerung, es wird schon essen, wenn der Hunger groß genug wird.«

Allgemeines Gelächter.

»Oder bedenken wir die Weigerung, auf dem Topf sein großes Geschäft zu verrichten.«

Wieder lachten alle. Apéritif und Wein zeigten ihre Wirkung.

»Da wird der Phänotyp dann dramatypisch erweitert, gell?«, rief Onkel Schorsch dazwischen.

Tante Gertrud war nicht gewillt, sich irritieren zu lassen.

»Auch hier müssen wir frei von Emotionen unser Kind unterstützen, damit es auch später nicht versucht, mit den Mitteln des radikalen Widerstandes die Welt nach seinen eigenen Wünschen zu formen.«

»Seid's deppert?« Onkel Schorsch richtete sich wütend auf.

»Schtt!«, sagte Tante Anneliese.

Auch Onkel Gerhard warf Onkel Schorsch einen verärgerten Blick zu.

Tante Gertrud aber blieb gelassen.

»Mein lieber Schorsch, auf deine Einwände gehe ich gerne zu einem geeigneteren Zeitpunkt ein, vorerst würde ich dich allerdings bitten, mir Gelegenheit zu geben, meine Thesen darzulegen.«

Meine Mutter gab mir durch einen kleinen Wink zu verstehen, dass meine Zeit gekommen war. Ohne Murren verschwand ich mit einem schnell in die Runde geworfenen »Gute Nacht«, das von allen fröhlich erwidert wurde.

»Ich komme gleich, kleine Frau«, rief meine Mutter im Diskant.

Bei diesen Worten rutschte ich auf der Treppe aus. Als ich mich umdrehte, winkte meine Mutter kurz, gab mir aber auch zu verstehen, dass ich mich unverzüglich nach oben zu begeben habe. Tante Gertrud, die mein Missgeschick aus dem Augenwinkel beobachtete, griff es begeistert auf.

»Sala hat uns soeben ein perfektes Beispiel einer liebevoll distanzierten Geste gegeben. Habt ihr es alle gesehen?«

Verblüfft sahen sich die anderen Gäste an.

»Nähe und Distanz. Sala, möchtest du es vielleicht selbst erläutern?« Tante Gertrud warf ihr einen aufmunternden Blick zu.

»Na jaaa«, sagte meine Mutter mit leichtem Zögern, »also ich kenne das Buch von dieser Frau Doktor Haarer nicht, ja?« Sie wischte ein paar Krümel vom Tisch, nahm sich eine Zigarette aus dem bereitstehenden Zigarettenspender, einem biedermeierlichen kleinen Holzquader, den man nur kurz anzuheben brauchte, und schon lag eine Zigarette in einer elegant geschliffenen Mulde bereit.

»Otto, Feuer bitte.«

Vom Treppenabsatz aus lauschte ich dem Aufklappen des Feuerzeugs. Mit geschlossenen Augen konnte ich sehen, wie meine Mutter jetzt den Kopf nach hinten warf, um genüsslich den Qualm zu inhalieren.

»Aaaber, ich habe meine Tochter immer geliebt, ohne sie zu verpimpern.«

»Genau das ist es, worauf ich hinausmöchte«, fuhr Tante Gertrud fort, »nach der Phase der, nennen wir es mal großen Erschöpfung, mitten im gesellschaftlichen Aufschwung begriffen, schlich sich bei uns allen eine verständliche, im Wesentlichen durchaus nachvollziehbare Schwäche ein. Viele von uns glaubten als Mütter in den Kriegsjahren versagt zu haben. Oft waren wir allein, die Männer an der Front, viele kehrten nicht zurück oder erst sehr spät, ich fasse mich kurz …«

»Des kann man wahrlich net behaupten, liebes Trudchen«, sagte Onkel Schorsch.

Onkel Gerhard warf ihm einen wütenden Blick zu.

»Bitte um Verzeihung«, sagte Onkel Schorsch.

Ich hockte auf dem obersten Treppenabsatz, jederzeit sprungbereit, sollte meine Mutter nach mir schauen. Aber sie lauschte anscheinend Tante Gertruds Ausführungen ebenso gebannt wie alle anderen.

»In dieser Zeit hat sich in einer eigentümlichen Mischung aus Nachlässigkeit und dem sprichwörtlichen schlechten Gewissen eine Art laissez-faire entwickelt …«

»A wos?«

Alle ignorierten Onkel Schorschs erneuten Einwurf, er war eben Österreicher, und man wusste ja inzwischen, was von denen zu halten war.

»Das ist Französisch, lieber Schorsch, und bedeutet so viel, wie den Dingen ihren Lauf zu lassen.«

»Man lernt nie aus, gerade schien mir deine Theorie eher in die andere Richtung zu weisen, ka Wunder, wenn man sich an einem alt bewährten Nazi-Verkaufsschlager orientiert. A Klassiker halt. Trudchen, i glaub, du hast an Vogel, oder du weißt ned, was du redest.«

»Nazi-Verkaufsschlager?«, fragte mein Vater.

»Ja, und wie.«

»Mein lieber Schorsch, Dr. Johanna Haarer ist ohne den geringsten Einwand und auf schnellstem Wege nach dem Krieg, und zwar von den Amerikanern, entnazifiziert worden, ich weiß gar nicht, was du mit deinen Zwischenrufen bezweckst, aber bitte, wenn du dich bei dem Thema so gut auskennst, lasse ich einem ausgewiesenen Gentleman, der sein Taktgefühl ein weiteres Mal unaufgefordert unter Beweis stellt, gerne den Vortritt.«

»Die Juden wurden entlaust und die Nazis entnazifiziert. Aber, da die Juden ja ka Läuse hatten, woarn die Nazis vielleicht auch koa Nazis, gell?«

»Wieso Nazi-Erfolg«, meldete sich nun auch meine Mutter zu Wort.

»Weil«, erklang wieder die Stimme von Onkel Schorsch, »weil dieses Buch bereits in den Dreißigern a Verkaufsschlager war, scho vergessen?«

»Das wusste ich nicht«, sagte Tante Gertrud.

»Na, dann weißt es jetzt. Das Buch hieß damals *Die deutsche Mutter und ihr erstes Kind*. Daraus wurde *Die Mutter und ihr erstes Kind*, das deutsche ist ja inzwischen a weng kontaminiert.«

Pfarrer Krajewski räusperte sich, wie er es auch zu Beginn seiner Predigten tat.

»Lieber Schorsch, verzeihen Sie, dass mir Ihr werter Nachname entfallen ist …«

»Is der Nachname, Hochwürden, aber bitte, i wollt ned unterbrechen, sonst hagelt's wieder pädagogische Sentenzen.«

Pfarrer Krajewski lächelte und hüstelte irritiert.

»Ich glaube, wir müssen lernen, über diese für alle Seiten unbegreiflich schwere, äh, Zeit … eine Zeit, äh, des Leidens … auch mal den Mantel der christlichen Nächstenliebe zu breiten. Wir – und da beziehe ich mich durchaus mit ein – haben uns, äh, ich will nicht sagen versündigt, denn der Vorsatz, recht zu handeln wie … also … das … was … den gab es ja in, äh, vielen Fällen …«

»Nicht«, sprang Onkel Schorsch ein.

Wieder machte Pfarrer Krajewski eine erschrockene Pause. Dann setzte er mit neuem Schwung an.

»Die Tragik lag ja doch … die, äh, Tragik …«, ich hörte, wie er sein Glas abstellte, »ich, wissen Sie, ich … jetzt … äh, ich glaube, ich habe den Faden … äh, den Faden …«

Es entstand eine Pause, dann holte er Luft und setzte mit einem kurzen, sehr lauten Räuspern von Neuem an.

»Richtig, der Mensch, wissen Sie, Herr Schorsch, ist, und das steht außer Zweifel, ein Geschöpf Gottes, und das soll er auch, äh, ich meine, das wird er auch immer bleiben, so wie Kinder immer Kinder und Eltern immer Eltern bleiben, nicht wahr?«

Auf das leiseste Knarren der Stufen achtend, kroch ich an der Treppenwand entlang so weit vor, dass ich einen Blick auf den Kreis erhaschen konnte.

Onkel Schorsch starrte traurig in sein leeres Glas. Pfarrer Krajewski zog zitternd ein blütenweißes Taschentuch aus seiner Kutte hervor, um sich den Schweiß von der Stirn zu wischen. Dann räusperte er sich erneut.

»Wir alle sind Gottes Geschöpfe, und wir können nur darum beten, nicht in Versuchung geführt zu werden, denken Sie an die Schlange, an den Baum der Erkenntnis.«

Keiner rührte sich.

»Verführte … wissen Sie … Verführte …«

Mein Vater sah als Erster auf. Sein Gesicht war bleich und müde. Seine Hände ballten sich zu Fäusten. Vor Schreck rutschte mir mein Wasserglas aus der Hand. Scheppernd fiel es zu Boden. Im Weglaufen hörte ich jemanden aufspringen. Es war meine Mutter.

»Mein Gott, das Kind ist noch wach. Das ist ja wohl die Höhe.«

»Was denn für 'ne Hölle?«, wollte mein Vater wissen.

»Das habe ich doch gar nicht gesagt. Ich habe gesagt, die Höhe.«

»Die Hölle, i glaub's ned«, lachte Onkel Schorsch.

»Nein, die Höhe, ich werde schon wissen, was ich sage.«

Meine Mutter rannte aus dem Zimmer. Ihre Schritte jagten die Treppe hinauf. Meine Tür wurde aufgerissen. Ich lag unter meiner Bettdecke verkrochen und wagte nicht mehr zu atmen.

Der Sputnik-Schock

Heute sollte ich endlich das Krankenhaus kennenlernen, in dem mein Vater noch vor nicht allzu langer Zeit jeden Tag bis in die Nacht gearbeitet hatte. Und wo ihm die Schwestern immer noch ehrfürchtig zunickten, wie ich vor Stolz zitternd zu sehen glaubte, als ich an seiner Hand über die Flure schwebte. Von allen Seiten Patienten, Schwestern, Ärzte, die geschäftig hin- und herrannten und hinter zuschlagenden Türen verschwanden, aus denen Schreie, Gelächter, Seufzer und Gestöhn drangen.

Nachdem ich für reif genug befunden worden war, um die ganze Tragweite der Veränderung ermessen zu können, war mir mitgeteilt worden, dass meine Mutter nicht zugenommen hatte, sondern ein Kind erwartete. Sie schienen vergessen zu haben, dass ich es durch Tante Gertruds Indiskretion bereits wusste. Meine anfängliche Begeisterung trübte sich mit der wachsenden Einsicht in die Veränderungen, die sich daraus für mich ergaben. Ich erkannte besonders meine Mutter nicht mehr. Sie löste sich Schritt für Schritt von mir und wuchs mit meinem Vater zu einer Art Kokon zusammen, einer Einheit, die das neue Leben, *ihr Kind*, wie sie immer so eigenartig betonten, ankündigte. Der tiefere Sinn dieser verklärt gesprochenen Worte wollte sich mir nicht erschließen, außer vielleicht, dass damit der Anbruch einer neuen Zeit gemeint war und ich selbst eindeutig zu der alten, vergangenen und hoffentlich auch nie zurückkehrenden Zeit gehörte.

Die Türen des Fahrstuhls öffneten sich. Wir stiegen aus, liefen den endlosen Korridor entlang, bogen am Ende links ab, bis wir vor einer breiten Glasfront zum Stehen kamen. Dahinter entdeckte ich eine Unzahl winziger Gitterbettchen voller Babys. Da kein Ton von dort zu hören war und die Babys sich auch nicht zu bewegen schienen, dachte ich im ersten Augenblick erleichtert, sie seien tot. Nicht, dass ich es ihnen wünschte, es war lediglich so etwas wie ein letzter Hoffnungsschimmer, dass dieser Kelch an mir vorübergehen möge. Weiter hinten faltete und sortierte eine Krankenschwester Handtücher, Bettdecken und Laken, alles viel kleiner, als ich es je gesehen hatte. Ihre Bewegungen bestärkten mich in meiner Vermutung, denn sie hatten etwas merkwürdig Endgültiges. Ein Gefühl tiefer Unheimlichkeit kroch in mir hoch, als die Krankenschwester uns entdeckte und winkend auf uns zukam. Mein Vater hatte bis hier kein Wort mit mir gesprochen, er wirkte angespannt. Mitten in ihrem Lauf blieb die Krankenschwester stehen, beugte sich über ein Gitterbettchen, fischte ein kleines Paket heraus, mehrfach umwickelt, aus dem nun ein winziger Kopf hervorragte. Ich fasste nach der Hand meines Vaters, der meinen Druck etwas ungeduldig erwiderte, als vor uns plötzlich ein kleines Fenster aufklappte, eine Art Durchreiche.

»Hier kommt Ihr Sputnik, 54 Zentimeter.«

Einige Wochen vorher war der erste sowjetische Satellit auf seine Umlaufbahn geschossen worden – der Sputnik-Schock, der das Wettrennen um die Vorherrschaft im Weltraum einläutete. Alle redeten auf einmal von diesem komischen Ding. Konnte dieser Sputnik auch für mich gefährlich werden? Dass ich gerade zwölf geworden war, interessierte jedenfalls niemanden mehr, auch nicht, dass ich bereits Haare unter den Achseln bekam.

Die rundliche Krankenschwester überreichte meinem

lächelnden Vater das Paket. Er betrachtete den Inhalt genau, neigte sich vor, fuhr mit den Fingern über Stirn und Nase, nahm das Paket hoch, dann wieder runter, als bräuchte er einen gewissen Abstand, um zu einem abschließenden Urteil zu kommen, dann stieß er ruhig, aber bestimmt etwas Luft durch die Nase aus, als müsste er Dampf ablassen.

»Das ist nicht mein Sohn«, sagte er leise.

Mein Blick schoss zu ihm hoch.

Die Krankenschwester, eine Hebamme, wie er mir später erklärte, sah ihn verblüfft an, dann lachte sie kurz und spitz auf, beherrschte sich unter seinem strengen Blick aber gleich wieder und wich indigniert zurück.

»Vom Umtausch ausgeschlossen, Herr Doktor.«

»Es muss sich um einen Irrtum handeln, bitte sehen Sie noch mal in Ihren Unterlagen nach«, sagte mein Vater mit höflichem Nachdruck.

Die Hebamme starrte ihn bockig an, als wollte sie sagen, alle gleich, diese Ärzte.

»Ich erkenne mein Kind, ich habe den Jungen nach der Geburt gesehen, das ist er nicht.«

»Ihre Frau war da aber ganz anderer Meinung.«

Für die Hebamme stand fest, was feststand, sie war auch nicht gewillt, sich in ihrem Glauben erschüttern zu lassen.

»Er ist es nicht«, sagte mein Vater.

Ich verrenkte mir neugierig den Hals. Jetzt erst bemerkte sie mich. Ich ärgerte mich über ihren abschätzigen Blick.

»Und wer bist du?«

»Ada.«

»Freust du dich auf dein neues Brüderchen?«

Ich schwieg. Dann machte sie auf dem Absatz kehrt. Hoch erhobenen Hauptes, als wäre sie über diese Schikane erhaben, legte sie das Paket in sein Gitterbettchen zurück. Sie zog sein rechtes Ärmchen hervor, guckte eilig auf die

Nummer seines blauen Bändchens. Dann schielte sie auf die Karte am Bettgestell. Mitten in der Bewegung hielt sie erschrocken inne. Ihr Kopf flog hin und her. Mein Vater hob den Blick. Ohne sich etwas anmerken zu lassen, sauste sie von einem Bett zum nächsten, sah immer wieder mit weit aufgerissenen Augen auf die Nummern der Karten am Fuß der Bettgestelle, dann blieb sie plötzlich stehen. Was machte sie da? Sie tauschte die Babys aus. Ich blickte erschrocken zu meinem Vater hoch. Mit gesenktem Kopf kam sie wieder auf uns zu. Vor der Glasfront blieb sie stehen. Mit feuerrotem Gesicht hielt sie das neue Paket hoch. Ich wusste nicht, ob sie wütend war, ob sie Angst hatte oder sich schämte. Dann reichte sie das Paket herüber. Mein Vater nahm es in die Arme und nickte versonnen. Ein undefinierbarer Geruch wehte mir entgegen. »Babys riechen ganz wunderbar, sie duften nach Leben«, hatte mir meine Mutter noch zugeflüstert, bevor sie sich mit einem kleinen Koffer auf den Weg in die Klinik gemacht hatte. Ich hatte ihr erschrocken nachgeschaut, es war schließlich nicht das erste Mal, dass sie mit einem Koffer in der Hand das Haus verließ. Der erste Geruch war trotzdem sonderbar, ich konnte ihn nicht einordnen, weder süß noch streng. Er erinnerte mich an nichts, an gar nichts. Was sollte das mit dem Leben zu tun haben? Es gehörte wohl zu den vielen anderen Sätzen, die ich in den letzten Monaten hatte hören müssen, Sätze, die durchweg passend für die Ankündigung eines neuen Messias gewesen wären, aber nicht für ein Brüderchen. Es fiel auch ausgerechnet mit der Zeit zusammen, in der mir meine Mutter zum ersten Mal von unseren jüdischen Wurzeln erzählt hatte, von meiner Großmutter Iza in Madrid. Sie erklärte mir, die Juden würden nicht an Jesus Christus als den Sohn Gottes glauben, wie ich es in Argentinien gelernt hätte oder wie der Herr Pfarrer es immer wieder sagte, für die Juden gab es zwar den Messias, aber auf dessen Ankunft warteten sie noch. Dann sah ich seinen Kopf. Ganz schön alt für ein Baby, das gerade frisch zur Welt gekommen ist, dachte ich. Ich weiß nicht mehr, warum ich in diesem Moment auch an die Geschichten von Max und Moritz dachte, besonders an den Bäcker und seinen Ofen, vielleicht weil er etwas rot im Gesicht war, vielleicht, aber nein, er war ja nicht nur rot im Gesicht, ich sah genauer hin, ich konnte nur hoffen, dass ich mich verguckt hatte. Nein, es gab keinen Zweifel. Ich sah meinen Vater fassungslos an. Dieses Baby sah aus wie die Kinder, über die man in der Schule lachte, was nur bedeuten konnte, dass man auch recht bald über mich lachen würde, denn ich war schließlich seine Schwester.

»Der hat ja rote Haare«, sagte ich und unternahm nicht einmal den Versuch, meine Enttäuschung zu verbergen. Und was tat mein Vater? Er nickte und lächelte etwas blödsinnig.

»Ich will aber keinen rothaarigen Bruder«, sagte ich und starrte schweigend vor mich hin.

Jenseits von Eden

Der Sputnik, wie meinen Bruder dann tatsächlich alle nannten, wobei sie sich vor Begeisterung überschlugen, dieser Sputnik war nicht in die Erdumlaufbahn geschossen worden, wie ich es recht bald selbst gern getan hätte, er weilte hier auf Erden, mitten unter uns. Wachsend und gedeihend veränderte er nicht nur sich, er veränderte auch alles um sich herum. Im Gegensatz zur Erde drehte er sich nicht um die Sonne, nein, die Sonne und alles, was unter ihr kreuchte und fleuchte, drehten sich unablässig um ihn.

»Ist das nicht schön? Von nun an bist du nie mehr allein«, sagte meine Mutter. »Ich habe mir immer ein Brüderchen gewünscht, als ich in deinem Alter war. Jetzt sind wir eine richtige Familie.«

Waren wir das bisher nicht gewesen? Genügte ich nicht? Was war so falsch, so mangelhaft an mir? Jetzt hatte sie endlich das Brüderchen, nach dem sie sich schon als Kind verzehrt hatte. Aber warum musste ich immer auf ihn aufpassen? Ich hatte mir eigentlich einen Hund gewünscht.

»Nein, ein Hund ist jetzt viel zu gefährlich«, sagte mein Vater.

»Aber ...«

»Keine Widerrede.«

Das Nein meines Vaters war unumstößlich. Sein Wort war Gesetz.

»Und du kannst auch nicht mehr ständig mit Uschka durch die Gegend gondeln«, sagte meine Mutter. »Du hast jetzt ein Brüderchen und musst dich auch mal kümmern. Du bist seine große Schwester und trägst eine Verantwortung.«

Kümmern? Warum sollte ich mich um ihn kümmern? Was denn für eine Verantwortung? War es mein Kind? Hatte ich darum gebeten, dass er geboren wird?

War es ein Zufall, dass ich mir ausgerechnet jetzt im Religionsunterricht die Geschichte von Kain und Abel anhören musste? Ich kannte sie schon. Komischerweise erfuhr man in der Bibel nichts darüber, wie Adam und Eva sich um ihre Söhne kümmerten. Auch im Religionsunterricht wurde nicht erwähnt, warum die Geschwister sich selbst überlassen blieben. Nach der Schule versuchte ich zwischen Mark und Bein erschütterndem Geschrei und zufriedenem Geblubber meine Hausaufgaben zu erledigen.

Bald lernte ich, wann mein Begleiter sich entleeren wollte. Manchmal stieß er kleine spitze Schreie aus oder grunzte kurz, manchmal atmete er nur etwas schneller, wurde rot oder zuckte mit den Beinchen. Da meine Mutter sich ärgerte, wenn er im unpassendsten Moment krachend in die Windel machte, konzentrierte ich mich darauf, ihn so schnell wie möglich zur Sauberkeit zu erziehen. Waren wir allein, zog ich ihm seine Windel aus und arbeitete unermüdlich auf den Tag hin, an dem ich meiner Mutter stolz unseren ersten Erfolg präsentieren könnte. Würde mir das gelingen, stünde vielleicht auch meinem Wunsch nach einem kleinen Hund nichts mehr im Weg.

Kurz nach seinem zweiten Geburtstag hatte ich es geschafft. Er setzte sich selbstständig auf den Topf, wie ein König auf seinen Thron.

»Mama, Mama.«

Meine Stimme überschlug sich, ich konnte mich vor Stolz und Aufregung kaum beherrschen. Gleichzeitig versuchte ich Sputnik zu stoppen.

»Warte, Sputnik, nicht zu schnell.«

Durch mein Geschrei in äußersten Alarmzustand versetzt, hastete meine Mutter die Treppe hoch.

»Adaaaa? Ist was passiiiiert?«

Sputnik starrte mich unsicher an. Ganz schien er meine Geste, den drohend ausgestreckten Arm, nicht zu verstehen.

»Warte, Sputnik, Mama kommt gleich.«

Mit einem lauten Krachen meldete Sputnik vorzeitigen Vollzug. Wütend gab ich ihm einen Klaps. Mehr nicht. Ich schwöre es. Genau in diesem Moment stand meine Mutter hinter mir. Sie packte mich und schleuderte mich zur Seite.

»Nicht, Mama, nicht«, konnte ich gerade noch schreien, da riss sie bereits meinen brüllend um sich schlagenden Begleiter von seinem Thron. Erschrocken setzte sie ihn wieder ab. Sputnik stampfte wütend mit seinen Füßen auf, packte seine Windel vom Boden und schleuderte sie uns entgegen. Er stieß eine Kaskade merkwürdigster Laute aus, die so ähnlich wie Kacka oder Papa klangen. In dem Moment fiel der Blick meiner Mutter auf den Topf. Ihre Augen leuchteten. Braun, fest und glänzend lag dort die Frucht meiner monatelangen Bemühungen. Endlich. Jetzt würde sie verstehen, sie würde erkennen, was ich geleistet hatte, welchen Erfolg ich unter dem Verzicht auf Freundin und Freizeit ihr zuliebe erzielt hatte, sie würde mich in den Arm nehmen und ihren ungerechten Zorn bedauern. Es war ja auch alles halb so schlimm, in Gedanken hatte ich ihr bereits vergeben.

»Ja, was ist denn das? Ja, was haben wir denn daaaaaaa?«

Sie schlug in demonstrativer Begeisterung die Hände vor den Mund.

»Hat das mein großer Junge gemacht? Mein ganz ganz grooooooßer Junge?«

Sputnik unterbrach abrupt sein Geschrei. Neugierig sah er sie an. Das Leuchten in ihren Augen schien ihm zu gefallen. Sie schlug die Hände zusammen.

»Oooooooooooh. Uijeujeuuuuuuu.«

Sputnik richtete sich kerzengerade auf. Ich spürte, wie sich alles in mir zusammenzog.

»Eijeijeijeijeijeiiiiiii«, rief meine Mutter in tiefster Verzückung.

Jubelnd warf Sputnik die Arme in die Luft. Meine Mutter fasste nach ihm, zog ihn sanft zu sich hoch, drückte und knuddelte ihn, übersäte und erstickte ihn mit ihren Küssen und Liebkosungen. Ich wandte mich entsetzt ab, um meine Tränen zu verbergen. Voller Dankbarkeit für seine Morgengabe hüpfte meine Mutter mit ihrem Sohn auf und ab, ohne mich eines Blickes zu würdigen.

Der Wiederaufbau hatte die Generation meiner Eltern viel Kraft gekostet, und wer viel arbeitete, durfte auch viel feiern. Eltern ließen ihren Nachwuchs bedenkenlos für ein paar Stunden allein. Das war so üblich, besonders, wenn es ältere Geschwister gab.

In dieser Rolle witterte ich meine Chance. Alles war an Ort und Stelle, ein Fläschchen warmer Milch, Bananen und Äpfel, eine Reibe, schließlich war Apfelmus sehr bekömmlich, obwohl mein Bruder auch feste Nahrung gut verdaute. Kuscheltiere, Bauklötze, Musik zum Einschlafen, Mozart hielt meine Mutter für besonders geeignet, sie hatte für jenen Abend *Eine kleine Nachtmusik* ausgewählt. Den letzten Ermahnungen folgte ich brav nickend und schloss die Tür hinter ihnen. Auf dem Tisch lagen Zettel, minutiöse Handlungsanweisungen, manche mehrfach und in verschiedenen Farben unterstrichen. Dabei kannte ich meinen Bruder. Ich wusste, was er mochte, was ihm guttat oder nicht.

In meinem Zimmer kramte ich meine Lieblingsschall-platten aus dem Schrank. Da mein Musikgeschmack bei meinen Eltern auf wenig Gegenliebe stieß, schien es mir sicherer, meine Schätze nicht offen herumliegen zu lassen. Am empfindlichsten störte meine Eltern die Aufmüpfigkeit. Dieser Zustand wurde von ihnen mit einem einzigen Wort abgewehrt: Pubertät. Gemeint war eine allgemeine, alle Charakterzüge befallende Krankheit, die an Wahnsinn oder Unzurechnungsfähigkeit grenzte. Wie andere Eltern auch, wappneten sie sich mit Erziehungsratgebern, die einer An-leitung zur Selbstverteidigung glichen. Wenn alle Argumen-te scheiterten, wenn die differenziertesten Erklärungsver-suche nicht greifen wollten, gab es ein einfaches Wort, mit dem sich jede Widerrede in den Wind schlagen ließ: Puber-tät. Löste ich meine Hausaufgaben nicht zur vollen Zufrie-denheit: Pubertät. Landete ein blau eingefärbter Brief der Schule auf dem Sekretär meines Vaters: Pubertät. Standen meine Wünsche in eklatantem Widerspruch zur familiären Wirklichkeit: Pubertät. Mit der Zeit verschob sich die ge-samte Wahrnehmung meiner Person. Ich schien von einem anderen Stern zu kommen, für den es nur einen Namen gab: die Pubertät. Das Wort traf mich wie ein Knüppel, dem ich nicht ausweichen konnte.

Ich drehte Little Richards *Tutti Frutti* auf volle Lautstärke. Das Leuchten in Sputniks Augen ging in unbändiges Strah-len über. Ich wusste, was richtig für ihn war. Seine Ärmchen begannen im Rhythmus zu zucken. Mein kleiner Bruder war ein Naturtalent. Es würde ein besonderer Abend wer-den, alles passte, nur unser Altersunterschied war bedauer-lich.

Nach weiteren Ausflügen in die Welt von Elvis und Bill rannte ich ins Schlafzimmer unserer Eltern, um den Kleider-schrank zu plündern. Die erbeuteten Tücher, Stolen, eine

Perserjacke, diverse Krawatten und eine Fliege unseres Vaters breitete ich vor Sputniks Augen aus.

»Jetzt, verehrter Herr Sputnik, werde ich Ihnen eine kleine Vorstellung geben, einen Vorgeschmack auf die Welt, die Ihnen blüht, um Sie, sollte es mir gelingen, Sie zu überzeugen, zu einem anderen, besseren Leben zu überreden. Ein Leben, in dem es keine Schule gibt, in dem Sie den Kindergarten überspringend direkt auf den Thron hüpfen könnten, von wo aus Sie gerne den Erwachsenen den ganzen Tag auf den Kopf pupsen und kacken dürften. Dazu gibt es Schokolade, so viel das Herz begehrt. Geld brauchen wir nicht, wir verbrennen es, weil uns die Welt sowieso gehört.«

Zu den Klängen von Jerry Lee, Johnny, Hank und Chuck tanzte ich in wechselnden Kostümen, spielte die wildesten Pantomimen zittriger Greisinnen nebst ihrer sabbernden Göttergatten, die immer nur keifend ihre erhobenen Zeigefinger zum Himmel reckten, während Sputnik sich pudelwohl auf dem Boden wälzte. Dann, in der Pause, kam die versprochene Schokolade. Ohne Neid und Reue verzichtete ich auf eine ganze Dose Katzenzungen, beste Vollmilchschokolade, die mir Onkel Schorsch beim letzten Abend des Kreises mitgebracht hatte.

Wieder legte ich *Tutti Frutti* auf, ich konnte gar nicht genug davon bekommen. Ähnlich erging es Sputnik mit den Katzenzungen. Zu sehr mit meinen Darstellungen beschäftigt, bemerkte ich nicht, dass er bald seine Schokoladenhändchen an Wand und Teppichboden abwischte. Erst als ich erschöpft neben ihm auf dem Boden landete, fiel mein Blick auf die Dose. Sie war leer.

»Alle Katzenzungen in Sputniks Bauch? Verschwunden? Weggezaubert? Donnerwetter, Sputnik, das würde nicht mal ich schaffen, und ich liebe Katzenzungen über alles.«

Ich verpasste ihm einen großen schmatzenden Kuss auf

seinen winzigen Mund. Zum Dank rülpste er mir ins Gesicht. Da er ein wenig blass aussah, rannte ich hinunter in die Küche, um etwas Apfelsaft für ihn zu holen. Als ich wieder hochkam, lag er mit selig verdrehten Augen da und starrte mich an.

»Sooo, jetzt gibt's pipifeinen Apfelwein, ein ganz besonderer Tropfen aus unserem Keller.«

Ich reichte ihm sein Fläschchen. Dann überschlugen sich die Ereignisse. An die Reihenfolge kann ich mich nicht mehr genau erinnern. Dieser Teil des Abends wurde im Nachhinein von der wenig später über mich hereinbrechenden Katastrophe überschattet. Ich weiß nur noch, dass Sputniks Gesicht überraschend die Farbe wechselte von aufflammendem Rot zu wächsernem Weiß mit einem hauchzarten Schimmer Grün. Sein Blick wurde starr, der Atem stockte, und ein schokoladenfarbiger Schwall schoss aus seinem weit aufgerissenen Mund, klatschte mir ins Gesicht, bespritzte in immer neuen Fontänen Wand und Boden. Die Sintflut brach aus diesem kleinen Körper hervor. Ich griff nach allem, was ich fassen konnte, Toilettenpapier, Handtuch, Wischlappen, sprang zwischen Sputnik und Wand hin und her, in dem verzweifelten Versuch, die Spuren des Desasters zu verwischen, vor allem aber diesen bedrohlichen Schwall zu unterbrechen. Seine hervortretenden Augen wurden matter, sein Keuchen verwandelte sich in ein immer schwächer werdendes Hecheln, bis er nur noch jämmerlich nach Luft schnappte.

Als meine Eltern das Badezimmer betraten, lag er vor ihren Füßen wie ein an Land geworfener Goldfisch, japsend mit verdrehten Augen in einem verzerrten Gesicht. In ihren starren Mienen las ich mein Todesurteil.

Nod

In der Bibel wurde Kain von Gott vertrieben, nachdem er seinen Bruder erschlagen hatte. Er musste sich vom Acker machen und begab sich in das Land Nod. Meine Eltern beschlossen, mich nach meinem Sündenfall auf der Schulfarm der Insel Scharfenberg mitten im Tegeler See auszusetzen.

An der Fähranlegestelle hing ein schweres Eisenteil. Mein Vater schlug dagegen, ein rot bemalter Fährkahn ruderte von der gegenüberliegenden Uferseite auf uns zu.

»Die Insel ist ein Paradies. *Carpe diem.* Nutze den Tag. Muss ja nicht für immer sein.«

Er strich mir verlegen über den Kopf. Als ich mich nach ein paar Metern vom Wasser aus umsah, winkte er und verschwand. Die zwei Jungen an Bord nickten mir zu. Mit Koffer und Rucksack ging es schweigend zu meinem neuen Quartier. Den Strand, die Vogelrufe, das Plätschern am Ufer nahm ich nicht wahr. Die ganze Insel wirkte auf mich wie eine Glasglocke, unter der ich nun von der Welt verbannt mein Leben fristen würde.

Die Schüler waren auf sechs Häuser verteilt. Moderne, sachliche Architektur, verglaste Eingangshallen unter angeschrägtem Dach, davor eine gemauerte Terrasse mit ausgewaschenem Kies, zum gemütlichen Beisammensein. Ich habe dort nie jemanden sitzen sehen. Die Häuser 1 und 2 waren für die Mädchen reserviert, in den Häusern 3 bis 6 wohnten die Jungen. Mein Zimmer lag im zweiten Stock von Haus 1. Ich musste es mit drei Mädchen teilen. Tabea, zwei Klassen über mir, blond, groß und bestimmend, die jüngere, ebenso langweilige wie schüchterne Elisabeth und die stämmige, ständig überdrehte Heinrike, die sie Heini nannten. Als Hausälteste war Tabea die Chronidin, bei ihr musste man sich an- und abmelden, wenn man die Insel zum Wochenende verließ oder sonntags zurückkam. Auch von der Schulleitung genehmigte Ausflüge unter der Woche wurden von ihr peinlich genau überwacht. Wir hassten uns vom ersten Tag an und mieden uns, so gut es ging.

Montags lieferte mich mein Vater auf dem Weg zur Praxis beim Fähranleger ab, um mich freitags wieder einzusammeln. Ich lebte von nun an in zwei verschiedenen Welten, die mich immer stärkeren Zerreißproben aussetzten. Sie hatten mich aussortiert. Der Stachel saß tief. Ich verstand nicht, warum sie mich von allem trennten, was mir wichtig war. In der ersten Woche weinte ich Nacht für Nacht stumm in mein Kissen. Ich schmiedete Fluchtpläne, die ich im Morgengrauen verwarf, bevor der Schlaf mich überfiel. Später starrte ich stumpf aus dem Fenster des Klassenzimmers, unfähig, dem Unterricht zu folgen.

»Na du?«

Vor mir stand der Mann, dem ich meine Unterbringung auf der Insel zu verdanken hatte. Herr Kühl war Kunstlehrer und ein Patient meines Vaters, von ihm wusste er von Scharfenberg. Wie bei einem gezähmten Raubvogel, stachen aus seinem schmalen, zerklüfteten Gesicht zwei dunkel leuchtende Augen hervor. Er trug einen blauen, ausgeleierten Trainingsanzug, in seiner linken Hand lag eine Eisenkugel.

»Ich gehe ein bisschen Sport machen und danach in mein Atelier, möchtest du mitkommen?«, unterbrach mich seine Stimme.

Ich zog die Schultern hoch.

»Magst du Kugelstoßen?«

Er hielt die schwarze Eisenkugel hoch.

In meiner alten Schule wäre kein Lehrer auf die Idee gekommen, mich das zu fragen. Mädchen machten Schleuderball, Jungen Kugelstoßen. Dafür waren wir zu schwach.

»Hab's noch nie gemacht.«

»Willst du's mal probieren?«

Wieder zuckte ich mit den Schultern. In meinen Armen und Beinen spürte ich ein komisches Kribbeln.

»Vielleicht.«

»Vielleicht, ja?«

Ich nickte vorsichtig.

»Komm. Weiter hinten ist eine Lichtung, da kann man prima üben. Und danach gehen wir sammeln.«

Mit federndem Schritt setzte er sich in Bewegung. Ich lief ihm nach.

»Was denn sammeln?«

»Siehst du dann.«

Die Kugel war so schwer, dass sie mir beinahe aus der Hand rutschte.

»Pass auf, ich zeig's dir.«

Er nahm meine Hand mit der Kugel, legte sie an meinen Hals, schob meine Schulter vor, bis die Kugel sicher in der Kuhle lag. Dann wiegte er meinen Körper leicht nach hinten und wieder vor.

»Schön das Gewicht von dem vorderen Fuß auf den hinteren verlagern, dabei einatmen und dann mit Schwung den Arm nach vorne stoßen. Als würdste was loswerden wollen, etwas, das dich so nervt, dass du es unbedingt von dir stoßen musst. Und dabei schreist du ganz laut, als würdste denken: Hau ab, du Mistding, lass mich in Ruhe. Komm.« Er trat einen Schritt zurück. Ich sah ihn zögernd an.

»Los, weg damit.«

Ich holte tief Luft. Die Kugel flog mit meinem Schrei.

»Donnerlittchen. Und du hast keene Ahnung vom Kugel-stoßen? Na, da bin ich ja gespannt, was du noch alles nicht kannst.«

Er berlinerte anders als mein Vater, eigentlich gar nicht, nur ab und zu rutschte ein Wort dazwischen.

Wir liefen zum Ufer. Wenn er etwas sah, bückte er sich, hne stehen zu bleiben, und ließ es in einem Jutesack ver-schwinden. Manchmal hielt er inne, fuhr mit der Hand durchs Wasser wie mit einem Sieb, fischte eine Muschel, einen geschliffenen Stein oder ein verwachsenes Stück Holz heraus. Alles landete später in seinem Atelier, neben den Kunsträumen im Haupthaus, in der Mitte der Insel, eigent-lich ein Jungenhaus, das aber zu der Zeit leer stand und nur von ihm genutzt wurde. Sein Unterricht glich einem Aben-teuer, einer Reise in versteckte Welten, die er nicht einmal selbst zu kennen behauptete, die er uns aber immer aufs Neue einlud zu erkunden. Gebirge aus Papier oder Pappma-ché, Drahtgestelle, verrostete Eisenteile, über den Bildrand hinausfließende Farben, die er einfach auf die Leinwand warf, um ihnen zu folgen oder sie im nächsten Augenblick blitzschnell mit dem Pinsel umzuleiten, zu bändigen oder zu zerstören. Dann wieder hielt er mitten in der Bewegung inne, erklärte mit weit ausschweifenden Gesten, hielt einen Gegenstand, eine verwachsene, ausgewaschene Wurzel hoch, um zu zeigen, wie sie sich im Licht veränderte. Über den Raum verstreut, lagen Zeichnungen, scharfe Striche mit Bleistift, Kohle oder Grafit, düstere Landschaften seiner zweiten Heimat Korsika, wo seine Frau aufgewachsen war. Er sprach oft von ihr, ohne dass wir sie je zu Gesicht beka-men. Ob er Kinder hatte, wusste ich nicht, traute mich auch nicht zu fragen. Allgegenwärtig schien er zugleich ungreifbar, tauchte auf, wenn man es am wenigsten erwartete, blieb verschwunden, wenn man nach ihm suchte.

»Sag Bonzo zu mir, so nennen mich hier alle.«

Ich war gerade nach einem Wochenende zurück auf der Insel. Was ich von Montag bis Freitag lernte, wurde mir zu Hause von Samstag bis Sonntag ausgetrieben, als würde ich auf der Fähre von der Insel zum Festland zwischen Ideal und Wirklichkeit schippern.

»Wie geht's deinen Eltern?«

»Gut, ich soll Sie grüßen.«

»Dein Vater ist ein besonderer Mann, ich kenne niemanden, der so im Leben steht wie er und dann mir nichts dir nichts anfängt, Kant zu lesen. Er will den Dingen auf den Grund ...« Er sah mich lächelnd an. »So was kann natürlich auch anstrengend sein.«

Ich nickte schüchtern. So hatte ich noch niemanden über meinen Vater reden hören.

»Keine einfache Kindheit. Am besten wäre er hier aufgehoben gewesen, der alte Blume hatte seine Freude an solchen Gewächsen.«

»Welcher Blume?«

»Der Gründer vons Janze, hat die Schulfarm bis nach dem Krieg geleitet und das Schiff mit sicherer Hand und ohne allzu heftige Turbulenzen durch den Tornado gelenkt. Am Ende hat er keine Lust mehr gehabt. Irgendwann is immer Schluss. Halt mal.«

Bonzo reichte mir einen Holzrahmen und spannte eine Leinwand darüber.

»Wissen Sie was über ... den Tornado?«

Er hielt inne und sah mich an.

»Redet keiner drüber, was?«

Ich schüttelte den Kopf.

»Zu Hause auch nicht?«

»Nein.«

»Hm … vielleicht besser so. Manche Dinge brauchen Zeit, und deine Eltern hat's beide ganz nett erwischt.«

Für einen Moment glaubte ich mein Herz nicht mehr zu spüren.

»Wieso erwischt?«

Wieder sah er mich an.

»Wenn sie nicht drüber reden, sollte ich's vielleicht auch nicht tun.«

»Bitte …«

Ich war selbst überrascht, wie schnell das Wort aus mir herausgeschossen war.

»Deine Mutter hat einen Blick für Bilder und Möbel, sage ich dir, die könnte jederzeit 'ne Galerie oder 'n Antiquitätenladen aufziehen. Ohne Spaß. Die würde damit Furore machen, vor allem in dieser Stadt. Haben doch hier alle keine Ahnung, alles Provinzheinis. Machen einen auf dicke Hose und was kost die Welt, sind aber verschlafener als diese Insel hier, womit ich nichts gegen Scharfenberg gesagt haben will, aber wir halten uns auch nicht für Paris oder New York.«

Er schien jedenfalls auch meine Mutter für etwas Besonderes zu halten. »Brauchst dich nicht zu schämen, auf deine Erzeuger kannste stolz sein.«

Konnte er Gedanken lesen?

»Woher wissen Sie, dass ich mich schäme?«

»Nimm's mir nicht übel, aber, na ja …«, lachte er mir offen ins Gesicht. »Du bist wie'n offenes Buch, man muss nur 'n bisschen blättern.«

Auch wenn wir Mädchen nicht darüber sprachen, merkte ich bald, dass die langsam beginnenden Veränderungen unserer Körper uns alle beschäftigten. Das Schweigen der Nachkriegszeit deckte nicht nur die Erinnerungen zu, es erstickte auch unsere Jugend. Waren die Lehrer nach dem

Unterricht verschwunden, blieben wir uns selbst überlassen. Die Jungen hockten immer zusammen, starrten uns an, spielten Streiche, versuchten uns bei jeder Gelegenheit unter den Rock zu gucken. Es nervte. Nach Einbruch der Dunkelheit pirschten sie sich in Zweier- oder Dreierformationen bis zu unserem Haus. Einmal kletterte einer sogar durch ein offen gelassenes Fenster. Er wurde vom Hausmeister erwischt und musste die Schulfarm verlassen. Nun glaubte ich, den perfekten Fluchtplan zu kennen. Ich musste mir nur etwas zuschulden kommen lassen, schon würden sie mich rauswerfen. Aber mit der Zeit gewöhnte ich mich an mein neues Zuhause. Bonzo half mir dabei. Dank ihm genoss ich nun nicht nur unter den Schülern, sondern auch unter den Lehrern einen gewissen Respekt. An Bonzo traute sich keiner ran, er war unberührbar. Er machte alles anders, aber er tat es mit einer so natürlichen Autorität und Leidenschaft, dass sich ihm niemand entgegenstellte.

Nicht einmal Frau Glück. Frau Glück war meine Klassenlehrerin, und sie hieß wirklich so.

»Nomen est omen«, sagte meine Mutter. »Lerne zu leiden, ohne zu klagen.«

In keiner Sprache gab es so viele Kalendersprüche. Seit wir wieder in Deutschland lebten, machte auch meine Mutter reichlich Gebrauch davon.

An meinem ersten Tag hatte Frau Glück im Stechschritt das Klassenzimmer betreten und ihre Tasche auf den Lehrertisch geknallt.

»Mein Name ist Glück. Annedore Glück.«

Der Vorname machte es auch nicht viel besser. Ihr rechteckiges Gesicht war durchzogen von kreuz und quer schießenden dünnen Linien, über der spitzen Nase schwebte eine viel zu große, goldene Brille, ihre Mundwinkel zuckten am Ende jedes Satzes, und wenn sie den Mund öffnete, zitterte er kurz, bevor sie uns die nächsten Sätze ohne Punkt und Komma entgegenschleuderte. Es hieß, sie habe früher gestottert. Wenn sie erregt war, passierte ihr das immer noch, dann allerdings mussten alle dafür büßen. Von ihrem ersten Wort bis zum Pausenklingeln steckten wir fest in dicker Luft. Ich hatte so etwas noch nie erlebt. Kaum öffnete sie die Aktentasche, traf mich ihr Blick und blieb sekundenlang an mir hängen. Etwas an mir machte sie vom ersten Augenblick an wütend.

Bonzo sah mich amüsiert an.

»Mach dir keinen Kopf, Frau Glück kann nix dafür, hat im Krieg ihren Mann verloren und auch sonst nicht viel Gutes abbekommen. Jetzt stell dir mal vor, du heißt Glück und alles läuft schief, das is auch 'n Schicksal, oder?«

Wir spazierten mit ein paar anderen Schülern über die Insel, der Frühling nahte, die Sonne ließ die helle Wasseroberfläche schillern. Das Leben in der Natur erinnerte mich an Argentinien.

Frau Glück war Mathematiklehrerin. Warum musste die schlimmste Lehrerin auch noch das unangenehmste Fach unterrichten? Überhaupt wollte mir dieses ganze Schulprinzip nicht in den Kopf. Wahrscheinlich war das auch so eine Selbstverteidigungsmaßnahme der Gesellschaft. Lächerlich, dass die Erwachsenen darauf bestanden, alles würde zu unserem Besten geschehen. Jetzt würden wir das alles noch nicht verstehen, aber eines Tages würden wir ihnen sicher dankbar sein. Viele Jahre später sah ich in einer Zeitschrift eine Comiczeichnung, die mich an all die verlorene Zeit, an den staatlich verordneten Raub meiner Jugend und an Frau Glück erinnerte. Das erste Bild zeigte einen Tierpfleger, der einem Elefanten einen langen Nagel in den Fuß schlug, darunter stand: *Elefanten vergessen nie.* Auf dem zweiten Bild krümmte sich der Elefant vor Schmerz und starrte den

Pfleger wütend an, darunter stand: *Gib acht, was du tust.* Auf dem dritten Bild befreite der Tierpfleger den Elefanten von dem Nagel. Der Elefant starrte ihn glücklich an, darunter stand: *Dafür wird er mir ewig dankbar sein.*

Ein blattloser Stängel

Es war der letzte Schultag vor den Osterferien, noch sechs Monate bis zu meinem 16. Geburtstag. Mit dem Zeugnis in der Tasche tuckerte ich im mittlerweile motorisierten Fährkahn zur Anlegestelle in Tegelort. Mein Vater wartete dort auf mich. Er nahm mich fest in die Arme.

»Mama freut sich schon auf dich, sie kann es kaum erwarten. Und dein Brüderchen erst.«

Nach Frohnau gelangte man auf einer glatt asphaltierten Straße durch den Wald über Schulzendorf. Es gab auch einen kürzeren, weniger schönen Weg, der auf holprigem Kopfsteinpflaster durch Hermsdorf führte. Ich konnte nie genau sagen, warum sich mein Vater für die eine oder die andere Strecke entschied, aber auf der Fahrt durch den Wald nahm er sich eine Auszeit. Meistens sprach er dann kein Wort. An seiner Seite lernte ich die verschiedensten Formen der Stille kennen, traurig, gelöst, wütend, nachdenklich, bedrückt, verträumt, verschmitzt oder ahnungsvoll. Ob man Teil dieses Schweigens war, ließ sich ebenso wenig beantworten wie die Frage, ob man die Traumwelten eines Schlafenden bevölkerte. An guten Tagen war die unsichtbare Wand zwischen uns durchlässig. Dann konnte ich Fragen stellen. Wenn die Straße durch Hermsdorf der direkteste Weg zur Arbeit war, führte der Weg durch den Wald zu ihm selbst.

»Wie geht's Sputnik?«

Die Katzenzungen belasteten immer noch mein Gewissen.

»Ein aufgewecktes Kerlchen. Letzte Woche fing er sogar schon an zu lesen.«

»Echt? Der ist doch noch nicht mal vier.«

»Frühbegabt.«

Seine Einsilbigkeit war wenig ermutigend. Ich überlegte, was er zu meinem Zeugnis sagen würde, eine besondere Frühbegabung ließ sich daraus nicht ableiten. Schulische Leistungen waren meinen Eltern sehr wichtig. Meine Mutter wurde nicht müde, mir zu erzählen, was für ein blendender Schüler mein Vater gewesen war, trotz der schwierigen Verhältnisse, aus denen er sich damals hocharbeiten musste, wie sie jedes Mal mit erhobenem Zeigefinger betonte. Es ging mir entsetzlich auf die Nerven. Und jetzt auch noch Konkurrenz von unten. Meine Laune erreichte den ersten Tiefpunkt des Tages.

Eigentlich hatte ich mich auf meine Familie gefreut. Auch auf Sputnik. Und als Belohnung für ein weiteres überstandenes Schuljahr wartete zu Hause meine erste Röhrenhose auf mich. In Amerika nannte man sie Blue Jeans oder einfach nur Jeans. Ob die knappe Versetzung auch reichen würde? Um ein Haar war ich an einer Fünf in Mathe vorbeigeschrappt, das wäre die zweite gewesen und mein Untergang. Zu meiner großen Überraschung zeigte sich Frau Glück gnädig. Obwohl wir uns hassten, hatte sie ein Auge zugedrückt, vielleicht auch zwei. Bei der Zeugnisübergabe sagte sie schmallippig: »Wer nicht vorwärts geht, geht rückwärts, liebe Ada.« Vor mir lagen Stunden voller unerträglicher Fragen. »Hast du nicht aufgepasst? Oder verstehst du es einfach nicht? Gibt es denn auf der ganzen Insel keine Freundin, die dir helfen könnte? Sonderst du dich wieder ab? Glaubst du, so wird je etwas aus dir werden? Gibt's da vielleicht jemanden, der dir den Kopf verdreht? Das Leben besteht nicht nur aus Freiheiten, an erster Stelle kommt die Pflicht und dann kommt erst mal lange nichts, und dann, aber auch erst dann, kann man über anderes nachdenken, geht das nicht in deinen Kopf?« »Nein«, würde ich dann am liebsten antworten. »Erst kommt der Spaß und dann das Vergnügen.« Und dann würde meine Jeans bis zum Sankt Nimmerleinstag in ihren Schrank zurückwandern und dort verrotten. Und was war überhaupt der Ernst des Lebens? Bei dem Wort Spaß zuckte mein Vater wie unter einem Peitschenhieb zusammen. Beseelte Freude war erlaubt, Spaß eine Provokation.

»Naaaaaa?«

Meine Mutter stand mit Sputnik auf dem Arm in der Tür. Der Knirps beäugte mich so kritisch, als würde er mich nicht wiedererkennen oder als wollte er mir den Zutritt zu einem Reich verwehren, in dem er nun endlich allein herrschte. Ein Küsschen links, ein Küsschen rechts. Keine Umarmung. Das mochte sie nicht.

»Knabe, gib mal deiner Schwester einen Kuss.«

Sputnik wandte sich leicht angewidert ab. Sie lachte.

»Ist ja zum Piepen. Nun komm erst mal rein. Wie geht's dir denn? Hast du uns ein schönes Zeugnis mitgebracht? Hm, was meinst du, Sputnik, hat Ada uns ein schöööönes Zeugnis mitgebracht?«

»Was ist ein Zeugnis?«, fragte Sputnik.

»Nichts Besonderes, einfach nur ein Blatt Papier«, sagte ich, als könnte ich mich dem Abgrund leichtfüßig nähern.

»Aber ein gaaaanz wichtiges, da steht alles drauf, was Ada in der Schule so gemacht hat, und vor allem, ob sie es gut gemacht hat.«

»Und was muss sie da machen?«, fragte Sputnik.

Inzwischen standen wir im Wohnzimmer, wo sich diverses Spielzeug türmte. So etwas wäre in meiner Kindheit nicht möglich gewesen. Ließ ich etwas liegen, setzte es was, oder das Spielzeug wanderte in den Müll.

»Lesen, schreiben, rechnen und noch gaaanz viel andere wichtige Sachen«, sagte meine Mutter.

»Ich kann auch lesen.«

»Na ja.«

»Hat Papa aber gesagt.«

»Jaja, Papa ist ein bisschen blind bei seinem kleinen Göttersohn.«

Sie zwinkerte mir zu.

»Du lügst.«

»Nun werd mal hier nicht frech, Knabe.«

Sie setzte den strampelnden Sputnik ab.

»Du lügst«, schrie er. »Und ich kann das beweisen.«

Mit zu Fäusten geballten Händen stapfte er die Treppen hinauf.

»Weil er ihm immer dieselben Geschichten vorliest, kann er sie schon auswendig und hat sich gemerkt, wann Papa umblättert, aber dein Vater ist nicht von dem Gedanken abzubringen, dass sein Sohn mit vier Jahren schon lesen kann, zum Piiiepen, sage ich dir.«

»Ist ja süß.«

Ihr Gesicht leuchtete. Wenn man etwas Gutes über Sputnik sagte, konnte man nie falsch liegen.

»Ja, er ist ein süßes Kerlchen, und dein Vater ist ganz vernarrt in seinen kleinen Stammhalter.«

Das hatte ich auch bereits geahnt, aber mit dem Wort Stammhalter wurden die letzten Unklarheiten beseitigt.

»Nun zeig schon her.«

»Was denn?«

»Na, du bist gut, dein Zeugnis.«

»Ich bring' erst mal meine Sachen rauf.«

»Ach, äh, Ada, dein Zimmer ... wir haben jetzt Sputnik dein Zimmer gegeben, und wir schlafen jetzt in seinem alten Zimmer ...«

Einfach so? Von einer Woche zur anderen, ohne mich auch nur zu fragen?

»Und ich?«

»Jaja, nun warte doch, ich will's dir ja gerade sagen. Für dich haben wir den Keller ... also das schöne Zimmer im Keller zurechtgemacht.«

»Den Abstellraum ...?«

»Wir haben ihn extra mit Holz vertäfelt. Das ist jetzt dein Reich. Komm, ich zeig's dir mal.«

Ich saß auf meinem Bett. Durch das kleine ebenerdige Doppelfenster fiel gerade genug Licht herein, um die Kommentare der Lehrer auf meinem Zeugnis lesen zu können. Meine Mutter schüttelte nachdenklich den Kopf.

»Oh, oh, oh ... da muss ich mir aber gut überlegen, wie ich das deinem Vater schonend beibringe ... Wie kommst du denn zu einer Fünf in Französisch, das kannst du doch?«

»Ja, aber nicht diesen Grammatikkram, mit Satzanalyse und so.«

»Ach was, das ist doch nix, das bringe ich dir in den Ferien bei, das wär' ja gelacht. Gib mir mal deine Hefte und Schulbücher.«

»Mama, ich ...«

»Keine Widerrede, Fräulein, oder möchtest du das lieber mit deinem Vater besprechen?«

»Sala? Ada? Wo seid ihr?«

Die Stimme meines Vaters schallte durch das ganze Haus.

»Wenn man vom Teufel spricht ... Das kriegen wir schon hin.«

»Und meine Blue Jeans?«

»Wartet schon auf dich.«

Sie deutete auf meinen Schrank. Ich fiel ihr um den Hals.

»Bessere dich. Ab Montag machen wir Französisch. Erst Vokabeln, dann Grammatik.«

Ich versprach es hoch und heilig. Als sie zur Tür raus war, drehte ich mich um. Sie hatten mich zwar wieder einmal ausquartiert, aber so schlecht war das Zimmer nicht. Es war nicht nur mein eigenes Reich, es war zwei Stockwerke unter ihnen. Hier war ich ungestört. Die da oben, ich hier unten. Das war gut. Nur zum Baden musste ich hoch, hier unten gab es nur eine Toilette.

»So was will ich auch!«

Sputnik begutachtete tief beeindruckt meine Blue Jeans. Ich hatte mich ins Bad verzogen, um sie einzuweichen, bevor meine Eltern es sich vielleicht doch noch anders überlegten. Als ich die Tür schließen wollte, war er hereingeschlüpft. Ich ließ heißes Wasser in die Wanne laufen, schloss die Tür ab und zog mich aus.

»Was machst du?«

»Eine Blue Jeans ist immer zu groß. Wenn sie neu ist, zieht man sie an und legt sich damit in heißes Wasser, damit sie schrumpft und am Körper die richtige Form bekommt.«

Erst folgte er interessiert meinen Ausführungen, dann starrte er mich an.

»Was gibt's?«

Ich stand jetzt nackt vor ihm. Aber warum starrte er so? Er sah mich doch nicht zum ersten Mal.

»Sputnik, was ist?«

»Wo ist er?«

»Was denn?«

»Dein Pullermann.«

Ich sah an mir herunter.

»Weg.«

»Was?«

Er wirkte ernsthaft besorgt.

»Ja, der ist weg.«

Seine Augen weiteten sich.

»Wieso denn weg?«

»Verloren. Abgefallen.«

Er wich entsetzt zwei Schritte zurück und fasste sich zwischen die Beine.

»Abgefallen? Wie denn abgefallen?«

»Weiß ich auch nicht. Muss ich irgendwo verloren haben. Ist aber nicht so schlimm«, beruhigte ich ihn. »Ich brauch ihn gar nicht mehr.«

Er rüttelte panisch an der Tür.

»Mama! Mamaaaaaaa!«

Ich sprang schnell zu ihm.

»Scht! Sei still! Ich lass' dich raus, aber nur, wenn du mir schwörst, dass du Mama und Papa nichts erzählst.«

Er nickte kreidebleich.

»Kein Wort. Schwöre es!«

Er hob seine kleine Hand.

»Ich schwöre.«

»Sag: Ich schwöre es bei meinem Pullermann.«

»Ich schwöre es bei meinem Pullermann.«

»Sputnik?«

»Ja?«

»Wenn du deinen Schwur brichst, fällt er ab.«

Schwupp, war er draußen. Dass meine Brüste gewachsen waren und meine Hüften immer weiblicher wurden, hatte der Trottel übersehen. Ich schlüpfte in meine Röhrenhose und ließ mich vorsichtig in die kochend heiße Wanne gleiten. Irgendwie würde ich das hier schon überstehen, sagte ich mir und warf in Gedanken einen Rettungsanker zu Bonzo. Ich erinnerte mich, wie offen, fast bewundernd er von meinen Eltern sprach. Vielleicht musste ich sie einfach mit seinen Augen betrachten, vielleicht würde ich sie dann besser verstehen.

»Die Tür?«

»La porte.«

»Das Fenster?«

»La fenêtre.«

»Wie geschrieben?«

»Mit accent circonflexe.«

»Sehr gut.«

»Bilde einen Satz mit beiden Wörtern.«

»Je regarde par la fenêtre …«

»Weiter …«

Während ich versuchte, mich zu konzentrieren, polterte Sputnik herein. Wir saßen seit einer halben Stunde am Esszimmertisch. Mein Vater war nur durch das Versprechen intensiver Nachhilfestunden zu besänftigen gewesen, »und zwar täglich«, hatte er hinzugefügt.

»… lorsque mon petit frère entra par la porte … sans frapper.«

»Das stimmt, Knabe, man klopft an und platzt nicht einfach ungebeten dazwischen. On frappe, tu m'as compris?«

Sputnik baute sich breitbeinig vor uns auf.

»Wo ist meine Wasserpistole?«

Meine Mutter beachtete ihn nicht.

»Jetzt mal etwas schwieriger. Der Staudamm?«

»Mamaaaa, meine Wasserpistole.«

»Der Staudamm?«

»Der Staudamm?«, fragte ich.

»Ja, der Staudamm.«

»Hatten wir noch nicht.«

»Aber hier steht's doch.«

Sie zeigte mir die aufgeschlagene Seite meines Schulbuchs.

»Komm Ada, der Staudamm.«

Ich dachte krampfhaft nach. Der Staudamm. Der Staudamm.

»Le barrage«, tönte es von der Seite. Sputnik hatte seine Wasserpistole gefunden und reckte sie mit Siegermiene in die Luft.

»Le barrage, le barrage, le barrage, ist doch babyleicht.«

Ich konnte mich gerade noch vor einem Angriff aus der Wasserpistole wegducken, dann schwang er sich auf sein imaginäres Pferd und galoppierte davon.

»Seit wann kann er Französisch?«

»Er hat sich beschwert, dass wir Spanisch miteinander sprechen, wenn Papa nicht da ist, und wollte auch eine Geheimsprache mit mir, putzig, was?«

»Hm.«

»Na ja, habe ich mir gesagt, dann rede ich eben Französisch mit ihm.«

»Und Papa?«

»Stört ihn nicht.«

»Bei mir hat's ihn gestört.«

»Das war doch was ganz anderes.«

»Was war denn daran anders?«

»Ada, wie oft … also wirklich, das habe ich dir doch schon tausendmal erklärt.«

»Kann ich mich nicht erinnern.«

»Du scheinst dich an manches nicht zu erinnern. Was soll das denn nun mit dieser kindischen Eifersucht, du bist doch keine zwölf Jahre mehr. Es kann nicht immer nur um dich gehen.«

»Immer? Warum darf ich nicht Spanisch mit dir reden? Ich hab's schon beinahe verlernt.«

»Das ist doch albern, also wirklich, das kann ja gar nicht sein.«

»Ist aber so. No me recuerdo de nada.«

»Hija mia.«

»Was heißt denn hija mia, wieso fallt ihr bei ihm jedes Mal in Ohnmacht? Jeder Pups wird konserviert und vergoldet.«

»Cambiamos el tema.«

»Ich spreche nicht mehr Spanisch mit dir.«

»Dann eben nicht. Glaub ja nicht, dass du mich erpressen kannst. Wenn ich dich nicht in Schutz genommen hätte, wäre ein Donnerwetter über dich hereingebrochen. Dein Vater ist geladen, das kann ich dir sagen.«

Wütend fegte ich Hefte und Bücher vom Tisch.

»Du hebst das jetzt sofort auf, aber ganz schnell.«

Ich sprang auf und starrte zum Fenster hinaus, damit sie meine Tränen nicht sehen konnte.

»Ada, ich warte.«

»Da kannst du lange warten.«

»Gut, dann warten wir eben, bis dein Vater kommt. Mal sehen, was der dazu sagt. Der wird andere Saiten aufziehen, das kann ich dir versprechen, ganz andere, da wird nicht lang gefackelt.«

Mit geballten Fäusten, die Beine in den Boden gestemmt, fuhr ich herum.

»Dann geh doch zu deinem Mann, geh doch. Sag ihm doch, was ich für ein mieses Stück bin, das nicht mal Französisch kann, im Gegensatz zu seinem kleinen Goldjungen. Was wollt ihr noch? Ich wohn ja schon nicht mehr hier, was habt ihr gegen mich? Ich habe euch nicht gebeten, geboren zu werden.«

»Na, jetzt wird's aber spaßig. Jetzt mach mal einen Punkt, ja?!«

Mit zwei schnellen Schritten baute ich mich vor ihr auf. Die Hände in die Hüften gestemmt.

»Ist er überhaupt mein Vater?«

Sie starrte mich perplex an.

»Wie bitte?«

»Du hast mich ganz gut verstanden, glaube ich.«

»Was hast du gesagt? Was? Das fragst du mich? Ich muss mich wohl verhört haben.«

Sie war kurz davor zu explodieren.

»Damals bei Mopp. Kurz bevor du angeblich nach Argentinien gefahren bist. Kurz bevor du ohne jede weitere Erklärung einfach für ein paar Monate verschwunden bist und mich mit einem Mann allein gelassen hast, den ich nicht kannte. Ich hab' vorm Fernseher gesessen und eure Stimmen gehört.«

»Das wird ja immer bunter.«

»Ja, ich habe euch belauscht, ich bin zur Küche geschlichen … hab' mich nicht reingetraut … weil du geweint hast.«

»Na, stell dir mal vor.«

»Ja, so war's aber. Kannst du dich erinnern? Nein? Vielleicht ist ja dein Gedächtnis nicht so gut. Ich kann mich nicht beklagen. Ich weiß noch alles ganz genau. Alles. Als wäre es gestern. Ich habe jedes einzelne Wort behalten, jeden Ton. Ich weiß noch, dass es draußen zu regnen begann. Hauchdünner Nieselregen, der sich übers Fenster legte, und ich glaubte, mein Herz müsste aufhören zu schlagen. Wie heißt er? Hannes? Heißt er Hannes? Und ihr habt euch in Paris kennengelernt? Bist du damals nach Buenos Aires oder nach Paris gefahren?«

Sie starrte schweigend vor sich hin. Regungslos saß sie da, als würde sie ihren Urteilsspruch entgegennehmen. In meine ohnmächtige Wut mischten sich Schuldgefühle, die Frage, ob ich ein Recht hatte, so mit ihr zu sprechen, mit meiner Mutter, mit der Frau, die mich einmal um den halben Globus geschleppt und wieder zurückgebracht hatte, immer auf der Suche nach einem Ort, an dem wir Schutz fanden, an dem wir bleiben konnten. Sie sah mich an. Für einen kurzen Augenblick war mir, als blickte ich in meinen eigenen Abgrund. Was ich tat, war nicht rechtens. Ich spürte es. Und doch glaubte ich nicht länger ohne die Antwort sein zu können. Man sagt, es gab Menschen, die im Krieg mit dunklem Haar den Luftschutzkeller betraten und am Morgen nach der Bombardierung schneeweiß aus den Trümmern ihrer Häuser krochen. So stand meine Mutter jetzt vor mir, unter ihrer Perücke früh ergraut. Zwei Verlorene starrten sich an, unfähig, sich oder den anderen zu erkennen. Sie drehte sich langsam um. Auf dem Weg zur Tür knickte sie mit dem linken Fuß ein. Ich wollte zu ihr springen. Mit dem Rücken zu mir hob sie nur kurz die Hand, entweder um ihr Gleichgewicht zu finden oder um mich abzuwehren. Sie ließ sie wieder sinken, ein teilnahmslos herabbaumelndes Etwas, dem Körper ebenso fremd wie diese Umgebung. Ab diesem Moment war ich nicht mehr die, die ich gewesen war.

Die Krankheit Tod

An einem Montag geschah es. Ein namenloser Schmerz verband sich mit meinem Unterleib, nahm ihn in Besitz, ein unbekanntes krampfartiges Gefühl übermannte mich, der Schweiß trat kalt auf meine Stirn und ich betete zum ersten Mal seit vielen Jahren zu Gott, diese Stunde möge vorübergehen, die Glocke möge schrill und laut diesen Zustand beenden. Ich bemerkte nicht, wie ich mich dabei aufrichtete, hörte nicht, wie es hinter mir raunte, wie sie kicherten, während andere mich in entsetztem Schweigen anstarrten, als ich mich umdrehte und auf meinem Stuhl einen roten Fleck sah, eine kleine Lache Blut, die mich höhnisch angrinste. Ich fühlte, dass alles in mir nass war, kein kühlendes Nass, nein, brennend wie Feuer, das Feuer der Scham, der Lächerlichkeit und des Todes. Es war geschehen. Wie ein Unwetter war es über mich hereingebrochen. Niemand hatte mich vorgewarnt. Niemand, dachte ich, während ich langsam zurückweichend mit gesenktem Kopf meinen kranken Körper aus der Klasse schob, die Tür zuschlagend zu rennen begann, die linke Hand zwischen meinen Beinen, den rechten Arm hilfesuchend ausgestreckt. Endlich stieß ich die Toilettentür auf und verschloss sie hinter mir. Vorsichtig, wie bei einer Schwerverletzten, nahm ich den Saum meines Rocks hoch, bedacht darauf, die offene Wunde nicht zu berühren. So stand ich eine halbe Ewigkeit da, in Tränen aufgelöst.

Die Tür zur Mädchentoilette wurde aufgestoßen. Schritte und gackernde Stimmen brachen herein. Ich hielt die

Luft an. Es half nicht. Flach atmend setzte ich mich auf die Klobrille. Es hörte nicht auf zu laufen. Ich krümmte mich, die Schmerzen waren unerträglich. Auf der anderen Seite der Tür schwoll das Gelächter an, unterbrochen von kurz hervorgestoßenen Halbsätzen, in denen ich immer wieder glaubte, meinen Namen zu hören. Ich würde binnen kürzester Zeit zum Gespött meiner Klasse, ach was, der ganzen Schule werden. Zitternd dachte ich an meine Mutter. Ich war eine schlechte Tochter, ich brachte ihr immer nur Sorgen und Kummer.

»Ada? Ada? Bist du da drin?«

Ich erstarrte, als ich die Stimme erkannte.

»Ada? Hier ist Frau Glück. Bist du da drin?«

Hinter der Tür wurde getuschelt. Das Glück kam selten allein. Das tat es nie, immer forderte es Verstärkung an.

»Wenn du jetzt nicht sofort die Tür aufmachst, hole ich Herrn Peters, und dann gnade dir Gott.«

Herr Peters war der Hausmeister, er war groß, spindeldürr und verfügte über Bärenkräfte. Nach dem Krieg hatte er als Hucker in den Trümmern gearbeitet, dort hatte er den Schutt weggeschafft und Zementsäcke für den Wiederaufbau geschleppt. Die Mädchen fürchteten ihn und rannten bei seinem Anblick schreiend davon. Ich riss den Rest Klopapier von der Rolle und stopfte mir alles mit fliegenden Händen zwischen die Beine. Dann öffnete ich die Tür.

Vor mir stand Frau Glück. Sie starrte wütend durch ihre neckisch geschwungene Goldbrille. Hinter ihr war die halbe Klasse versammelt. Ich hob den Kopf, bemüht, ihr gerade ins Gesicht zu sehen. Bonzo war nicht da. Ausgerechnet an diesem Tag war er nicht da.

»Bitte rufen Sie meinen Vater an. Ich bin krank.«

»Du bist krank?« Frau Glück sah mich ungläubig an. »Zeig mal her.«

Als sie mich an der Schulter fasste, riss ich mich mit einer einzigen Bewegung so heftig los, dass alle ein paar Schritte zurückfuhren. Frau Glück starrte mich an.

»Ich bin krank.« Ich hob den Kopf noch etwas höher. »Sagen Sie meinem Vater, dass ich nach Hause möchte.«

Ich kehrte nicht auf die Insel zurück. Über meine Monatsblutungen sah man schweigend hinweg, notwendige Utensilien lagen immer zu Monatsbeginn unter meiner Bettdecke bereit. Der Sommer verbrannte das Gras. Die Nächte wurden länger, kälter und dunkler. Uschka wurde auf ein Internat in der Nähe von London geschickt. Ich unternahm einsame Streifzüge durch die Stadt. Die Menschen flossen an mir vorbei, schwappten über die Straße in die Geschäfte, wurden, mit schweren Tüten bepackt, wieder ausgespuckt.

In meiner neuen Schule kamen mir alle albern vor. Lief ein Junge vorbei, tuschelten die Mädchen und kicherten hinter vorgehaltener Hand. War keiner in Sicht, sprachen sie über nichts anderes. Es interessierte mich nicht.

In der Pause lief oder saß man nach Geschlechtern getrennt. Ab und zu löste sich ein Junge aus seiner Gruppe, näherte sich unter den angespannten Blicken beider Seiten, sprach eine von uns an, um dann für den Rest der Pause mit seiner Auserwählten schweigend, mit todgeweihtem Blick, über den Schulhof dem eigenen Untergang entgegenzuspazieren. Kurz vor dem Läuten fassten sie sich bei der Hand, oder er legte seinen Arm um sie, als wäre er in diesem Moment nicht ganz er selbst, als könnte er die Verantwortung für seine Gliedmaßen nur bedingt übernehmen. Danach sagte man, diese beiden würden nun miteinander gehen, als läuteten von Ferne schon die Hochzeitsglocken in hellem Gelächter.

Die Kinobesuche, Geburtstagseinladungen, Fummeleien,

das Flaschendrehen, welches den Schamhafteren zum ersten Kuss verhalf, interessierten mich zwar, aber berührten mich nicht. Überhaupt erschien mir jede Art von körperlichem Kontakt mit dem anderen Geschlecht wenig erstrebenswert. Aber auch das ständige Getatsche und Geküsse unter Mädchen blieb mir fremd.

Ich schrieb Uschka, wie satt ich es habe, so zu leben, satt, mich von Spießern begaffen zu lassen, satt, es diesen Provinzheinis mit ihren immer dicker werdenden Bäuchen, ihren tüten- und klunkerbehängten kuhäugigen Frauen recht zu machen, damit sie bei meinem Anblick nicht erschrocken die Straßenseite wechselten. Und ich merkte, wenn jetzt nicht etwas geschehen würde, wäre ich bald wie sie.

Ich sah die Schaufenster, die ebenso fantasielos geschmückt waren wie die Passanten, die sich an ihnen die Nasen platt drückten. Lief vorbei an Baustellen, an Werbeplakaten, die Waschmittel, Kochbücher, Automobile anpriesen.

»Worauf wartest du?«, antwortete sie mir. »Willst du heiraten, Kinder kriegen, dem Mann und den Blagen das Essen kochen, den Abwasch machen, die Wäsche bügeln, um dann einmal im Jahr – Höhepunkt deines Daseins – mit der lieben kleinen Familie im Opel Kadett über den Brenner nach Italien zu tuckern? Hast du keine Träume?«

Ihre Fragen wurden zu einer erbarmungslosen Abrechnung. Ich hatte keine Freunde, sah die herabfallenden Schultern meiner resignierenden Lehrer, die enttäuschten Augen meines Vaters. Über allem lag, fein säuberlich in Watte gepackt, das dumpfe Rauschen mütterlichen Schweigens. Ich wusste nicht, wer ich war, noch wer ich sein wollte.

Der andere

»Franz.«

Er streckte mir seine Hand entgegen.

Sie hing etwas hilflos in der Luft, als wüsste sie nichts mit sich anzufangen, und doch war sie da.

Ich griff zu. Aus dem Lachen wurde ein Lächeln, zögerlich erwiderte er es.

Jetzt erst sah ich seine blasse Haut, unter der Oberfläche schimmerten zartblau die Adern hervor. Er trug eine schwarze Badehose.

Keiner außer ihm trug eine schwarze Badehose.

Keiner hieß Franz.

Keiner war so linkisch und belesen.

Keiner konnte so tief aus dunklen Augen schauen.

Keiner dachte so fremd.

Kein Lachen war so still und ernst.

Und doch hätte ich ihn mir etwas sportlicher gewünscht.

Vielleicht kam mir dieser Gedanke auch erst später, als ich merkte, dass sich die anderen Mädchen nicht für ihn interessierten.

»Möchtest du ein Eis essen?«

Wir standen auf der großen Wiese des Strandbades Lübars in Reinickendorf.

Es war Sommer. Es war heiß. Aus einer silbernen Maschine quoll in Schlangenlinien weißes Softeis in ein Waffelhörnchen. Vanille. Wahlweise konnte es in flüssige Schokolade, Mandelsplitter oder in eine Mischung bunter Pünktchen getaucht werden, die beim Kauen leise knirschten. Es war wie Sex. Ich hatte zwar nur eine vage Vorstellung davon, aber das Wort war seit Kurzem in aller Munde.

»Ich habe mich verliebt«, schrieb ich Uschka, »er heißt Franz und hat einen schönen Kopf und auch sonst ist er anders als alle anderen. Überhaupt ist jetzt alles anders.«

Uschka antwortete erst Wochen später, ohne auf die große Neuigkeit einzugehen. Sie ignorierte sie einfach, gerade so, als sei nichts geschehen. Sie erzählte von ihrem Mädcheninternat, von ihren neuen Freundinnen, wie hübsch und geistreich sie waren, dass sie gemeinsam Konzerte und Ausstellungen besuchten, manchmal Hand in Hand oder sogar Arm in Arm. So wie wir früher auf dem Schulhof, dachte ich, so wie ich jetzt mit Franz.

Bei meinen Eltern spürte ich eine wachsende Nervosität, ganz so, als würden sie ihren Gemütszustand dem meinen anpassen. Hatte ich nach meiner Rückkehr aus dem Internat endlose Litaneien über den rechten Weg, das Leben, seine Tücken und die notwendigerweise im Voraus zu ergreifenden Maßnahmen für eine goldene Zukunft gehört, surrten mir jetzt misstrauische Blicke um die Ohren, als führte ich Übles im Schilde. Da sich aber im Schweigen möglicherweise eines meiner größten Talente verbarg, verwandelte sich der alltägliche Mittagstisch in ein Schlachtfeld, das Klappern von Messer und Gabel, ihr Schneiden und Stechen erinnerten an ein blutrünstiges Getümmel, in dem Täter und Opfer nicht mehr zu unterscheiden waren, geschweige denn der Ausgang, Sieg oder Niederlage. Aber dann kam die Frage doch.

Es war meine Mutter, die es nicht mehr aushielt. Sie schien etwas aufgeschnappt zu haben. Ich wurde sowieso nie den Verdacht los, dass sie in der Schule ihre Informanten hatte, auch wenn ich nie dahinterkam, wer das sein mochte.

Andererseits war es auch kein großes Geheimnis, Franz und ich gingen vor aller Augen miteinander, wenn das auch noch nicht mehr bedeutete, als die beim Einschlafen und beim Aufwachen ersehnten Spaziergänge über den Schulhof. Sie sah mich von der Seite an.

»Hast du einen Freund?«

Meinem Vater fiel das Messer aus der Hand. Vielleicht legte er es auch nur geräuschvoll hin, jedenfalls starrte er jetzt auf seine Hose, offenbar war da ein Fleck. Er befeuchtete seine Serviette und rieb wild drauflos. Die Situation war peinlich.

»Was?«

»Wie bitte«, korrigierte meine Mutter, während sich mein Vater lautstark räusperte.

»Otto, jetzt hör doch mal auf damit, das macht einen ja ganz verrückt, wie du da rumfuhrwerkst.«

Mein Vater sah überrascht auf.

»Außerdem machst du es so nur noch schlimmer.«

»Was?«

»Wie bitte«, korrigierte meine Mutter.

Mein Vater legte die Serviette schweigend neben seinen Teller.

»Also?«, fragte meine Mutter.

Ich sah sie schweigend an.

»Es geht mich ja nichts annnnn«, fuhr sie in gedehntem Ton fort, »aaaber …«

»Nein«, sagte ich.

»Nein?« Sie sah mich konsterniert an. »Was?«

»Wie bitte«, sagte ich.

Kurz schnappte sie nach Luft, fing sich aber wieder schnell. »Ich meine, wie, also … nein, was meine ich?«

Ich schwieg.

»Also hast du keinen Freund?«

»Nein.«

Ihre Körperhaltung blieb unverändert aufrecht, die Augen herausfordernd auf mich gerichtet. Die Aussicht, dieses Spielchen noch ein paar Runden weiter zu spielen, war durchaus verlockend, vor allem spürte ich, dass bei beiden die Nerven blank lagen, dass es eine wahre Chance für eine ordentliche Klimax gab, wie wir die stufenartige Steigerung im Deutschunterricht nannten.

»Es geht dich nichts an«, sagte ich.

Die Hand meines Vaters knallte auf den Tisch. Sicher wäre jetzt noch etwas wie »Nicht in dem Ton« oder »So nicht, Fräulein« gekommen, aber da war ich schon zur Tür hinaus und auf dem Weg zu Franz.

Ich weiß nicht, ob seine Eltern bei der Wahl des Vornamens an Kafka gedacht hatten, aber mir gefiel die Idee, dass es sich dabei nicht um einen Zufall handeln konnte, denn er ähnelte ihm nicht nur verblüffend, er konnte nicht nur seine Texte nahezu auswendig, er stand nicht nur ebenso weltfremd und zugleich klarsichtig im Raum, wie ich mir den Prager Dichter vorstellte – er war mir gegenüber leider auch so zurückhaltend, wie man es dem anderen Franz im Verkehr mit seiner Geliebten Felice Bauer nachsagte.

»Ich habe zum ersten Mal das Gefühl, eine Frau zu sein«, schrieb ich Uschka. »Weißt du, was ich meine? Dieses Gefühl, durch einen anderen Menschen erst wirklich komplett zu sein. Aber du darfst ihn dir nicht nur ernst vorstellen. Er spielt auch Volleyball in einer Mannschaft. Neulich habe ich bei einem Turnier zugeschaut, wie er mit seinen spitzen Fingern den Ball übers Netz oder zu seinen Mannschaftskollegen tippte. So leicht, so unabsichtlich und elegant. Da war ich ganz furchtbar verliebt. Er kann also nicht nur schön reden, und irgendwie bin ich stolz, dass er sich nicht an diesem stumpfen Getrete in der Pause oder auf dem Fußballplatz beteiligt. Dafür ist er viel zu fein. Dann wieder steht er gedankenverloren am Rand, als würde er nicht mehr mitspielen wollen, als gehörte er nicht recht dazu. Ist es ihm egal, ob seine Mannschaft gewinnt? Aber vielleicht ist es auch etwas ganz anderes. Ich wüsste so gerne, was in seinem Kopf vorgeht.«

Wieder antwortete sie mir wochenlang nicht. Lag es an unserem Altersunterschied, wie meine Mutter glaubte? Der hatte uns doch nie gestört. Uschka war achtzehn, und mein sechzehnter Geburtstag stand vor der Tür.

»Bist du böse auf mich?«, schrieb ich.

Warum konnte sie sich nicht mit mir freuen? Wir waren doch Freundinnen. Wir hatten uns doch geschworen, alles miteinander zu teilen.

Irgendwann antwortete sie dann doch. Dieses ganze Gerede über Jungs würde ihr auf die Nerven gehen, ob ich nichts Besseres mit mir anzufangen wisse. Die Heftigkeit ihrer Reaktion machte mich ratlos. War sie eifersüchtig? Warum? Heute kann ich über meine damalige Blindheit nur den Kopf schütteln. Ich war so gefangen in meiner Verliebtheit, in diesem alles umwälzenden Gefühl, dass ich nicht bemerkte, wie sehr ich sie damit verletzte. War Uschka damals in mich verliebt? Vielleicht. Ich habe es nie erfahren. Wir schrieben uns immer seltener, die Briefe wurden belanglos. Eines Tages kam ein kurzer Brief aus London. Ein einziger Satz. »Ich glaube, wir haben uns nichts mehr zu sagen.« Mehr nicht. Das war's, dachte ich.

Ich sah Franz jetzt täglich. Erst heute wird mir bewusst, dass ich ihm nie von Uschka erzählt habe. Hatte sie das gespürt? Hatte ich sie verraten? Franz verkörperte einen so wunderbaren Gegensatz zu allem, was ich zu Hause erlebte. Dort verwirrten mich besonders die Erzählungen meiner Mutter zunehmend. Einerseits sprach sie von der großen, von der epochalen Liebe zu meinem Vater, die, sie betonte und dehnte das Wort in alle Himmelsrichtungen, nicht anders als »schicksaaaaalhaft« zu nennen war. Andererseits stopfte sie alles Mögliche in sich hinein, stülpte sich billige Perücken über ihr dünner werdendes Haar, fischte nahezu täglich und recht wahllos nach hässlichen Textilien bei Woolworth auf dem Grabbeltisch, Spontankäufe, die sich als klägliche Ladenhüter erwiesen und nicht selten in der Mülltonne landeten, bevor sie, wie es hin und wieder auch geschah, nicht minder fragwürdige Exemplare im Kleiderschrank verdrängten.

Mein Vater schwieg so großzügig zu alledem, wie es sich für eine große Liebe gehörte, was mich auf eine Weise rasend machte, wie es mich zugleich nichts anging. Da halfen auch Franzens eingehende Erläuterungen nicht. In solchen Zusammenhängen erschreckte mich seine Bildung eher, stieß mich manchmal sogar ab, was ich mir natürlich nicht anmerken ließ. Im Gegenteil, je weniger ich verstand, wovon er sprach, umso eindringlicher hing ich an seinen Lippen. Er sollte es nicht merken. Ich durfte mich nicht als Dummchen entpuppen.

»Ich glaube, das ist alles neurotisch. Deine Mutter hat einen totalen Vaterkomplex.«

Wir saßen am Seeufer in Tegelort, nicht weit vom Fähranleger. Ich wollte ihm Scharfenberg wenigstens von Weitem zeigen.

»Was willst du denn damit sagen?«

»Und den hat sie an dich weitergereicht.«

»Was?«

»Na, den Vaterkomplex.«

»Das ist ja eine Frechheit.«

»Ja … oder noch schlimmer.«

»Nein, ich meine, was du sagst.«

»Wieso?«

»Ich habe keinen Vaterkomplex, und wenn, woher willst du das wissen, außerdem ist das meine Sache und geht dich gar nichts an.«

»Es ist ein Interpretations…«

»Ach ja? Interessiert mich aber nicht, egal was für ein Dings das ist.«

»Aber du hast doch selber gesagt, dein Großvater …«

»Lass meinen Großvater aus dem Spiel, das sind alles nur Ausreden.«

»Ausreden? Wofür?«

Es war unser erster Streit. Danach war ich so wütend auf ihn, dass ich ihn ein paar Tage nicht mehr sehen wollte. Genauso wütend wie auf Uschka, als wäre sie an allem schuld. Ich glaube, ich begann ihn auf eine merkwürdige Weise mit ihren Augen zu sehen und verfluchte uns beide zugleich dafür. Ich wusste nicht mehr, was mit mir los war. Wie bei meiner Mutter wechselten nun von einem Moment auf den anderen meine Gefühle und die damit verbundenen Stimmungen. Ihre Frage ging mir nicht aus dem Sinn. Hatte ich einen Freund? Und wenn ja, warum hatte er mich immer noch nicht geküsst?

Gefiel ich ihm nicht?

War ich nicht begehrenswert?

Was mich anfangs fasziniert hatte, sein alles durchdringendes und zugleich so unabsichtlich forschendes Wesen, wurde in meiner Fantasie zu einer unsichtbaren Wand, einer Mauer, die er Buch für Buch, Gedanke für Gedanke, um sich herum hochzog und die zu durchbrechen ich mich immer deutlicher aufgerufen fühlte.

Eines Tages schenkte er mir ein Buch. Er überreichte es mir, als würde zwischen diesen Buchdeckeln seine Seele liegen. *Der Fremde*, von einem gewissen Albert Camus. Da läuft am Anfang ein junger Mann dem Sarg seiner Mutter hinterher und langweilt sich unentwegt, bis er schließlich, wahrscheinlich auch aus Langeweile, jemanden umbringt, also mit einem Messer ersticht, einfach so, weil ihn die Sonne blendet. Also wirklich. Dazu spielte er mir in jener Zeit immer die *Winterreise* von einem weiteren Franz vor. Immer wieder lauschte er ergriffen den ersten Zeilen. *Fremd bin ich eingezogen, fremd zieh ich wieder aus.*

»Ich glaube, du hast einen Mutterkomplex«, sagte ich.

Wir saßen wieder vor der Eisdiele im Freibad Lübars. Wieder quoll das Softeis weiß und cremig aus der silbern leuchtenden Maschine.

»Das kann schon sein«, antwortete er zu meiner Überraschung. »Aber gleichzeitig ist es auch komplizierter.«

Dabei zitterte er so, dass sein Eis auf den Boden klatschte.

»Oh, tut mir leid«, sagte ich.

Es war eine meiner unangenehmsten Eigenschaften, dass ich mich ständig für alles Mögliche entschuldigen musste, unangenehm für mich, denn ich wusste, dass es meistens gar nicht meine Schuld war. Besonders absurd, wenn es sich dabei, wie in diesem Fall, um die Verfehlungen anderer handelte. Ich musste Franz recht geben, es war kompliziert, alles war kompliziert. Ich fühlte mich auch fremd, aber schon lange genug, außerdem wollte ich nicht ständig darüber reden, ich war froh, nicht mehr allein zu sein. Ein andermal sprach er wieder von Kafka, weil Camus etwas »Bahnbrechendes, wirklich ganz und gar Bahnbrechendes« über ihn geschrieben habe. Franz wiederholte alles immer lauter, je mehr ich mich beim Zuhören langweilte. Leider begriff ich damals nicht, warum.

Camus hatte auch eine philosophische Geschichte über einen gewissen Sisyphos geschrieben, ich sollte das lesen, Franz wollte es unbedingt, es ginge darin um die Frage, ob das Leben sich lohne oder nicht und wenn ja, warum, das sei für Camus und auch für ihn die einzig wichtige philosophische Frage. Ich glaubte diese Frage für mich längst beantwortet zu haben, zumindest seit ich Franz kannte. Deswegen richtete ich mich jetzt auf, mein ganzer Körper straffte sich, ich legte den Kopf leicht in den Nacken, die Augenlider halb geschlossen, und versuchte ein unschuldiges und zugleich sagenhaft verführerisches Lächeln.

»Nein, die einzig wichtige Frage ist, wann du mich endlich küsst.«

Franz starrte mich an. Sein Gesicht wurde bleich, so bleich, als müsste er auf der Stelle tot sein und doch ein winziges bisschen glücklich auch, zumindest bildete ich mir das in diesem Moment ein.

Ich begann ihn mit anderen Augen zu sehen. Sicherlich wäre das Leben an seiner Seite ganz anders als alles, was ich bisher kannte, aber wie sollte es überhaupt ein Leben werden, wenn er sich immer tiefer in seine Bücher vergrub? Ich zermarterte mir den Kopf, fragte mich vom Aufwachen bis zum Einschlafen, wie ich ihn aus diesem dunklen Tal herauslocken könnte. Er las immer nur über die Liebe, er konnte auch wunderschön darüber reden, aber darüber hinaus schien sie ihn nicht weiter zu interessieren, was mich unweigerlich zu der Frage trieb, ob er sich für mich hinreichend interessierte.

Eines Nachmittags lag ein Briefumschlag auf meinem Bett. Aus Frankreich. Ich erkannte sofort die Handschrift. Er kam von Uschka. Sie lebte also nicht mehr in London, befand sich bereits auf der zweiten Etappe unserer früheren Träume, während ich immer noch in Berlin hockte und versuchte, aus Franz schlau zu werden. Vorsichtig drehte ich ihn, um die Rückseite zu betrachten. Der Absender bestand aus einem einzigen Wort. Sie hatte ihren Namen geändert. Der Adelstitel war verschwunden, der Nachname gestrichen. Das klang interessant. Durch einen einfachen Strich war es ihr gelungen, sich neu zu erfinden. Vorsichtig öffnete ich den Umschlag, als gelte es, ihn nicht zu verletzen, so wie wir es aus alten Filmen kannten, wenn man geheime Briefe, die nicht für einen bestimmt waren, unter heißem Wasserdampf öffnete. Bunt leuchtende Magazinseiten fielen mir entgegen. Ich legte sie zur Seite und fasste nach einem Brief. Der Umschlag war leer. Ungläubig schüttelte ich ihn, sah hinein, um mich zu vergewissern, dass es sich nicht um einen Irrtum handelte. Nein. Es lag kein Brief dabei. Nur die sorgsam gefalteten Seiten eines Magazins. Mit spitzen Fingern verteilte ich die Seiten auf meiner Bettdecke. Es waren Fotos. Von ihr. Sie hatte abgenommen. Ihre Haare fielen hell und glatt auf ihre Schultern. Sie posierte vor Seidentüchern. Alles wirkte sehr entspannt, nahezu heiter. Wieder drehte und wendete ich den leeren Briefumschlag, las meinen Namen in ihrer fein geschwungenen Handschrift, als könnte ich zwischen den Buchstaben eine Nachricht finden. Auf der Rückseite stand nur ihr neuer, abgewandelter Vorname, darunter in wohlbedachtem Abstand und etwas ausladender, in großen Lettern, *PARIS*.

Früher, als meine Mutter uns les inséparables, die Unzertrennlichen, genannt hatte, sagte Uschka mir einmal, die Franzosen würden besser küssen. Ich biss mir auf die Lippen. Ihr Leben war elegant. Sie wurde bestimmt schon hundertfach geküsst. Ich war im Vergleich zu ihr eine Landpomeranze aus dem spießigen Berliner Vorort Frohnau. Aber hatte sie sich nicht neu erfunden? Konnte ich das nicht auch? Vielleicht musste ich mich etwas anders kleiden, mich in andere Gesellschaft begeben, mehr Magazine lesen und mir nicht die deprimierenden Erkenntnisse anhören, die

Franz aus seiner Lektüre von Nietzsche und Schopenhauer zog, die er seit ein paar Monaten zu seinen neuen Leitsternen erkoren hatte. Vielleicht hatte ich mich mit Franz verrannt. An manchen Tagen wurde ich ohne jeden konkreten Anlass ganz fürchterlich wütend auf ihn. Er war auf seine Art das Gegenteil meines Vaters und erinnerte mich doch an ihn. Jedenfalls kam es mir auf einmal so vor. Bestimmte Gesten ließen mich an meinen Vater denken, obwohl seine Hände ganz anders waren, so verletzlich, aber gerade das störte mich jetzt, schlimmer noch, es ging mir nun regelrecht auf die Nerven. Alles war immer so fein, so genau und abgewogen, vor allem aber verwandelte sich die heiterste Situation an einem vor Erwartung strahlenden Tag in ein düsteres Schauergemälde, zu offen gezeigte Freude war ihm nur eine polierte Oberfläche, an der er bald kratzte. Er wurde immer fordernder, wollte niemanden außer mir sehen, kritisierte mich bei jeder Gelegenheit, warf mir Oberflächlichkeit und Gedankenlosigkeit vor, wenn ich mich auch mal mit anderen treffen oder auf eine Party gehen wollte. Nicht einmal die Natur interessierte ihn noch.

Am 29. Juli sollte das erste Deutsch-Amerikanische Volksfest eröffnet werden, ein Rummel mit Country-Musik, Wildwestshow, Autoscooter, Geisterbahn und anderen Attraktionen. Immer wieder versuchte ich Franz zu überreden, wenigstens auf ein Stündchen dort vorbeizuschauen. Er weigerte sich standhaft, an einer so dämlichen Kommerzveranstaltung teilzunehmen. Inzwischen trug er nicht nur schwarze Badehosen, er erschien nun überall von Kopf bis Fuß in Schwarz gekleidet, was seine Haut noch blasser wirken ließ, als sie ohnehin schon war. Meine Eltern wussten seit einiger Zeit von unserer »Verbindung«, wie meine Mutter es nannte. Am 13. August endete das Deutsch-Amerikanische-Volksfest. Am

Vorabend hatte ich einen Brief von Franz bekommen. Er verabschiedete sich darin von mir »auf unbestimmte Zeit«. Was sollte das heißen? War das das Ende? Hatte er Schluss gemacht? Ich las die wenigen Zeilen wieder und wieder. Ich verstand ihn nicht. Je öfter ich den Brief in die Hand nahm, desto mehr verschwammen die Buchstaben zu einem bedeutungslosen Brei. Was er schrieb, wirkte vage und doppeldeutig, gerade als würde er jeden Satz in der nächsten Zeile wieder zurücknehmen oder das Gegenteil behaupten, ein wirres Gekrakel, Buchstaben, die ineinander fielen, eine Schrift, die mal nach links, mal nach rechts taumelte. Dass er auf mich warten würde, schrieb er, dass er nun Zeit habe. Ich überlegte, ob das alles etwas mit Camus zu tun haben könnte, ob es vielleicht eine Art merkwürdiger Liebesbrief war. Aber sosehr ich mir den Kopf zermarterte, ich verstand es nicht. Etwas in diesen Zeilen wollte zu mir sprechen und entfernte sich zugleich, ein stiller, eindringlicher Vorwurf, ohne dass ich wusste, was ich getan hatte. Aber es musste etwas sein. Etwas hatte ihn verstört oder verletzt. Wahrscheinlich war er zu seiner Großmutter gefahren. Er liebte den Rhein. Ich war wütend. Er war einfach abgehauen, ohne ein Wort, einfach weg. So wie meine Mutter von einem Tag auf den anderen nach Argentinien verschwunden war. Auch wenn er es nicht sagte, es gab nur eine Erklärung, er hatte Schluss gemacht. Eine andere Erklärung gab es nicht.

Lots Tochter

In der Bibel beschwert sich Gott, schlimme Sachen seien ihm über Sodom und Gomorra zu Ohren gekommen. Er droht, beide Orte zu zerstören. Abraham handelt aus, dass die Städte verschont werden, wenn es gelänge, zehn Gerechte unter den Gottlosen zu finden. Er erzählt Gott von seinem Neffen Lot, in den er seine ganze Hoffnung setzt. Zwei hübsche männliche Engel werden zu Lot entsendet, der sie gastfreundlich empfängt. Da die Männer in Sodom inzwischen nur noch auf Männer stehen, verlangen sie von Lot die beiden Engel. Lot will keinen Ärger, vor allem will er nicht gegen das Gastrecht verstoßen, das den Engeln Schutz unter seinem Dach gewährt. Also geht er vor die Tür und bietet den Störenfrieden seine beiden Töchter an. Wirklich nobel, muss ich sagen. Aber die Männer wollen auf den Kuhhandel nicht eingehen und, na ja, bekanntlich geht die Geschichte schlecht aus: Der biblische Rummelplatz der Sünde wird in Schutt und Asche gelegt.

Der Rummelplatz, auf dem ich mich am 13. August 1961 befand, wurde nicht in Schutt und Asche gelegt. Stattdessen erhielt die Stadt, in der er stand, ein weiteres Bauwerk, aber davon wusste ich noch nichts.

»Huiiiiiiiiiiii …«

Ich sauste schreiend neben Hajo in einem Viererwagen die Stahlschienen der Achterbahn hinunter, endlich konnte ich dem ganzen Ärger, der Enttäuschung der letzten Tage und Wochen entfliehen, endlich wieder frei atmen. Die Lust sauste irgendwo aus meiner Magengrube hoch in meinen Kopf und wieder zurück, während wir uns mit dem Wagen ins Bodenlose stürzten, wieder hinaufschossen, rein in die nächste Kurve flogen, gemeinsam gegen die Angst anschrien in dem wohligen Gefühl, dass mir nichts, aber auch gar nichts geschehen konnte, da ich mich inmitten der Gefahr so sicher wie noch nie in meinem Leben fühlte.

Anders als im Theater oder im Zirkus waren wir hier nicht einfache Zuschauer, wir waren die Akteure, wir bestimmten den Lauf des Geschehens, denn je nachdem, wohin wir unsere Schritte lenkten, ob wir aufs Karussell oder Riesenrad sprangen, ob wir lachend und tanzend die amerikanische Mainstreet unsicher machten, wurde es eine andere Geschichte, aber es blieb immer unsere Geschichte. Hot Dogs, Cheeseburger oder Zuckerwatte verklebten unsere Mägen, köstlicher als alles, was wir je zuvor gegessen hatten.

In der Schlange vor dem Softeisautomaten dachte ich kurz an Franz, dann rannten wir weiter. Hajo wich jetzt nicht mehr von meiner Seite. Warum hatte ich mich nie für ihn interessiert? Er war nicht nur der beste Sportler der ganzen Schule, schneller als die besten Läufer zwei Klassen über uns, er sah auch noch richtig gut aus. Breite Schultern, groß, braune Locken, kräftige Hände. In seinen engen Blue Jeans schlenderte er locker neben mir her, lud mich überall ein, half mir galant in die verschiedenen Fahrzeuge, spendierte mir Sekt aus einer kleinen Flasche, die er unter seiner Jacke versteckt mit sich führte und die wir hinter einem Wohnwagen schnell und gierig hinunterstürzten. Es war der erste Alkohol in meinem Leben. Danach fühlte sich alles noch freier, noch leichter an. Ich war nicht betrunken, ich wusste jetzt, was ich wollte, ich wollte Spaß, nichts und niemand konnten mich jetzt davon abhalten. Bereits am frühen

Nachmittag waren die Hälfte aller Jugendlichen und mehr als die Hälfte der Erwachsenen betrunken. Wenn von der anderen Seite Leute johlend auf uns zutorkelten, legte Hajo schützend seinen Arm um mich. Es war ein berauschendes Gefühl. Ich, Ada, lief an der Seite des bestaussehenden Jungen der ganzen Schule, ach was, des ganzen Rummels, nein, der ganzen Stadt, durch eine Mainstreet aus dem Wilden Westen, von allen Seiten dröhnte Musik, Indianergeheul, näselnde Stimmen schepperten uns aus billigen Lautsprechern entgegen, luden uns zu Gratisfahrten ein, weil wir so ein »schickes Paar« waren, wie uns ein Dicker vor der Geisterbahn zurief, bevor sie uns verschluckte.

»Der Wagen sitzt auf einer Mittelschiene«, flüsterte mir Hajo zu, als ich mich wunderte, woher wir denn so magisch durch die Dunkelheit gezogen wurden, aus der uns kreischend, heulend oder donnernd immer abstrusere Gestalten entgegenschossen, in einem meist nur kurz aufblitzenden Licht. Mittelschiene. Das war mal eine Information, einfach und klar und nicht so verstiegen wie Kafka oder Camus. Geblendet erkannte ich gerade genug, um zu erschrecken, während Hajo jedes Mal über den faulen Zauber laut auflachte, oder vielleicht auch über mich, was mich nicht im Geringsten störte, weil in seinem Lachen auch etwas Beschützendes lag. Es störte mich auch nicht, dass er bereits nach den ersten Metern seinen Arm um meine Schultern legte. In jeder Kurve rutschten wir unweigerlich näher zusammen, in der Gewissheit, nichts Unrechtes zu tun, folgten wir doch nur den Gesetzen der Fliehkraft, denen entgegenzuwirken albern, vor allem aber zwecklos gewesen wäre, außerdem wollte ich auch nicht wie ein prüder Backfisch neben Hajo sitzen. Was für eine wunderbare Einrichtung, dachte ich, die es einem ermöglicht, sich auf ganz selbstverständliche Weise näher zu kommen. Jetzt dachte ich nicht mehr an Franz.

Auch nicht in dem Moment, nach dem ich mich in seiner Gegenwart vom ersten Augenblick an gesehnt hatte, dem ersten Kuss, der sich nun im Dunkeln, zwischen zwei aufschreienden Skeletten ereignete, in Form einer unangenehm feuchten, weichen Masse, die sich in meinen Mund schob und gierig darin wühlte. Nein, ich dachte nicht an Franz, ich überlegte nur verzweifelt, was ich gerade wohl alles falsch machte, weil Hajo sich immer ungestümer an mir rieb. Alle Eleganz wich einem wilden Gezerre, das sich mit Händen über meinen Oberkörper verteilte, Hände über Hände, von denen manche tiefer rutschten, bis wir zu meiner großen Erleichterung wieder ins grelle Sonnenlicht schossen.

Verschwitzt, klebrig und mit zitternden Knien stieg ich aus dem Wagen, gerade noch der ausgestreckten Hand eines Helfers ausweichend, eine weitere Berührung konnte ich jetzt nicht mehr ertragen. Später fragte ich mich jedes Mal, warum die Männer nach dem Kuss so störrisch vor sich hinstarrten? Hajo packte mich, als müsste er sich mit mir in die nächste Schlacht stürzen, das heißt, eigentlich legte er wieder nur seinen Arm um meine Schultern, aber in dieser Bewegung lag nun etwas anderes, als würde er etwas an sich reißen, was von jetzt an ihm gehörte, über das er verfügen konnte wie über seine Sporttasche oder eine Trophäe, die ihm zustand. Ich dachte immer noch nicht an Franz. Ich war damit beschäftigt, Schritt zu halten, eine Übung, die ich in den folgenden Jahren mit wachsendem Erfolg von Mann zu Mann perfektionierte, bis ich es darin zu einer gewissen tänzerischen Gelassenheit brachte, die sich im besten Falle langsam auf meine selbst ernannten Beschützer übertrug. Meistens lächelten sie dann stolz oder wohlwollend, als wären sie froh, dass ich nun endlich unter ihrer sachkundigen Führung den Gleichschritt lernte. Überhaupt erkannte ich mit zunehmendem Alter, das sie über das Talent verfügten, fremde Lorbeeren flugs zu ihren eigenen zu erklären. Wie Napoleon dem Papst die Kaiserkrone rissen sie uns alles aus der Hand, um sich selbst zu schmücken. Sie waren der Anfang und das Ende.

Die untergehende Sonne tauchte den Rummelplatz in rotgelbes Licht, dann stand die Luft still.

»Komm«, flüsterte Hajo.

Er löste mich von der Gruppe und zog mich hinter einen Bauwagen, oder war es ein Wohnwagen? Schwarzblau fiel die Nacht über uns her. Ich wusste, jetzt würde es geschehen. Ich wusste nicht recht, was es war, aber ich war bereit. Die Luft war warm. Überall war es besser als zu Hause. Ich sah mich um. Wir waren allein. Als er sich an mich presste, glühten wir beide, aber etwas stimmte nicht. Ich wusste nicht, was es war. Ein Gefühl der Fremdheit vielleicht? Der Gefahr? Vielleicht stellte ich mich aber auch nur an. Hatte ich Angst? Warum denn? Wovor? Vielleicht musste ich etwas tun. Aber was? Ich fühlte mich nicht wohl bei all dieser Hitze.

»Ich weiß nicht …«, flüsterte ich so leise, dass nicht einmal ich es hören konnte.

»Komm«, zischte er zurück.

Ich wagte nicht, in sein Gesicht zu sehen. Keine Ahnung, warum. Ich vergrub meinen Kopf irgendwo zwischen schweißnasser Brust und Schulter. Er roch jetzt anders. Mit dem Wind schepperten Westernsongs herüber. Etwas bewegte sich auf mich zu, wie ein Pferd mit donnernden Hufen. Nichts erinnerte mehr an die vertraute Welt. Als seine Hand meinen Rücken rieb, überlegte ich, ob ich alles erledigt hatte, Einkäufe, Hausaufgaben, mein Zimmer aufräumen. Die Hand fuhr weiter über meinen Rücken in meine Hose, drängte sich erst über, dann unter meinen Schlüpfer. Jetzt bloß keinen Fehler machen. Was musste ich als Nächstes tun? Was erwartete er von mir? Mein Mund suchte nach seinen Lippen. Dann steckte ich ihm die Zunge hinein, so wie er es vorher bei mir getan hatte. Ich durfte mich einfach nicht so anstellen. Verdammt, ich hatte die Butter und das Salz vergessen, das würde später noch Ärger geben. Was presste sich da an mich? War es das? Ja, das war es. Jetzt nahm er meine Hand und führte sie da hin. Fehler. Das hätte ich wissen müssen. Eine Frau muss wissen, was zu tun ist, um dem Mann zu gefallen. Ich war noch keine Frau, aber ich würde es heute werden. Es war an der Zeit. Ich konnte nicht so weitermachen. Seine Hose stand offen. Ich wusste nicht, wie das geschehen war. In meiner Hand lag ein warmes, festes Etwas, ich zuckte zurück. Seine Hände legten sich auf meine Schultern. Dann drückte die Linke mich mit Kraft in die Knie, die Rechte legte sich um meinen Nacken. Ich steckte fest. Unerwartet schlug etwas in mein Gesicht. Voller Angst presste ich die Lippen zusammen. Eine Flüssigkeit benetzte Mund und Augen. Zitternd versuchte ich, alles wegzuwischen, aber es wurde immer mehr. Der Wohnwagen bewegte sich, von innen schien jemand gegen die Wand zu schlagen, nein, es war mein Oberkörper, den Hajo hochgerissen hatte, als er mich umdrehte und mich gegen die Seitenwand des Gefährts warf. Ich war jetzt unten herum nackt. Warum? Was hatte ich falsch gemacht? Als er von hinten mit Wucht in mich eindrang, stieg langsam etwas in mir auf. Nicht viel. Ich schrie nicht. Ich blieb still. Tränen. Vielleicht auch nur eine, die verloren über meine nach Abfall oder Reinigungsmittel stinkende Wange rollte, während ein Ekel mich packte und schüttelte. Hab dich nicht so. Reiß dich zusammen. Du bist jetzt eine Frau.

Als wir später mit den anderen wie an einer schweren Perlenkette in einer der Gondeln des Riesenrads hochschwebten, sah ich in ihren ahnungslosen Gesichtern, was für einen Schritt ich gerade gegangen war. Hajo schaute mich von der Seite an.

Das Riesenrad kam hoch über der Stadt zum Stehen. Unter uns wuselten kleine schwarze Pünktchen. In diesem Moment öffnete ich die Gondeltür. Ich war auch nur eines dieser Pünktchen, was spielte es für eine Rolle, ob ich hier oben saß oder dort unten lag?

»Ey, spinnst du?«, rief eine Mitschülerin. »Bist du lebensmüde? Mach sofort die Tür zu, oder willst du uns alle umbringen?«

Mir war speiübel. Ich beschloss, nach Hause zu gehen.

Schneewittchen

Die Tür wurde aufgerissen.

»Die bauen 'ne Mauer ... die ziehen 'ne Mauer durch unsere Stadt.«

Mein Vater winkte mich fuchtelnd herein. Stumm trat ich über die Schwelle. Im Hintergrund lief der Fernseher.

»Niemand hat die Absicht, eine Mauer zu errichten!«, tönte es sächsisch aus der Kiste.

»Da! Da! Hast du ihn gehört, den Verbrecher? Keiner will 'ne Mauer bauen? Das hat der noch vor ein paar Tagen gesagt. Ohne mit der Wimper zu zucken. Guckt ihn euch an! Maurervisage, Verbrecher!«, schrie mein Vater. »Und jetzt?«

»Jetzt haben wir den Salat.« Von hinten trat meine Mutter ruhig heran. »Wieso kommst du überhaupt erst jetzt? Man könnt' ja diiiirekt denken, du bist verschütt gegangen. Ist was passiert?«

»Passiert? Na, du bist gut, und ob was passiert ist ...«, schimpfte mein Vater.

Er war aus dem Häuschen. Fluchend und fuchtelnd sprang er auf und ab.

»Diese Pappkameraden durfte ich schon im Lager genießen, Antifaschisten haben die sich geschimpft, Arschgeigen, verlogene Mischpoke.«

»Na, Mischpoke wohl eher nicht.«

Meine Mutter lachte zu laut. Immer lachte sie zu laut. Aber heute konnte ich es einfach nicht ertragen. Ich versuchte, mich an ihr vorbeizuschieben.

»Ja, Kindchen, interessiert dich das denn gar nicht? Weißt du nicht, was das bedeutet? Ada!« Sie hielt mich fest. »Das heißt, wir können wieder unsere Koffer packen, verstehst du?«

»Was können wir?«

Mein Vater starrte sie perplex an.

»Das Haus verkaufen und nichts wie weg, oder willst du warten, bis der Russe uns hopps nimmt?«

Es war der erste wirklich laute Streit, den ich zwischen ihnen erlebte.

»Ich laufe nicht weg.«

Mein Vater fuchtelte wild herum, erst jetzt sah ich, dass er ein Küchenmesser in der Hand hielt.

»Ich nicht«, schrie er, »das ist meine Stadt, das wollen wir doch mal sehen.«

»Ja, das werden wir sehen. Und hör auf, wie ein HB-Männchen rumzuspringen, da wird man ja ganz meschugge.«

Die Stimmen verhallten im Hintergrund. Schweigend öffnete ich die Tür zum Kinderzimmer. Aufrecht im Bett saß mein kleiner Bruder, die Augen glasig, die Wangen rot.

»Na, Sputnik?« Ich ließ mich auf sein Bett fallen. »Alles paletti?«

»Nö.«

Er senkte die geröteten Augen.

»Wo drückt der Schuh?«

»Ich habe Fieber, hat Papa gesagt.«

»Sei doch froh, dann musst du nicht in den blöden Kindergarten.«

»Will ich aber.«

»Seit wann denn das?«

Sputniks Schultern begannen zu zucken.

»Jetzt heul doch nicht. Was ist denn los?«

»Jetzt kann ich nicht bei Schneewittchen mitspielen.«

Tränen spritzten aus seinen Augen. Völlig verblüfft sah ich, wie unfassbar weit sie flogen. Wir waren wirklich sehr verschieden.

»Meine Rolle spielt jetzt der Jörg, hat Frau Kape gesagt.«

»Und warum können die nicht auf dich warten?«

»Weil das morgen ist. Du hast wirklich gar keine Ahnung.« Wütend warf er sein Kissen zu Boden.

Nein, dachte ich, ich hatte keine Ahnung von gar nichts, ich war ein Idiot, ein Nichts, das nichts wusste und mit offenen Augen in die Scheiße rannte.

Müde ließ ich mich in die Kissen fallen. Aus dem Wohnzimmer drangen die streitenden Stimmen der Eltern zu uns.

»Ich bleib hier keinen Tag zu viel!«, schrie meine Mutter.

»Da kannst du dich auf den Kopf stellen, kannst du dich.« Ihre Stimme höckerte wie eine stotternde Trompete.

»Sala, jetzt mach mal keine Fisimatenten, wo willst du denn hin?«

»Was Besseres als den Tod werden wir schon finden …«

»Täusch dich mal nicht, täusch dich mal nicht, die Knaben kommen nicht von den Bremer Stadtmusikanten, glaub mir, das isn anderes Kaliber.«

»Wir gehen nach Buenos Aires.«

»Geht das schon wieder los, wie oft soll ich dir das noch sagen …, also das kann doch nicht dein Ernst sein, du weißt doch ganz genau, dass ich da nicht als Arzt arbeiten kann.«

»Darüber reden wir ein andermal. Für heute reicht's, ich geh ins Bett. Klappe zu, Affe tot.«

Eine Tür wurde knallend zugeschlagen. Im Wohnzimmer fiel ein Glas zu Boden.

Ich sah meinen kleinen Bruder an und musste lachen.

»Das is überhaupt nich komisch.«

»Doch, Sputnik, doch.« Ich schnappte nach Luft. »Das ist zum Brüllen komisch.« Mein ganzer Körper schüttelte sich.

»Wir leben in einem Irrenhaus, in einem Irrenland mit lauter Bekloppten, und jetzt werden wir auch noch eingemauert, das ist zum Schießen, und weg können wir auch nicht mehr. Wie in einem Käfig, zum Schiiießen ist das.«

Jetzt fing auch Sputnik an zu lachen.

»Zum Schiiießen«, wiederholte er. Dann brach er ab und starrte ins Leere.

»Was ist?«, fragte ich.

»Der Jörg, dieser Idiot, der kriegt jetzt meine Sichel.«

»Was für 'ne Sichel?«

»Die Sichel vom Zwerg, meine Rolle in Schneewittchen, Mann.«

Er vergrub sein Gesicht unter der Bettdecke.

»Wie sieht die denn aus?«, fragte ich.

»Silbern, mit einem grünen Stiel.«

»Ach, Sputnik. Bis du heiratest, ist alles vergessen.«

»Nein, nie.«

Ich starrte an die Decke. Tief einatmend hielt ich für ein paar Sekunden die Luft an.

»Ja«, sagte ich. »Du hast recht. Nie.«

In meinem Zimmer zog ich mich aus, Bluse, Hose, Strümpfe, warf alles ab bis auf die nackte Haut. Entblößt stand ich vor dem Spiegel und fühlte mich allein.

Noch im Schlaf arbeitete ich mich an den Geschehnissen ab. Sehnsüchtig baute ich das Erlebte immer wieder um, verschob oder ersetzte, verknüpfte meine Hoffnung mit der Wirklichkeit, versuchte, mich Hajos Allmacht zu entreißen, meine Schande ungeschehen zu machen. Mitten in der Nacht wachte ich auf. Ich rannte auf die Toilette, um mich zu übergeben. Im Spiegel sah ich mein Gesicht. Es war unverändert. Meine Mutter hatte immer behauptet, sie würde es sehen.

»Was?«, hatte ich gefragt.

»Naaa, du weiiiißt schon.«

»Nein.«

»Na, das erste Mal … danach sieht jede Frau anders aus.«

Gelogen. Ich sah nicht anders aus.

Ein Besuch in Weimar

Kaum gab es das erste Visum für eine Reise nach Ost-
deutschland, wie meine Eltern die DDR in sturer Verleug-
nung nannten, fuhren wir nach Weimar. Jeans achtzigster
Geburtstag wurde gefeiert. Ich durfte ihn so nennen. Nur
ich und mein Vater. Ich liebte diesen Namen, er klang nach
Paris, ein Duft, ein Hauch, der über allem lag, in jedem
Raum noch schwebte, auch wenn er ihn längst verlassen
hatte. Jean. Seine Erscheinung stand für alles, was ich nicht
kannte, wo ich noch nie gewesen war, wohin es mich aber
immer stärker zog.

So wenig meine Mutter über ihre Mutter Iza preisgab,
so sehr überhäufte sie mich damals regelmäßig mit den
Geschichten über ihren Vater Jean, der eigentlich Johannes
hieß. Bohemien, Anarchist, Kunsthistoriker, Journalist. 1907
zog er mit seinem damaligen Freund und Lebensgefährten,
dem Anarchisten und Dichter Erich Mühsam, an den Lago
Maggiore, wo er in einer Kommune am Monte Verità seine erste Frau kennenlernte, die aus dem polnischen Łódź
stammende Jüdin Iza Prussak, meine Großmutter. Wegen
homosexueller Handlungen von den Nazis zur Zwangsar-
beit in den Siemenswerken in Berlin-Spandau verurteilt, war
er nach dem Krieg aus Überzeugung in die DDR gezogen,
hatte kurze Zeit als Sekretär von dem ebenfalls anarchistisch
geprägten Schriftsteller Theodor Plivier im Kiepenheuer
Verlag gearbeitet und wurde dort Lektor, als Plivier enttäuscht in den Westen zurückzog. Er heiratete in zweiter

Ehe die Schriftstellerin Dora Wentscher. Gemeinsam machten sie sich um den kulturellen Aufbau der neuen Republik verdient. Zu seinem Ehrentag waren ein paar Honoratioren der SED erschienen, weißhaarige Männer, zwischen achtzig und scheintot. Er dagegen ein frecher Schuljunge. Seine Augen. Die schönsten Augen, die man sich vorstellen konnte, schöner als alles, was ich je gesehen hatte. Außer vielleicht der traurige Blick von Franz, aber der passte nicht ins Leben und Jeans Augen in keine Partei.

»Genosse.«

Man umarmte ihn.

»Genosse.«

Wieder eine lange Umarmung.

»Genosse, Genosse, Genosse.«

Körper schoben sich an ihm vorbei.

Meine Mutter in einer Ecke. Über allem ihr kritischer Blick.

Mein Vater mitten im Raum in ein Gespräch auf Russisch vertieft. Ich erkannte ihn kaum wieder. Ich verstand damals nicht, wie er so hemmungslos gegen die Sowjetunion wettern konnte, aber die Russen mehr zu lieben schien als sein eigenes Volk, dessen Vereinsmeierei ihn schon vor der Nazizeit abgestoßen hatte. Nie erzählte er von seiner fünfjährigen Gefangenschaft in einem russischen Lager, in der Nähe von Rostow, wie ich später erfuhr. Aber wenn er mir oder Sputnik russische Wiegenlieder zum Einschlafen sang, wurde seine Stimme so weich und zart, wie ich ihn mir in Argentinien erträumt hatte und nur selten erlebte. Als ich ihn einmal fragte, warum er so gut Russisch gelernt habe, antwortete er trocken: »Um fliehen zu können.« Mehr erzählte er nicht, nur, dass es ihm nie gelungen sei, mit der Selbstverständlichkeit eines russischen Arbeiters in jedem Satz drei deftige Flüche unterzubringen. Mein Professor sagte mir, dass ihm diese fremde Sprache vielleicht ermöglichte, seine melancholischen Anteile zu erleben, indem er sie gleichzeitig auslagerte, um sie im Alltag besser unterdrücken zu können. Über diesen komplizierten Gedanken musste ich tagelang nachdenken. Nie wäre ich auf so etwas Verdrehtes gekommen: Brauchte mein Vater tatsächlich eine andere Sprache, um traurig sein zu können? Vielleicht war es so. Als junges Mädchen sah ich jedenfalls, wie er sich vor meinen Augen in einen anderen Menschen verwandelte, während die russische Sprache Gefühle in ihm wachzurufen schien, die er sich sonst versagte oder über die er mit niemandem sprach, wahrscheinlich nicht einmal mit meiner Mutter. So war das damals, selbst Eheleute schwiegen über das, was sie im Krieg erlebt hatten.

Später saßen meine Eltern nebeneinander auf dem Directoiresofa. Geschwungene Rückenlehne, weiß gefasstes Holz, die Ränder mit Blattgold, die Polster mit hellblauem Samt bezogen. Sehr breit. Platz für vier, wenn man zusammenrückte. Rechts daneben, als Pendant, ein kleiner Zweisitzer, etwas strenger, das Verlobungssofa, auf dem früher der angehende Schwiegersohn brav und gesittet neben seiner Zukünftigen saß.

Jean zwischen meiner Mutter und meinem Vater, auf dem Verlobungssofa seine Frau Dora mit einer Freundin. Ihr Name war Pünktchen, zwanzig Jahre war sie Doras Lebensgefährtin gewesen, bis Jean kam und Pünktchen weichen musste. An Geburts- oder Festtagen tauchte sie manchmal wieder auf. Inzwischen lebte sie im Westen und schickte Päckchen. Eine kleine, pummelige Frau mit kurzen weißen Löckchen, dicken Händchen und Fußballerwaden, die in Schnürstiefelchen steckten. Sie musste die Frau in der Beziehung gewesen sein. So stellte ich es mir vor. Dora überragte sie um Kopfeslänge. Ihr strenges, lang gezogenes Gesicht, die riesigen männlichen Hände. Auch Jean schien sich ihr körperlich unterzuordnen. Ein eher männliches Paar, dachte ich, insofern war er im Alter zu seinen Anfängen zurückgekehrt, ein Bohemien, der zum Genießen eine starke Schulter brauchte. Ich hatte mich nie zu meinem Geschlecht hingezogen gefühlt. Außer vielleicht …, aber das war vorbei, sie war nun in Paris, wurde immer schöner, immer erfolgreicher, zierte die Titelseiten immer größerer Magazine.

Mein Vater diskutierte inzwischen mit Jean über die UdSSR, also Jean nannte sie so, mein Vater sprach immer nur von Russland. Jean zuckte jedes Mal zusammen, dann sah er sich um, offenbar war es ihm peinlich, dass sich sein Schwiegersohn vor den Parteibonzen einer falschen Sprache bediente. Auch Dora und Pünktchen schauten indigniert. Nur meine Mutter amüsierte sich königlich.

In einer Ecke unterhielten sich zwei wohlbeleibte Herren mit dunklen Brillen bei einem Glas Wein.

»Die bürgerliche Generation, die nach Marx' Tod aufwuchs, wusste rein gar nichts von ihm«, sagte der eine.

Der andere nickte schweigend.

»Da lernte man, wer Otto der Faule war und Ludwig der Fromme«, fuhr der Erste fort.

Wieder nickte der Schweigende.

»Für uns war Marx ein Ökonom, Pseudowissenschaftler, maßlos überschätzt von den Universitären, so eine Art Heiland«, mischte sich Dora ein.

Die beiden Herren sahen sie erschrocken an. Mein Vater reckte sich, Jean lehnte sich schmunzelnd zurück.

»Das ging Künstler oder Menschen, die mit Kunst zu tun hatten, nichts an. Bücher über Ökonomie zu lesen wäre uns wirklich nicht eingefallen, auch Erich Mühsam nicht«, sagte er.

»Mühsam, war das nicht dieser Anarchist?«, fragte der Schweigende empört.

»Ach, na ja …«, sagte Jean und strich sich eine Haarsträhne aus der Stirn. »Damals, in unserer Zeit auf dem Monte Verità, dachten wir nur darüber nach, jung zu sterben, das hielten wir für das Beste.«

»Besonders, falls man genial war«, lachte Dora. Sie beugte sich zu ihm vor und fasste seine Hand. Pünktchen schaute weg.

»Der Anarchismus ist staatszersetzend«, sagte der nun endgültig nicht mehr Schweigende. Seine Stimme klang, als sei ihm etwas im Hals stecken geblieben. Sein Nachbar nickte ihm beifällig zu.

»In manchen Fällen ein durchaus sinnvoller Ansatz«, mischte sich mein Vater nun ein.

Die beiden Herren starrten ihn an. Sie schienen zu überlegen, wie bedenklich dieser Satz des bürgerlichen Schwiegersohns war, bedenklich oder …

»Höchst bedenklich, was Sie das von sich geben.« Er wandte sich an Jean, ohne meinen Vater im weiteren Verlauf des Abends eines weiteren Blickes zu würdigen. »Genosse, wir danken dir, dass du deine jugendlichen Verirrungen überwunden hast.«

»Er hat noch ganz andere Verirrungen überwunden«, meldete sich meine Mutter nun zu Wort.

Jean sah sie überrascht an. Pünktchen blickte auf. Für einen kurzen Augenblick war mir, als ob sie von innen heraus strahlte. Ich hatte keine Ahnung, wer diese Männer waren, aber sie schienen wichtig zu sein, und die Wichtigen, oder jene, die sich dafür hielten, sahen im Osten ebenso unangenehm und schmierig aus wie im Westen.

»Wir waren … wir dachten, Persönlichkeiten aus uns zu machen«, sagte Jean und klang dabei ganz melancholisch. »Fern aller bürgerlichen Norm.«

»Fern aller Bürgerlichkeit ist lobenswert, Genosse, aber

die Norm braucht ein junger Geist genauso wie ein junger Staat und alle, die ihm dienen wollen.«

»Kommt mir bekannt vor, diese Reeeeede«, lachte meine Mutter etwas zu laut.

Jean sah irritiert zu ihr hinüber. Er tat mir regelrecht leid. Dieses Gespräch, dachte ich, konnte nicht gut ausgehen. Meine Mutter war fest entschlossen, die freche Tochter zu spielen, so frech, wie ich sie noch nie gesehen hatte, und mein Vater starrte die beiden Genossen voller Verachtung an, aus dieser Ecke würde auch gleich etwas kommen, wenn nicht bald ein Wunder geschah. Ein paar andere Herren in grauen Anzügen waren schweigend hinzugetreten. In strenger Neugier reckten sie ihre blassen Gesichter, bereit, jede Verfehlung zu registrieren. Mein Vater war aufgesprungen.

»Wovor haben Sie eigentlich mehr Angst?«

Der Mann sah ihn perplex an.

»Genosse«, fuhr mein Vater fort, »wovor fürchten Sie sich mehr, vor der Freiheit oder vor Ihren eigenen Gedanken?«

Der Mann wechselte dreimal hintereinander die Gesichtsfarbe.

»Ich verbitte mir diesen Ton«, antwortete er in einem breiten sächsischen Tonfall, der mir bis dahin gar nicht aufgefallen war. »Und ich wüsste nicht, inwiefern wir Genossen sind.«

»Da haben Sie recht«, erwiderte mein Vater. »Und wenn der Genosse für Sie eine Beleidigung ist, nehme ich den selbstverständlich zurück.«

Ein älterer Herr klopfte rettend mit einem Löffel an sein Glas.

»Ich bitte nun alle, sich und ihr Glas auf das Wohl unseres Genossen Nohl und auf die Zukunft unserer Deutschen Demokratischen Republik zu erheben.«

Alle standen auf. Nur meine Mutter nicht. Sie reckte ihr Glas.

»Sie verzeihen, dass ich sitzen bleibe, das Aufstehen und Hinsetzen habe ich inzwischen verlernt.«

Steif prostete man einander zu. Jean stand schwankend zwischen den Gratulanten. Ich bewunderte seinen Gleichmut. Lächelnd entfloh er dem immer enger werdenden Kreis, egal was geschah, niemand konnte ihn einschließen.

»Na?«

Er tauchte neben mir auf, nahm mich bei der Schulter, um mich ins Nebenzimmer zu führen. Vor einer großen Bücherwand blieben wir stehen, im Rücken die Festgesellschaft. Inmitten einer kleinen Gruppe redete mein Vater fuchtelnd auf seine Gegner ein, meine Mutter saß immer noch schweigend auf dem Verlobungssofa. Mein Blick wanderte zwischen ihnen und uns. So wie ich jetzt hinter meinem Großvater stand, hatte meine Mutter damals hinter meinem Vater gestanden. Die erste Begegnung, wie bei einem Unfall.

»Ist es wahr?«, fragte ich.

Mein Großvater sah mich fragend an.

»Ist Papa damals bei euch eingebrochen?«

Jean lächelte.

»Wer sagt das?«

»Ich weiß es nicht mehr. Ich glaube, deine Tochter.«

Jean musterte mich amüsiert.

»Meine Tochter?«

Ich nickte und suchte wieder nach meinen Eltern im Nebenzimmer.

»Mein Vater hat mir nur von eurer ersten Begegnung im Tiergarten erzählt, und dass er damals ein Buch in der Hand hielt, Mommsens *Römische Geschichte*, hast du ihn wirklich gefragt, ob er versteht, was er da liest?«

Mein Großvater nickte amüsiert.

»Mama sagt, er hat das Buch bei dem Einbruch mitgehen lassen. Warum hast du ihn nicht angezeigt?«

»Das wäre mir bei deinem Vater nie in den Sinn gekommen.« Er zuckte grinsend mit den Schultern, dann fuhr er mit einem spitzen Lachen leise fort: »Ich fand ihn äußerst attraktiv.«

Ich starrte ihn verblüfft an.

»Keine Angst, als ich sah, dass es deiner Mutter auch so ging, habe ich mich zurückgezogen.«

»Hättest du sonst …?«

»Mhmmmmm …«

Er wiegte lachend den Kopf.

»Von deiner Mutter hätte ich mich jedenfalls nicht erwischen lassen mögen.«

»Das hat sie mir nie erzählt.«

»Seit mein Vater mich mit ein paar Jungen in seinem Ehebett erwischt hat, wurde ich von meiner Familie als peinliche Angelegenheit betrachtet. Daran hat sich bis heute nicht viel geändert.«

»Erzähl.«

»Kinder von Bettlern und Lumpensammlern. Kleine Ganoven, Verbrecher aus verlorener Ehre. Ich hätte diese jugendliche Verirrung noch tolerieren mögen, schrieb mir mein Vater in seinem Abschiedsbrief, aber du hast dich mit der Hefe des Volkes eingelassen, und das in meinem Ehebett, und dann hat er mich rausgeworfen. Raus in die Welt. Man muss hinzufügen, dass meine Spielgefährten ein paar Tierchen mitgebracht hatten, ein pikantes Gastgeschenk, Bettwanzen, am nächsten Morgen wachten mein Vater und meine Stiefmutter am ganzen Leib zerbissen auf.«

Er lachte wie ein Rotzlöffel aus irgendeinem Bahnhofsviertel.

»Und als deine Großmutter Iza mich heiratete, einen Goj, da zündete ihr Vater in Łódź die Totenkerzen an. Ich war verbannt und sie für tot erklärt. So fing alles an.«

Seine Augen flogen suchend ins Wohnzimmer zurück.

Da saß meine Mutter mit gesenktem Kopf. Einsam und verloren, dachte ich. Ich hatte ihr immer nur Kummer bereitet. Was gäbe ich jetzt, um in ihrem Kopf zu sein. Mein Vater gestikulierte immer noch vor sich hin. Das Gespräch war ruhiger geworden, oder hatten die Zuhörer vor seinen Monologen kapituliert?

»Bist du wirklich Kommunist?«

Mein Großvater sah aus dem Fenster. Der Tag war ergraut.

»Ich glaube an das, was hier entsteht. Ich glaube an unsere DDR. Ich glaube, weil ich es will.«

»Aber du warst doch eigentlich Anarchist.«

»Das mögen sie hier nicht, und vielleicht haben sie recht. Ein wenig. Am Ende ist es nicht so wichtig. In meinem Alter ist vieles nicht mehr so wichtig. Manches verschiebt sich. Kommunist, Anarchist, das sind doch alles nur leere Worte, solange wir sie nicht mit Leben füllen.«

Seine Augen leuchteten so dunkel wie die Augen von Franz.

»Ihr müsst reden. Fragen und reden.« Er sah von meinen Eltern zu mir, dann neigte er zärtlich seinen Kopf. »In eurem Nacken sitzt ihr Schweigen ... Ihr dürft nicht in die Knie gehen.«

Das Ende vom Anfang

Wenige Wochen nach dem letzten Besuch in Weimar hatte sich meine Mutter durchgesetzt. Es war ihr gelungen, meinen Vater von den Gefahren einer feindlichen Übernahme durch die DDR mit Unterstützung der Russen zu überzeugen.

»Und dann«, hatte sie triumphierend hinzugesetzt, »ist nicht nur Berlin verloren. Mit so einem Häppchen geben die sich nicht zufrieden, das glaubst du ja wohl selber nicht. Nein, dann kassieren die das gesamte Land ein. Dann ist Feierabend. Dann regiert hier der Iwan.«

Diese Drohung war unüberhörbar, vor allem aber bestätigte sie die geheimen Sorgen meines Vaters. Wenn es etwas gab, was jederzeit alle seine Bedenken vor einem Wechsel über den Haufen zu werfen vermochte, dann war es die für ihn unerträgliche Vorstellung, unter kommunistischer Herrschaft leben zu müssen. Diese Sorge teilte er mit vielen Bürgern unserer Stadt, und als er sah, wie in der Nachbarschaft ein Haus nach dem anderen verkauft wurde, als die Preise schneller purzelten als die Kegel in Nachbars Keller, wurde in wenigen Wochen auch für unser schönes Haus ein glücklicher Käufer gefunden.

Meine Mutter schmiedete bereits Pläne für unseren Umzug nach Argentinien. Je näher der Notartermin rückte, desto euphorischer malte sie sich und mir unser neues Leben in Buenos Aires aus. Sputnik erzählte sie von großen Festen mit singenden Gauchos und ihren Lassos, sie versprach ihm ein eigenes Pferd, das er sich selbst aussuchen dürfe. Begeistert und im gestreckten Galopp jagte er nun durchs Wohnzimmer. Nur die Miene meines Vaters verfinsterte sich von Tag zu Tag, bis ich eines Abends, als ich hinaufschlich, um aus der Vorratskammer der Küche etwas Nussschokolade zu stibitzen, ihre gedämpft streitenden Stimmen im Wohnzimmer hörte.

»Du willst gar nicht nach Argentinien.«

Mein Vater schwieg.

»Bitte sag mir, dass das nicht wahr ist.«

Keine Antwort.

»Aber warum haben wir denn dann verkauft?«

»Ich wollte nie verkaufen.«

»Otto, das ist nicht wahr.«

»Das hat alles keinen Sinn.«

»Bitte sag, dass das nicht wahr ist.«

»Wir können nicht einfach weglaufen. Das ergibt überhaupt keinen Sinn. Wer einmal seine Koffer packt, stellt sie nie wieder hin. Willst du das? Willst du wieder fliehen?«

»Ich wollte nicht fliehen. Du wolltest das. Ich wollte ein anderes Leben. Das ist was ganz anderes, was ganz anderes. Wer hat denn Angst vor den Sowjets? Ich doch nicht. Schlimmer als die Nazis werden sie schon nicht sein, und die, die laufen hier noch fröhlich rum. Nur scheint das niemanden weiter zu stören.«

Es war das erste und einzige Mal, dass ich meine Eltern über diese Zeit reden hörte. Es wurde still. Mir wurde übel, ich musste dringend auf die Toilette, aber ich konnte nicht. Meine Mutter holte tief Luft.

»Dann können wir auch hierbleiben.«

Nach einem kurzen Schweigen hörte ich die Stimme meines Vaters.

»Ich habe dem Mann mein Wort gegeben.«

»Dann erklärst du ihm eben die Situation. Sag ihm, es tut dir leid, aber du hast es dir nach reiflicher Prüfung anders überlegt.«

»Nein.«

»Ich versteh dich nicht, Otto.«

»Rein in die Kartoffeln, raus aus den Kartoffeln gibt's bei mir nicht.«

Es wurde wieder still. Ich konnte ihren Atem hören. Etwas fiel um. Sie stöhnten. Ich wollte davonlaufen, aber es ging nicht. Sie wälzten sich auf dem Boden. Gelähmt lauschte ich ihren Küssen.

Mein Vater verkaufte das Haus mit Gewinn und mietete einen graugelben Kasten im Gralsritterweg, ein paar Hundert Schritte nur von Sputniks Kindergarten entfernt. Meiner Mutter war es gelungen, ihn wenigstens von einem weiteren Kauf abzubringen. Alles stand voller Kisten. Ich sah die gepackten Koffer, vor denen mein Vater gewarnt hatte. Koffer störten mich nicht. Ich liebte es zu verreisen. Leider taten wir das nie. Die Praxis war noch nicht abbezahlt. Allein in meinem neuen Zimmer träumte ich von Italien und dachte an Franz.

Zweiter Versuch

Ich versuchte, Franz zu erreichen. Er war immer noch verschwunden. Ich schrieb ihm einen langen Brief nach dem anderen. Da ich die Adresse seiner Großmutter nicht kannte, hoffte ich, dass sie weitergeleitet würden, von seinen Eltern oder von wem auch immer. Ich wusste ja nichts von ihm. Er antwortete nicht. Hatte er von meiner Geschichte mit Hajo erfahren? Drei Tage verkroch ich mich in meinem Bett, gab vor, unter unerträglichen Kopfschmerzen zu leiden. Die Zeit zog träge an mir vorüber. Morgens und abends kam meine Mutter mit einer Tasse Tee, Zwieback und einem Fieberthermometer in mein Zimmer. Kaum war sie verschwunden, rieb ich die Temperatur hoch auf 39,5 Grad, stellte das Tablett samt Thermometer vor die Tür und lauschte mittags, wenn mein Vater aus der Praxis zurückkam, ihren Stimmen.

»Immer noch über neununddreißig«, sagte meine Mutter.

»Ein heißes Bad und Wadenwickel«, sagte mein Vater.

Zu Hause wollte er nicht auch noch den Doktor spielen. Mir war es recht. Entweder durchschaute er mein Theater, oder er wollte einfach nur seine Ruhe haben, schnell etwas essen, Mittagsschlaf halten und wieder los. Abends kam er erschöpft zurück, vergrub sich in seinen Büchern oder bereitete sich auf sein nächstes Thema im Kreis vor. Die Stille vor dem gemeinsamen Abendbrot.

Danach studierte er diverse Artikel aus medizinischen

Fachzeitschriften, die meine Mutter regelmäßig für ihn ausschnitt und auf seinen Sekretär legte.

Nach der Lektüre gingen sie zu Bett. Das Licht wurde gelöscht, und es wurde geschlafen.

In den folgenden Wochen und Monaten schwoll meine Mutter an, und meine Regelblutung blieb aus. Auf sachdienliche Aufklärung war in diesem Medizinerhaushalt zwar verzichtet worden, aber ich ahnte, dass diese Kugel, die sie vor sich herschob, nicht auf ihren wachsenden Schokoladen- und Kuchenkonsum zurückzuführen war. Bald würzte sie ihre geliebten Süßspeisen mit Gurken und rannte immer beschwingteren Schrittes die Treppen rauf und runter. Warum ich meine eigene Veränderung verdrängte, ist mir bis heute ein Rätsel. Der nächste Rivale war unterwegs, oder sollte es eine Rivalin werden? Beschäftigte mich der körperliche Zustand meiner Mutter mehr als mein eigener? Ich beschloss, keine Fragen zu stellen, schweigend saß ich in meinem Zimmer und starrte tagelang aus dem Fenster. Gerade noch verhangen mit langen, reglosen Herbstwolken, öffnete sich der Himmel langsam. Was sollte ich tun? Weitermachen, als sei nichts geschehen? Nein. Ich musste jetzt zu Hajo gehen und ihn um Verzeihung bitten. Ich hatte mich zwar dämlich angestellt und mich fast drei Monate nicht gemeldet, aber vielleicht konnte er mir verzeihen. Ich zog meinen Minirock an. Ich würde schon rausfinden, wie man einen Mann glücklich macht.

Ich klingelte. Nach einer Weile ging die Tür auf. Mein Herz schlug bis zum Hals. Es war nicht Hajo, es war sein Bruder, der mich fragend anstarrte.

»Ist Hajo da?«

»Wer will das wissen?«

Der Knirps war höchstens drei oder vier Jahre älter als Sputnik, also immer noch gute acht oder neun Jahre jünger als ich. Eigentlich sind kleine Jungs ganz süß, besonders die frechen, dachte ich, solange sie nicht zur Verwandtschaft gehören.

»Ada«, sagte ich und lachte zu laut.

Im Hintergrund tauchte Hajo auf. Er gab seinem kleinen Bruder einen Katzenkopf.

»Zisch ab.«

Der Krümel trollte sich. So machte man das.

»What's up?«

Hajo war als Erster aus seiner Klasse für ein Jahr als Austauschschüler nach England gegangen, nach Dartmouth, glaube ich. Er besaß alle neuen Platten aus den britischen Charts. Die Ehe seiner Eltern wurde in diesem Jahr geschieden, wegen einer längeren Affäre, sein Vater lebte jetzt in München mit einer jüngeren Frau. Hajo hatte inzwischen noch zwei kleine Halbbrüder, die er allerdings nur von diversen Fotos kannte. Sein Vater musste fortwährend Stammhalter produzieren, sagte er mal. Er würde auch lieber Söhne als Töchter haben, die wären nicht so zickig.

»Kann ich reinkommen?«

Hajo musterte mich misstrauisch.

»Passt gerade nicht so.«

Er stand da, als würde er gleich die Tür zuschlagen. Anscheinend war er wirklich sauer auf mich.

»Du?«

Mist. Ich wusste nicht, was ich noch sagen sollte.

»Ja?«

Er war immer noch unwirsch, aber schon etwas weniger.

»Äh …«

Ich lachte verlegen, das kam bei den meisten Jungs gut an. Er machte einen Schritt zurück und nickte mir zu. Ich sprang die Stufen hoch und stolperte ihm um den Hals. Er wirkte überrascht.

»Hab aber nur kurz Zeit. Meine Mutter kommt in einer Stunde wieder.«

Er führte mich durch den Flur, direkt in sein Zimmer und schloss die Tür.

Wir standen unschlüssig voreinander. Auf die Wand war ein großes rotes, pfeildurchbohrtes Herz gemalt, darüber, in schwarzen Lettern, »Piss off«.

Dergleichen wäre bei mir zu Hause undenkbar gewesen. Ich versuchte mir gerade vorzustellen, wie mein Vater auf so etwas reagieren würde.

»Narrenhände beschmieren Tisch und Wände«, wäre wohl seine Antwort.

Ich hielt es für besser, beeindruckt zu nicken, als etwas zu sagen.

Hajo war heute sowieso etwas maulfaul.

»Warum bist du gekommen?«, fragte er endlich.

In seiner Stimme lag etwas Forschendes, eine Mischung aus Misstrauen und Unsicherheit.

»Nur so«, sagte ich.

»Nur so?«

Er sah mich ungläubig an. Die Sonne fiel schräg durch das Fenster. Ich musste etwas sagen.

»Na ja, also, ich meine … also, eigentlich wollte ich dich fragen …«

»Was willst du?«

Ich sah unsicher zu ihm auf. Er war einen guten Kopf größer als ich. Seine Augen tasteten mich ab.

»Gehen wir jetzt zusammen?«

Ich biss mir auf die Zunge.

»Was meinst du mit gehen?«, fragte er.

Warum machte er es mir denn so schwer?

»Na, ich meine, liebst du mich?«

Das hatte ich eigentlich gar nicht fragen wollen, aber immerhin hatte ich es ganz fröhlich und auch beiläufig gesagt. Ich wusste nicht, was mit mir los war. Ich versuchte, ganz normal zu gucken. Hajo starrte mich an.

»Nein, war nur Spaß, ich meine, sind wir jetzt ein Paar, also … so …«, schob ich schnell hinterher.

»Spinnst du?«

Der Satz hallte trocken in mir nach.

»Willst du jetzt heiraten, oder was?«

Nein, das wollte ich wirklich nicht. Ich wusste gar nicht, was ich wollte. Ich hatte plötzlich vergessen, warum ich gekommen war.

»Nein, ich wollte …«

»Is irgendwas passiert?«

Was war da in seinem Blick? Seine Augenlider zuckten. Panik? Ich wurde wütend. Ich spürte, wie mir der Schweiß den Rücken hinunterlief, meine Knie wurden weich. Was war das, verdammt noch mal?

»Ich glaube, mir wird schlecht«, stammelte ich.

Hajo sah mich entsetzt an. Er war jetzt gar nicht mehr so groß und kräftig wie gerade eben. Vorsichtig kam er auf mich zu. Ich schob ihn von mir weg.

»Schaffst du's noch zur Toilette?«

Ich nickte stumm. Hajo öffnete schnell die Tür. Über den Korridor zum Badezimmer. Wirklich nett, dachte ich, als ich den ersten Schwall in die aufgerissene Kloschüssel erbrach. Ich wusste gar nicht, dass man so lange kotzen konnte, es hörte einfach nicht auf. Es war beschämend. Ich war gekommen, um alles wieder gut zu machen, um zu zeigen, dass ich eigentlich ein tolles Mädchen war, eigentlich schon eine Frau, und jetzt kniete ich über die Kloschüssel gebeugt vor dem Jungen, der mich auf dem Rummelplatz gefickt hatte, und kotzte mir die Seele aus dem Leib. Ich spürte seine Hand auf meinem Rücken. Tatsächlich, er streichelte mich. Vor dem nächsten Schwall schnürte es mir die Kehle zu. Konnte man weinen und kotzen zugleich? Ich konnte.

»Bist du schwanger?«

Ich hob überrascht den Kopf. Das Kotzen war mit einem Schlag vorbei. Das Heulen auch. Warum sollte ich schwanger sein? Meine Mutter war schwanger, aber ich doch nicht. Ich richtete mich vorsichtig auf, um ihn anzusehen. Sprechen konnte ich nicht. Ich wollte es, aber ich bekam keinen Ton heraus. Hinter Hajos Rücken sah ich seinen kleinen Bruder um die Ecke blinzeln. Dann hörte ich, wie sich ein Schlüssel sanft in das Schloss der Haustür schob. Ich sah eine Frau undefinierbaren Alters mit Tüten und Taschen bepackt wie ein Maulesel in einem zu schnell abgespielten Zeichentrickfilm in den Flur trappeln, während sich Hajo neben mir zeitlupenhaft aufrichtete. Um die Ecke schoss sein kleiner Bruder, der wie ein Derwisch mit trompetenheller Stimme triumphierend von einem zum anderen hüpfte.

»Das ist Ada, sie ist die neue Freundin von Hajo, und sie ist schwaaangeeeeer.«

Ich konnte gerade noch die Klospülung drücken. Kapelle Tusch.

Philemon und Baucis

In der Luft lag ein metallener Geruch, ein Geschmack nach Pralinen, eine Mischung aus schwindender Süße mit einem Rest aus Eisen und Papier. Die Schachtel vor mir war leer. Und wenn ich tatsächlich schwanger war? Das durfte nicht sein. Ich konnte nicht zur selben Zeit ein Kind in mir tragen wie meine eigene Mutter. Inzwischen forstete sie ganze Nachmittage im Wohnzimmer sitzend die medizinischen Fachzeitschriften meines Vaters durch. Wie eine Schlange ließ sie vor dem Umblättern ihre Zunge vorschießen, um Daumen und Zeigefinger zu befeuchten, stieß kleine spitze Seufzer aus, eine Art Abschiedsgruß an die verschwindenden Seiten, während ich mich in stiller Unruhe durch die Räume stahl. Was sollte ich jetzt tun? An wen konnte ich mich wenden?

Manchmal überkam mich in den unmöglichsten Momenten, beim Mittagessen oder Abendbrot ein albernes Gekicher, wenn ich mir etwa meine Mutter vorstellte, Bett an Bett, Hand in Hand mit mir im Kreißsaal liegend, im Hintergrund mein Vater mit dem Gynäkologen fachsimpelnd, welche von uns wohl die Erste sein würde. Diese und weitere Schreckensbilder verfolgten mich bis in den Schlaf. Die Zeit schleppte sich ereignislos dahin. Ich beschloss, in den Weihnachtsferien nach Weimar zu fahren. Ich brauchte eine Luftveränderung und wollte meinen Großvater wiedersehen.

Der Gedanke war mir gekommen, als ich mich fragte, zu welchem Arzt ich überhaupt hier in Berlin gehen könnte?

Wie sollte ich ausschließen, dass ich durch einen dummen Zufall bei einem früheren Kollegen oder Kommilitonen meines Vaters landete? Was wusste ich schon, mit wem er früher gearbeitet oder studiert hatte? Er sprach nie über die Zeit direkt nach seiner Rückkehr aus dem russischen Lager, als wir noch in Buenos Aires lebten. Mit den Erinnerungen ging es ihnen wie Betrunkenen mit ihren Hausschlüsseln, entweder sie passten nicht, oder sie hatten sie verloren.

Als der Zug in den Bahnhof von Weimar einfuhr, hielt ich mein Besuchervisum immer noch fest umklammert in der Tasche. Die Grenzkontrolle war unangenehm gewesen, schmierige Blicke, die mich abtasteten, eine Volkspolizistin, die mich aufs Peinlichste nach Devisen untersuchte. Ich konnte meine Eltern verstehen. Keine zehn Pferde hätten mich in dieses Land ziehen können, aber von den Vopos abgesehen, waren die Menschen auf der Straße unaufdringlicher als im Westen. Ich hatte mich zwar möglichst einfach gekleidet, dunkle Hose, dunkler Mantel, wurde aber trotzdem als Paradiesvogel von drüben erkannt. Die Blicke blieben verhalten neugierig, aber nicht so abschätzig, wie ich es aus Berlin kannte.

»Da bist du ja.«

Dora stand mit ihrem großen Gesicht in der Tür. Auf den ersten Blick sah sie zum Fürchten aus, aber sowie man in ihre warm blitzenden Augen sah, wurde einem wohl ums Herz. Es war mein zweiter Besuch bei ihnen, eher kam mein Großvater für ein paar Tage zu uns nach Berlin. Ich weiß nicht, warum sie ihn nie begleitete, es lag wohl an meiner Mutter. Eifersucht? Wohl auch, vielleicht konnten sie auch beide nichts miteinander anfangen. Jede war auf ihre eigene Weise dominant. Dora lebte diesen Charakterzug mit dunkler Stimme und ausladenden Bewegungen offen aus, eine Art liebevoller süffisanter Übernahme, meine Mutter pirschte sich von verschiedenen Seiten an die Menschen heran, bis ihr Netz gespannt war, in dem man sich leicht verfing. Offene Bühne gegen doppelten Boden. Beide waren geborene Schauspielerinnen, Dora hatte es in ihrer Jugend von Trier bis ans Märkische Wandertheater gebracht, bevor sie Bildhauerin und später Schriftstellerin geworden war, meine Mutter hatte ihren Traum aufgrund ihrer jüdischen Herkunft begraben müssen. Diese unerfüllte Sehnsucht bestimmte heute noch ihr Wesen, eine Schauspielerin, der man die Tür zum Bühneneingang vor der Nase zugeknallt hatte.

Bei Kaffee und Kuchen plauderten Dora und Jean vor sich hin, in verspieltem Parlando klimperten Gedanken, Träume und Erinnerungen durch den Raum. Dicht an dicht wirkten sie, ohne einander zu berühren, vertraut, verspielt, ohne albern zu sein, zwei Leben, jedes für sich gelebt, gemeinsam zufrieden. Ich sah sie nie getrennt vor mir. Würde einer sterben, würde der andere ihm folgen, um sich wie Philemon und Baucis in eine Eiche und eine Linde zu verwandeln.

»Und?«

Jeans Frage kam wie immer aus dem Nichts.

»Woher weiß man, ob man schwanger ist?«

Wenn die Frage sie überraschte, verbargen sie es beide gut, dachte ich, selbst noch überwältigt von meiner Direktheit.

»Da geht man zum Spezialisten«, sagte Dora, als sei das nichts Besonderes, aber für mich öffnete sich in der darauffolgenden Stille eine Welt.

»Sollen wir jemanden für dich finden?«, fragte Jean.

Warum konnte nicht alles so einfach sein? Ich schluckte meine Tränen hinunter und nickte. Danach sprachen wir über etwas anderes.

Nach dem Abendessen saßen wir bei einer Tasse Tee um den runden Biedermeiertisch. Jean holte ein rotes Album aus dem verglasten Bücherschrank, klappte es vor uns auf, und wir sprangen an seiner Hand in die Bilderwelt des Monte Verità.

»Da«, kicherte er leise. »Die kleine Sala.«

Ich sah ein trauriges Kind allein und verloren auf einer weiten Wiese sitzend.

»Das ist Mama?«

Ich wusste nicht, wann ich sie zuletzt so genannt hatte. Jean und Dora nickten.

»Kein Wort hat sie damals gesprochen, obwohl ich ihr Tag und Nacht vorgelesen habe.«

»Meine Mutter hat nicht gesprochen?«

»Nein. Mich hat es nicht weiter gestört, irgendwann fängt jeder an zu plappern, aber für ihre Mutter, für deine Oma Iza, war es kaum zu ertragen. Sie nahm es auf absurde Weise persönlich.«

Mein Herz überschlug sich in meiner Brust. Sie hat nicht gesprochen, raunte es in mir, genau wie du.

»Hier.« Er blätterte weiter. »Neben dem Mühsam, das ist deine Großmutter.«

»Izalie?«

»Nennt ihr sie Izalie?«

Ich nickte. »Sputnik hat damit angefangen, glaube ich, er sagt immer Oma Iiiiiizalie. Das mag sie gar nicht.«

»Er weiß schon ganz gut, was die Leute mögen und was nicht«, sagte Dora.

Es klang nicht böse, aber ich war überrascht und auch froh über den kritischen Unterton. Zu Hause, besonders bei meinem Vater, war die Nervensäge über jeden Zweifel erhaben.

»Habt ihr euch dort kennengelernt?«

»Ja.« Er machte eine kurze Pause, dann fügte er mit einem spitzbübischen Lächeln hinzu: »Sie führte mich ein in die Süßigkeit weiblicher Liebe.« Und fasste nach Doras Hand.

»Mama hat nie davon erzählt.«

»Über mich wurde viel geschwiegen.«

»Nein, nein …«, wollte ich unterbrechen, aber er winkte ab.

»So war das damals, wenn man sich zum eigenen Geschlecht hingezogen fühlte, besonders in meiner humanistisch gebildeten Familie. Gleichzeitig zitierten mein Vater und mein Bruder, ohne mit der Wimper zu zucken, die alten Griechen.« Wieder kicherte er.

Obwohl ich darauf brannte, wagte ich es nicht, weiter zu fragen.

»Für deine Mutter war das nicht immer einfach, mit so einem Vater allein zu leben. Für mich im Übrigen auch nicht.«

»Das hat sie nie gesagt.«

»Ich weiß. Sie war immer tapfer. Ein tapferes Mädchen. Ich hoffe, das musst du nicht sein.«

Ich sah ihn an, wie auf frischer Tat ertappt. Was war das für ein Mann? In seinen Augen leuchtete die Welt. Ich fasste mir ein Herz.

»Und was hat Iza dazu gesagt?«

»Eines Tages war sie weg. Aber sie war mir nie böse, wir schreiben uns heute noch.«

»Du meinst böse wegen …«

»Der Knaben«, lachte Dora, und Jean stimmte ein.

»Ach so …«

Ich begann auch zu lachen, zaghaft erst, aber dann immer heftiger. Ich lachte und lachte und lachte und fühlte mich seit Wochen zum ersten Mal frei.

»Ich aber auch nicht.« Sie strich ihm übers fast noch volle Haar.

Ich musste wohl sehr überrascht geschaut haben, denn sie fügte grinsend hinzu: »Die Katze lässt das Mausen nicht.«

»Warum habt ihr damals dort gelebt?«

Er sah mich schweigend an, als würde sein ganzes Leben an ihm vorüberziehen.

»Wir wollten es anders machen als unsere Eltern. Besser. Wir dachten, das sei unsere Aufgabe.«

Dora nahm wieder seine Hand, diesmal, als sei er ihr Kind.

»Und das denken wir immer noch.«

»Ja.« Er nickte. »So denken wir immer noch.«

Geisterstunde

Ich hatte einen jüngeren Mann erwartet, was ihm offenbar nicht entging.

»Solange Sie keinen Besseren finden, mache ich weiter. Keine Sorge, ich weiß noch, was ich tue.«

Er nahm mich unerwartet fest beim Arm und führte mich in sein Sprechzimmer. Wie mein Vater, dachte ich. Er will schon bei der Begrüßung wissen, was mir fehlt.

»Wo drückt denn der Schuh?«

Seine blecherne Stimme kontrastierte eigenartig mit seinem väterlich jovialen Ton. Wie ein General, der irgendwann beschlossen hatte, seine Uniform gegen eine Soutane zu tauschen, dachte ich, während ich mich setzte. Schon fühlte er meinen Puls.

»Warum sind Sie so aufgeregt, mein Kind?«

Seine Vertraulichkeit war mir unangenehm.

»Ach, verzeihen Sie, die Jugend ist ja heute in diesen Dingen sehr empfindlich. Rechnen Sie's meinen Jahren zu, ich bin wahrscheinlich unverbesserlich. Wie heißen Sie, junge Frau?«

»Ada.«

Er sah mich fragend an.

»Und weiter?«

»Nohl.«

Ich weiß nicht, warum ich den Mädchennamen meiner Mutter wählte, ich glaubte wohl, es sei besser so, eine Art Deckname. Inkognito.

»Richtig, Ihr Großvater hat Sie angemeldet, der alte Anarchist.«

Er lächelte maliziös.

»Mein Großvater ist Kommunist«, sagte ich schnell. Ich wollte nicht, dass er meinetwegen auch noch Ärger mit seiner Partei bekäme.

»Schon gut, schon gut. Jedem Tierchen sein Pläsierchen.«

Ich wollte auf einmal schnell raus, aber sein Blick hielt mich fest. Dieser Mann, sagte ich mir, duldet keinen Widerspruch, und er ist eitel.

»Sie sind aber nicht aus Weimar, Fräulein Nohl, habe ich recht?«

Ich verneinte.

»Sie sind überhaupt nicht von hier, richtig?«

Wieder schüttelte ich den Kopf.

»Berlin?«

Ich nickte.

»Man hört es kaum, aber ein wenig doch.«

Er war mit sich zufrieden.

»Und Sie haben den weiten Weg auf sich genommen, um vom alten Diebuck zu erfahren, ob Sie schwanger sind, nicht wahr?«

Ich sah ihn geradeheraus an. Er brauchte keine Antwort, sie war in der Frage enthalten.

»Machen Sie sich bitte frei.«

Er deutete auf meinen Unterleib. Dann streifte er ein paar Handschuhe über. Langsam gewöhnte ich mich an seinen militärischen Ton, er war mir angenehmer als das anfängliche Priestergesäusel.

»Warum glauben Sie, dass Sie schwanger sind?«

Ja, warum glaubte ich das? Ich wusste es nicht so genau.

»Mein … mein Freund meinte …«

»Ach ja? Macht er sich Sorgen Ihretwegen, oder denkt er eher an seine eigene Zukunft?«

Ich wusste es nicht und schwieg.

»Wann war Ihre letzte Regelblutung?«

Die Angst kroch in mir hoch.

»Ist Ihr Zyklus so zuverlässig wie unsere Planwirtschaft?«

Ich verstand nicht, was er meinte.

»Kommt er jeden Monat zur gleichen Zeit, oder gibt es gelegentliche Lieferschwierigkeiten?«

Ich schwieg, wie gelähmt.

»Müdigkeit, Stimmungsschwankungen, Übelkeit?«

Ich nickte vorsichtig.

Während seine Hand kalt und geschickt in mich hineinfuhr, stellte ich mir vor, wie sich in Berlin jetzt der Morgenhimmel über unser Haus spannte, während sich meine Mutter kuhbäuchig durch das Wohnzimmer schob, damit beschäftigt, alle Fenster weihnachtlich zu dekorieren. Ich zuckte reflexartig zusammen. Keine Ahnung, was er da gerade berührte, aber es tat weh.

»Wann hatten Sie das letzte Mal Verkehr?«

Ich hörte dieses Wort zum ersten Mal.

»Vor … also, ich glaube, so ungefähr vor … drei Monaten.«

Er zog seine Handschuhe aus und warf sie in den Mülleimer.

»Sie können sich wieder anziehen.«

Ich sah, wie er zu seinem Schreibtisch ging, um etwas zu notieren.

»Was …?«

Ich konnte nicht weitersprechen. Auf einmal war es mir vollkommen gleichgültig, was für eine seltsame Gestalt er war, ob ich ihn sympathisch fand oder nicht. Seine Antwort kam einem Gottesurteil gleich. Mein Schicksal lag jetzt in seiner Hand. Leben oder Tod. Warum war ich bloß auf dieses verfluchte Volksfest gegangen? Warum hatte ich mich mit diesem Idioten eingelassen, diesem miesen Schwein? Nein, es war meine Schuld. Warum war ich nicht bei Franz geblieben? Wohin war er verschwunden?

»Was wir jetzt machen?«

Er überreichte mir einen kleinen Becher aus Plastik.

»Sie gehen jetzt auf die Toilette und geben etwas Urin in diesen Becher. Vorzugsweise den Mittelstrahl. Dann haben wir zwei Möglichkeiten, entweder den immunologischen hCG-Nachweis, sofern er noch vorrätig ist, oder den guten alten Froschtest, vorausgesetzt, der Apotheker hat noch lebendes Material.«

Mein verwirrter Gesichtsausdruck schien ihn zu amüsieren.

»Der hCG-Test ist der neueste Stand der Wissenschaft, aber, wie soll ich sagen, nicht alles, was den internationalen wissenschaftlichen Standards entspricht, entspricht auch dem real existierenden Sozialismus. Daher greifen wir gelegentlich auf die altbewährte Methode des Froschtests zurück. Sie müssen sich das so vorstellen: Man injiziert den Tierchen weiblichen Urin, achtzehn Stunden später haben wir das Ergebnis: Laichen die Weibchen, sind Sie schwanger, laichen sie nicht, ist das Gegenteil der Fall. Glück oder Unglück, wie überall im Leben, auch hier nur eine Frage der Perspektive. Mit den männlichen Fröschen geht es noch schneller, bereits zwei Stunden nach der Injektion produzieren sie Spermien, was ebenso als positives Testergebnis gewertet wird. Bei den Fröschen gilt allerdings der Bestand des besonders geeigneten afrikanischen Materials, des sogenannten Krallenfroschs, in unserer Republik auch nicht immer als gesichert, zumal die Tiere nur alle vierzehn Tage einsatzfähig sind. In dringenden Fällen bleibt dann nur der

ortsansässige Seefrosch oder der ganz gewöhnliche Teichfrosch, notfalls tut es ein Laubfrosch aber auch. Im Grunde
nicht viel anders als beim Bau einer kleinen Datsche, man
muss mit dem vorliebnehmen, was zur Verfügung steht,
der Rest obliegt dem eigenen Geschick oder, wie in unserem Fall, der diagnostischen Erfahrung. Insofern würde ich
durchaus eine erste Prognose wagen.« Er machte eine kurze
Pause, holte tief Luft. »Fräulein Nohl, meinem Dafürhalten
nach sind Sie schwanger.«

Als ich ihn verzweifelt ansah, legte er mir die Hand auf
die Schulter.

»Nun gehen Sie erst mal auf die Toilette, danach geht
alles seinen sozialistischen Gang.«

Ich stand wie betäubt auf und taumelte zur Tür.

»Über den Flur, die Letzte rechts.«

Drei Stunden später klingelte bei meinem Großvater das Telefon. Ein männlicher Teichfrosch hatte über mein Schicksal
entschieden.

In der Bibliothek

In meiner Familie nannte man die Wohnung meines Großvaters die Bibliothek. Glaubte ich im Vergleich zu anderen
Familien in einem Haus voller Bücher zu leben, ersetzten
sie bei ihm die tragenden Wände, obwohl hier, wie er mir
versicherte, nicht annähernd so viele Bände kreuz und quer
über Tische und Stühle verstreut waren, auf dem Boden
oder in den Regalen standen und lagen wie in seiner Sammlung, die bei einem der schwersten Luftangriffe auf Berlin,
kurz vor Kriegsende, im Februar 1945, vor seinen Augen in
Flammen aufging.

»Damals wollte ich nicht mehr leben, aber Sala lag hilflos
und schwanger mit dir in Leipzig.« Mit seiner Hand fuhr er
über eine Lederausgabe von Blaise Pascals *Pensées*, bevor er
sie beiseitelegte.

»Ich bin dann doch in den Luftschutzkeller gerannt.«

Er steckte seine Nase in das aufgeklappte Buch und atmete tief ein. Dann hielt er es mir hin.

»Versuche es.«

Ich schnüffelte ungläubig an dem alten Papier.

»So riechen Träume.«

Ich sah ihn an.

»Sie überleben immer.«

»Egal, was passiert?«

»Egal.«

»Und wenn sie den Träumer töten?«

»Bleibt ewig sein Traum.«

»Auch, wenn er falsch geträumt hat?«

»Falsche Träume?« Er kicherte. »Wie soll das denn gehen?«
Er kletterte eine Leiter hoch, zog ein Buch hervor, blätterte darin und reichte es mir.

»Da, ich hab's unterstrichen, lies laut, ohne Stimme sind es nur Buchstaben auf altem Papier.«

»Entsinnst du dich der kleinsten Torheit nicht,
In welche dich die Liebe je gestürzt,
So hast du nicht geliebt.«

Ich wusste nicht, was ich mit diesen Buchstaben anfangen sollte, aus meinem Mund klangen sie schmutzig und hohl.

»Darf ich noch bleiben?«

»Solange du willst.«

In dieser Nacht wollte der Schlaf nicht kommen. Während ich mich von einer Seite zur anderen warf, als könnte ich alles aus mir herausschleudern, ging mir dieser Satz nicht aus dem Kopf. Ich hatte weder eine kleine Torheit begangen, noch hatte ich geliebt. Ich war mit irgendjemandem auf einem Rummelplatz hinter einen Wohnwagen gekrochen, hatte mich ablecken, beschmutzen und vollspritzen lassen. Ich war Wochen später zu ihm gelaufen, dümmer als ein Huhn, um mich zu entschuldigen, weil ich geglaubt hatte, einen Riesenfehler begangen zu haben, den ich wiedergutmachen wollte. Auf welche Weise eigentlich? Ich lag in der Wohnung meines Großvaters und wusste nicht, wie ich diese Schande überleben sollte. Was waren meine Möglichkeiten? Ich konnte mich selbst töten. Ich konnte meinen Fehler töten. Ich konnte Hajo töten. Damit war mir am wenigsten geholfen. Ich und mein Problem würden weiterleben und wachsen. Ich konnte verrückt werden. Wahrscheinlich war ich schon auf dem besten Weg. Ich konnte meine Schuld auf mich nehmen und dieses Kind zur Welt bringen, damit es seinerseits Schuld auf sich lud, um mich zu bestrafen, so wie sich meine Mutter durch mein Versagen bestraft fühlen würde, das am Ende auch nur ihr eigenes war. Warum hatte sie mich denn geboren? Ich hatte sie nicht darum gebeten. Ich schlug meinen Kopf gegen die Wand, immer und immer wieder. Ich weiß noch, dass irgendwann meine Zähne zu klappern begannen.

Als ich wieder zu mir kam, waren Dora und Jean über mich gebeugt, aber ich erkannte sie nicht. Ich wusste nicht, wo ich war, noch, was mit mir geschah. Alles war weg. Für eine lange kurze Zeit war ich ein Kind, geborgen und glücklich. Frei von Vergangenheit und Zukunft, schwamm ich in seliger Bedürfnislosigkeit.

Dora stellte eine Tasse dampfenden Tees auf den Nachttisch neben meinem Bett. Dazu eine Brühe. Sie roch nach Huhn. Ich richtete mich auf, sank aber gleich wieder erschöpft zurück. Jean wischte mir mit einem kühlen Lappen über die nasse Stirn. Mein Unterleib schmerzte, die Welle ging schnell vorüber. Draußen wiegten sich die Bäume im Wind, Blätter jagten durch die Luft, hin und wieder schlug ein Ast gegen das Fenster. Ich starrte vor mich hin, verloren in meiner Angst und dem sicheren Gefühl, nie mehr träumen zu dürfen.

Abbruch

Als ich am nächsten Morgen die Fenster öffnete, stand die Sonne hell und kalt an ihrem höchsten Punkt. Ich zog mich an und schlich mich unbemerkt hinaus.

Die Luft schmeckt anders, wenn man entschieden ist. Die Straßen waren getrocknet. Vor der Praxis angelangt, drückte ich auf den Klingelknopf. Die Tür sprang auf. Ich ging hinein.

Der Professor befand sich im Gespräch. Ein vertrautes Bild, ich kannte es von meinem Vater. Die weißen Kittel hoben für einen Augenblick die Unterschiede auf. Als er mich sah, verabschiedete er sich schnell und winkte mich in sein Sprechzimmer. Die Sprechstundenhilfe am Empfang blickte pikiert auf, wahrscheinlich ärgerte sie sich, dass er ihre Zuständigkeit ignorierte. Ohne sie eines Blickes zu würdigen, schloss er die Tür.

»Wie geht es Ihnen, Fräulein Nohl?«

Er konnte sich an meinen Namen erinnern. Mein Vater behauptete, alle Namen zu vergessen, vielleicht tat er aber auch nur so, um die Anonymität seiner Patienten zu schützen. Für einen Moment wünschte ich mir, er wäre jetzt hier.

»Ich kann das Kind nicht kriegen.«

Er sah mich ruhig an.

»Können Sie mir helfen?«

Sein Blick war mitleidlos. Mein Vater sagte immer, er würde nicht mit den Patienten leiden, er dürfe es gar nicht. In diesem Moment glaubte ich zu verstehen, was er damit meinte. Ein Arzt muss entscheiden, was zu tun ist. Für alles andere ist er nicht zuständig. Was er sonst noch denken mochte, wollte ich nicht wissen.

»Wir verstoßen damit beide gegen das Gesetz.«

Der Satz klang wie eine lästige Erklärung, zu der er verpflichtet war. Wollte er Geld? Darüber hatte ich noch gar nicht nachgedacht. Ich hatte kein Geld. Ich wusste auch nicht, wie ich an Geld herankommen sollte. Meinen Großvater wollte ich in diese Sache nicht hineinziehen. Wahrscheinlich ahnten er und Dora schon etwas, aber sie hatten mich nicht nach dem Ergebnis der Untersuchung gefragt.

»Ich werde Ihnen helfen. Das bin ich Ihnen und Ihrer Mutter schuldig.«

Er hatte es mit der größten Selbstverständlichkeit gesagt. Meine Mutter? Woher kannte dieser Mann meine Mutter? Mir wurde schwindelig. Hatte er sie vielleicht schon benachrichtigt? Wussten alle Bescheid? Waren Dora und Jean deshalb so still gewesen?

»Sie kennen meine Mutter?«

Er nickte.

»Seit wann?«

»Es müssten sechzehn Jahre sein.«

»Waren Sie ihr Frauenarzt?«

Er nickte.

Der Mann, der jetzt vor mir stand, war vor sechzehn Jahren nicht nur bei meiner Geburt anwesend gewesen, er war der behandelnde Arzt, der Gynäkologe meiner Mutter. Sie hatte mich mit seiner Hilfe geboren. Und jetzt stand ich vor ihm, um ihn zu bitten, bei mir einen Schwangerschaftsabbruch einzuleiten. Am liebsten wäre ich weggerannt, aber es gab kein Zurück. Ich konnte nur hoffen, dass er seine Schweigepflicht genauso ernst nahm wie mein Vater.

»Eine tapfere Frau«, fuhr er fort. »Es hat mir imponiert,

wie sie unter den damaligen Umständen als Jüdin in der Leipziger Klinik gearbeitet hat. Sie hat Ihnen nicht davon erzählt?«

Er sprach gleich weiter, ohne meine Antwort abzuwarten, meine Sprachlosigkeit schien ihn weder zu wundern noch zu stören.

»Offenbar nicht. Sie stand damals genauso vor mir wie Sie jetzt. Schwanger. Eine Jüdin, die mit einem deutschen Arzt, einem jungen Offizier, Rassenschande begangen hatte. Ich habe es sofort durchschaut. Sie nannte sich damals Christa, Christa Meyerlein. Angeblich kam sie aus Polen. Der Kollege Wolffhardt hatte ihr wahrscheinlich den Pass besorgt, um sie einstellen zu können. Ja, so überlebte sie den Krieg gänzlich unbeschadet. Wolffhardt war im Widerstand aktiv, er fiel bei den schweren Luftangriffen der Alliierten auf Leipzig. Es war fürchterlich. Ihre Mutter und ich blieben uns noch über das Kriegsende hinaus verbunden. Sie kümmerte sich damals um meine kranke Frau, die wenige Monate später verstarb.«

Für einen Moment wurde es still. Er starrte vor sich hin, als wäre er allein.

»Sie war die große Liebe meines Lebens … ich habe nach ihrem Tod nie wieder geheiratet. Bis heute ist sie für mich unersetzlich. Bis heute habe ich mein Überleben als eine Art Strafe betrachtet.«

»Wofür?«

Er sah überrascht auf, als habe er tatsächlich vergessen, dass ich auch noch da war.

»Ich will mich nicht beklagen, es ging mir nicht schlecht. Es waren keine schönen Zeiten. Nicht materiell. Ich konnte auch ungestört an meinen Forschungen arbeiten. Aber natürlich habe ich mich immer wieder gefragt, ob ich nicht mehr hätte tun müssen. Ob gedankliche Emigration und

Widerstand ausreichend waren unter den damaligen Umständen. Vieles wussten wir nicht so genau, auch wenn man sich das heute kaum noch vorstellen kann, aber es war so, glauben Sie mir, wir wussten es nicht. Es gab Gerüchte. Auch über Lager. Aber, mein Gott, das klang alles unglaubwürdig, wissen Sie.«

Er bot mir eine Zigarette an.

»Rauchen Sie?«

»Nein.«

Er zündete sich eine an.

»Ich habe damals oft mit dem Kollegen Wolffhardt darüber gesprochen. Es waren zum Teil hitzige Diskussionen. Ich habe ihn im Nachhinein für seine konsequente Haltung bewundert, aber damals ...« Er schüttelte mit einem ungläubigen Lächeln den Kopf. »Damals war er für mich ein Träumer, ein Idealist. Seine Behauptungen erschienen mir, ja ... einfach unglaubwürdig. Niemand konnte sich vorstellen, dass ... also diese Geschichten ... was da angeblich in den Lagern in Polen und ... das klang viel zu absurd, verstehen Sie.«

»Und meine Mutter?«

»Sie meinen, ob sie auch im Widerstand aktiv war?«

Es war nicht, was ich meinte, aber ich nickte trotzdem.

»Das kann ich Ihnen nicht sagen, aber ich nehme es ehrlich gesagt nicht an. Ich denke, sie lebte gefährlich genug ...« Er brach ab.

»Ja?«

»Bitte?«

»Sie wollten erzählen, was meine Mutter ...«

Er drückte seine Zigarette aus und zündete sich die nächste an.

»Eine fürchterliche Zeit.«

Sein Gesicht straffte sich.

»Aber Sie sind nicht hier, um sich die Geschichten eines alten Mannes anzuhören. Kommen Sie.«

Er bewegte sich auf seinen Medizinschrank zu, öffnete die Glastür, holte zwei Packungen heraus und legte sie auf seinen Schreibtisch.

»Ich werde den Abbruch heute Abend nach Praxisschluss durchführen. Kommen Sie um 20 Uhr wieder.«

Ich sah ihn erschrocken an.

»Keine Sorge, es ist nur ein kleiner Eingriff unter Lokalanästhesie. Sie können im Anschluss sofort wieder nach Hause. Um postoperative Komplikationen auszuschließen, sollten Sie noch ein paar Tage in Weimar bleiben. Weiß Ihre Mutter, dass Sie hier sind?«

Ich schüttelte den Kopf.

»Das dachte ich mir. Ist auch besser so. Bei allem, was sie durchgemacht hat, würde sie es vielleicht nicht verstehen. Bleiben Sie bei dieser Haltung, es ist besser, auch für Sie, glauben Sie mir. Man muss nicht alles wissen. Auch Ihre Frau Mutter nicht.«

Ich sah in seine Augen. Vor mir stand wieder derselbe Mann wie gestern, als wäre nichts gewesen.

Pünktlich um 20 Uhr lag ich vor ihm mit gespreizten Beinen auf dem gynäkologischen Stuhl.

»Darf ich Sie was fragen?«

Er nickte knapp.

»Damals … bei meiner Geburt … ging da … ich meine, gab es da Komplikationen?«

»Es war eine Zangengeburt, ich erinnere mich recht gut.«

»Und sonst?«

Er sah mich forschend an.

»Worauf wollen Sie hinaus?«

Ich holte tief Luft, wie zu einem großen Sprung.

»Meine Mutter hat mir erzählt, dass sie Zwillinge erwartete.«

»Hat sie das so gesagt?«

Ich nickte.

»Ich glaube nicht, dass sie es wusste, aber ja, es war so. Der andere Zwilling war ein Fetus Papyraceus. So nennen wir einen verstorbenen Zwillingsfetus, der während der Schwangerschaft in der Fruchthöhle durch den lebenden Zwilling zu einem flachen, papierartigen Gebilde komprimiert wurde.«

Ich starrte ihn fassungslos an.

»Inzwischen wissen wir, dass so etwas häufiger vorkommt.«

Er musterte mich neugierig.

»Fühlen Sie sich manchmal einsam oder unvollständig?«

Ich überlegte fieberhaft. Plötzlich wusste ich gar nichts mehr. Es war, als hätte jemand alles in meinem Gehirn ausradiert.

»Wie fühlen Sie sich?«

»Wie bitte?«

Ich sah ihn erschrocken an.

»Sollen wir mit dem Eingriff warten?«

»Nein.«

Es dauerte nur wenige Minuten. Ich spürte nichts. Zum Abschied schüttelte er meine Hand. Er versicherte mir, meine Gebärfähigkeit sei auch in Zukunft nicht beeinträchtigt.

Von Angesicht zu Angesicht

Im ersten Moment fühlte ich mich erleichtert. So etwas kam also öfter vor. Es war nicht meine Schuld. Andere Frauen hatten es auch erlebt. Andere Zwillinge auch. Genau wie die Abtreibung. Ich war nicht die Erste. Es gab Schlimmeres. Ich fügte mich und versuchte zu vergessen, was ich nicht ändern konnte. Vom ersten Entdecken des mütterlichen Büstenhalters bis zu meiner misslungenen Entjungferung hatte ich nichts anderes gewollt, als eine Frau zu sein. Eine Frau wie alle anderen auch, was auch immer das sein mochte. Anders als meine Mutter glaubte ich nicht, dass der Akt selbst mich verändert hatte. Es waren die Banalitäten, die ihn begleitet hatten. Auf die Enttäuschung folgte die Wut, auf die Wut die Verunsicherung, auf die Verunsicherung die Demütigung, auf die Demütigung die Unterwerfung, auf die Unterwerfung die Ausschabung.

Ich blieb noch ein paar Tage in Weimar, ging brav zur Nachuntersuchung, betrachtete mich abends und morgens im Spiegel. Nein, auch diesmal keine äußerliche Veränderung. Sie würde es nicht sehen. Sie hatte nie etwas gesehen. Ich hasste sie abgrundtief.

Trotzdem blieben die Tage in Weimar meine Rettung. Dort wurde ich wiedergeboren. Meine neuen Eltern hießen Dora und Jean. Besonders zu Dora fühlte ich mich hingezogen. Inzwischen liebte ich ihren weit ausschreitenden Gang, ihr nachsichtiges Lächeln, ihre Zuversicht. Woher kam das, aus welchen heiteren Abgründen? So viel Übermut und Trauer. Sie engagierte sich für die Partei, erledigte Jeans Schriftverkehr für die Kulturarbeit, forderte ihn auf, seine Erinnerungen zu Papier zu bringen, legte ihm jeden Morgen, nicht selten nach durchwachter Nacht, zu seinem frisch gebügelten Hemd ein weißes Blatt Papier. Auf dem Schreibtisch erwartete ihn ein altes Silbergefäß, stets mit dunkelblauer Tinte gefüllt, und wollte er mal nicht zum Federhalter greifen, lagen ein Sortiment gut gespitzter Bleistifte und ein Radiergummi für ihn bereit. Klagte er über Rückenschmerzen, über Rheuma oder Gicht, rieb sie ihm den Rücken mit Franzbranntwein ein, schlug seinen Stuhl mit einer hellblauen Wolldecke aus und achtete darauf, dass er warm angezogen war und das Fenster geschlossen blieb. Großzügig bündelten sie körperliche und geistige Energie zu einer Lebenskraft, die Missmut und Missgunst lachend aussperrte.

Sie sprachen nicht über das, was geschehen war. Sie fragten nicht, wohin ich ging oder woher ich kam. Sie waren da. Lag es an ihrem Alter? Waren sie deswegen frei? Oder war ihr Lebensentwurf von Anfang an ein anderer gewesen? Genügsamer? Mehr auf den anderen als auf sich selbst bedacht? Sie hatten zwei Kriege überlebt, Hunger, Entbehrung, den Besitz verloren, aber nie ihre Träume. War es das?

Dora unterbrach unser Gespräch über die Zeit am Monte Verità. Sie hob die Deckel von den dampfenden Töpfen.

»Königsberger Klopse ... mit Salzkartoffeln.«

Es schmeckte wundervoll.

»Wo sind die Kapern?«, fragte Jean.

»Gab's nicht.«

Kein enttäuschtes Gesicht, kein ärgerlicher Kommentar. Wenn etwas fehlte, dann war es so. Ich dachte an meine

Mutter. An unsere Gemeinsamkeit. Vorbei. Sie erwartete immer noch ein Kind, während die aus mir herausgekratzten Lebensreste wahrscheinlich in irgendeinem Mülleimer gelandet waren. Neben mir zerquetschte Jean eine Kartoffel und schob sie sich mit etwas Klops und Soße in den Mund. Ich fächelte mir die aufsteigende Übelkeit aus dem Gesicht.

»Wenn ihr am Monte Verità in freier Liebe gelebt habt, wurde da nie, also ich meine, wenn Kinder geboren wurden, woher wusste man, wer der Vater war?«

Jean sah mich belustigt an.

»Ach«, sagte er. »So dachten wir damals nicht. Außerdem waren manche Männer ganz versessen auf eine Vaterschaft, während sich andere nicht darum scherten. So genau weiß ich es nicht mehr, aber es regelte sich alles von allein, und wenn eine Frau nicht wollte, dann wurde der Abort zum See hinuntergetragen.«

»Abort?«

»Na ja … es waren ja auch Ärzte unter uns, Iza und auch andere. Die kümmerten sich darum.«

»Ihr habt abgetrieben?«

»Ja«, sagte er, als wäre es das normalste der Welt.

Weihnachten

Zurück in Berlin fühlte ich mich beim Betreten des geschmückten Hauses fremd und falsch. Dabei war ich mit den besten Absichten zurückgekehrt. Ich erinnere mich noch genau, wie ich damals glaubte, ich wüsste nun genügend über mich selbst, um meiner Mutter auf Augenhöhe zu begegnen. Ich hatte mir in den Kopf gesetzt, mit ihr über ihre Kindheit am Monte Verità zu reden, über ihre Zeit in Frankreich, im Krieg. Ich wollte mehr über ihre Mutter erfahren. Ich wusste nahezu nichts. Nicht einmal, dass sie Geschwister hatte. Hatte sie mir damals schon von Lola erzählt, einer Schwester meiner Großmutter, der berühmten Modedesignerin aus Paris, meiner Großtante Lola? Tanten und Onkel kannte ich bisher nur von väterlicher Seite, oder all die Freunde meiner Eltern aus dem Kreis. An Tante Cesja aus Buenos Aires, auch eine Schwester meiner Großmutter Iza, konnte ich mich kaum mehr erinnern. Es war ein heilloses Durcheinander. Und, sagte ich mir, ich würde sie nach meinem Zwilling fragen.

Irgendetwas stimmte nicht. Lag es an dem, was ich hinter mir hatte, waren meine Sinne durch Schmerz oder durch meine mehrtägige Abwesenheit geschärft? Ein zuckriger Duft von Spekulatius und Vanille gemischt mit Weihrauch verschlug mir den Atem. Sputnik drehte unentwegt seine Runden wie ein Kreisel, dessen Mechanik kurz davor war zu zerspringen, mein Vater durchkreuzte unter heftigem Räuspern und Husten wie sein eigener Patient unser Wohnzimmer, während meine Mutter zu laut schmetternden Weihnachtschorälen durch die Luft schwebte, als sei sie auf dem Weg zu ihrer eigenen Seligsprechung.

Weihnachten war für sie das Fest der Liebe, die Geburt Christi. Warum sie als geborene Jüdin so ein Bohei um diesen Abend machte, war mir ein Rätsel. Kein kritisches Wort, nicht einmal ein vorwurfsvoller Blick, als ich vor ihr stand. Ich hätte nicht unbemerkter zurückkehren können.

Ich stieg die Treppen hinab in mein Verlies. Alles wie zuvor.

Auf meinem Bett lag ordentlich gefaltetes Geschenkpapier vom letzten Fest. Nichts wurde weggeworfen, das sich wiederverwenden ließ. Ich packte meinen Koffer aus, zog mich um. Meine guten Vorsätze waren dahin. Warum war ich zurückgekommen? Die Antwort war einfach. Ich wusste nicht wohin, und für die DDR war mein Besuchervisum abgelaufen.

Ich nahm die Bücher, die mir Jean und Dora für meine Eltern mitgegeben hatten, für Sputnik ein Bahnhofshäuschen, noch vor meiner Abreise gekauft, eine blaurot gestreifte Krawatte für meinen Vater und für meine Mutter das Tripelkonzert von Beethoven. Sputniks Zimmertür knallte zu. Er war nach oben geschickt worden. Meine Eltern entzündeten jetzt alle Kerzen im Haus. Als Letztes kam der Weihnachtsbaum dran. Ich wartete in der Küche. Die Musik verstummte. Stille. Der letzte Moment vor dem Höhepunkt. Dann schellte es dreimal. Die Kinderzimmertür flog auf. Sputnik sauste halsbrecherisch drei oder vier Stufen auf einmal nehmend die Treppe hinunter. Wie jedes Jahr öffneten sich die Flügeltüren des Wohnzimmers quietschend zum wohltemperierten Klavier von Johann Sebastian Bach – aber diesmal klemmten sie. Etwas fiel zu Boden, schlug dumpf auf, ein erstickter Schrei, zwischen den Türblättern ein schmaler

Streifen Wohnzimmer, gelbrot wie Feuer, auf dem Boden meine Mutter, neben ihr mein Vater, eine Hand an ihrem Puls.

»Sala?«

Vorsichtig trat ich näher, Sputnik klammerte sich an mich, mein Vater sprang zum Telefon.

»Verdacht auf Fehlgeburt, vierundzwanzigste Schwangerschaftswoche, Spätgebärende. – Ich bin Arzt. – Nein. – Nein, sie hat das Bewusstsein verloren. – Keinerlei Komplikationen bekannt. – Frohnau, Gralsritterweg 11, das graugelbe Haus. – Die Patientin befindet sich im Erdgeschoss.«

Er stand mit dem Rücken zu uns. Ich hörte ihn noch unseren Familiennamen sagen, dann legte er zitternd auf.

Es

Sie blieb drei Wochen im Krankenhaus. Mopp zog bei uns ein. Die Tage schleppten sich dahin. Morgens, auf dem Weg zur Schule, brachte ich Sputnik in den Kindergarten. Mittags holte Mopp ihn ab, kochte, wusch die Wäsche, bügelte meinem Vater die weißen Hemden. Schularbeiten, erst allein, dann mit Sputnik. Abendbrot. Zu Bett.

In dieser Zeit sprach mein Vater kaum ein Wort. Hager, den Blick nach innen, sah ich ihn manchmal am Fenster stehen. Sputnik wurde krank. Das Fieber schnellte hoch. Für ein paar Tage musste er in die Kinderklinik.

In der Schule vermied ich jeden Kontakt, ging auf dem kürzesten Weg allein nach Hause, um mich für den Rest des Tages in mein Zimmer einzuschließen. Jeden Tag lief ich in den Pausen an Hajo vorbei, ohne dass sich unsere Blicke trafen. Ein dumpfes Gefühl. Gleichmut. Franz tauchte hin und wieder in meinen Träumen auf, wenn ich sie nicht bereits im Aufwachen vergaß.

Meine Mutter durfte ich nicht im Krankenhaus besuchen. Es hieß, sie brauche jetzt Ruhe. Damit war ich gemeint. Es war mir egal. Mein eigenes Spiegelbild lachte mich aus toten Augen an. Mit welchem Recht war ich schwanger geworden? Wie damals im Mutterleib hatte ich ein Leben zerstört. Meine Mutter wollte ein Kind. Ich wollte keines. Wie war es so weit gekommen? Wie sollte es weitergehen? Vor mir tauchten die Gesichter des Kreises auf. Ich stand in ihrer Mitte und wartete, dass der Erste einen Stein aufnahm.

Nackt saß ich vor dem Spiegel. Die Beine weit auseinandergespreizt. Zum ersten Mal wagte ich es hinzusehen. Wie sollte ich es nennen? Es gab keinen Namen, vor dem mich nicht ekelte. Po? Wie lächerlich. Vorsichtig schob ich die Lippen auseinander. Rosa lag stumm vor mir ein Mund. Wie ein Kind, ein Mädchen, das nicht lernt, weil niemand mit ihm spricht. Wütend starrte ich es an. Warum sprichst du nicht? Meine Hand krallte sich in meinen Schoß. Endlich ein Schmerz. In dieser Nacht schlief ich beruhigt ein.

Die weiße Frau

Als meine Mutter zurückkehrte, wurde aufgeräumt. Jedes Möbelstück wurde umgestellt, nichts blieb an seinem alten Platz. Die Schränke standen leer. Kleider türmten sich auf dem Boden, bevor sie im Müll landeten. Ungeliebtes Geschirr zerschellte in der Tonne vor der Garage. Ich ging runter in mein Zimmer und zog mir die Decke über den Kopf.

In den nächsten Wochen wurde es still im Haus, selbst der Plattenspieler schwieg, als hätte er sich den Arm gebrochen. Wenn ich aus der Schule kam, stand das Essen auf dem Tisch. Es schmeckte nach nichts. Mein Vater fragte meine Mutter, wie es ihr ging. Sie schwieg. Nach dem Essen legte er sich für eine halbe Stunde hin, bevor er wieder in die Klinik zu Nachuntersuchungen und von dort in die Praxis fuhr. In der Zeit half ich meiner Mutter in der Küche und brachte Sputnik zu seinem Freund Martin. Bei meiner Rückkehr war mir jedes Mal, als würde ich ein Totenhaus betreten.

Im Badezimmerschrank fand ich unzählige Tabletten, für jeden Anlass, für jede Stimmung, in allen denkbaren Dosierungen. Um diese Zeit hatte sich meine Mutter bereits ins Schlafzimmer zurückgezogen, das sie erst wieder verließ, um das Abendbrot zuzubereiten.

Nachts träumte ich immer wieder von einer weißen Frau. Ohne Gesicht, den Körper, wie aus einem Blatt Papier herausgeschnitten, schwebte sie stumm durch unser Haus.

Niemand konnte sie sehen, nur ich. Wenn ich mich ihr zu nähern versuchte, löste sie sich auf. Legte ich mich wieder hin, sprang sie aus dem Hinterhalt auf meine Brust.

Ich begann Tabletten zu sammeln. Schlaftabletten, Beruhigungstabletten, Schmerztabletten, appetithemmende Tabletten, stimmungsaufhellende Tabletten. Damit es nicht auffiel, nahm ich nie zwei derselben Sorte. Mit der Zeit verfügte ich über ein beachtliches Sortiment. Ich nannte es mein Notfallset. Ich wusste nichts über Dosierungen. Glaubte man den Packungsbeilagen, waren manche Tabletten bereits in einer verhältnismäßig geringen Menge gefährlich. Ein ordentlicher Cocktail würde wahrscheinlich reichen. Was mich auf längere Zeit von dem Gedanken abbrachte, war die Nachricht über den Selbstmordversuch der Tochter von Anneliese und Achim Pumptow. Aufgrund einer falschen Dosierung überlebte sie schwer behindert, hinzu kamen fürchterliche Kopfschmerzen.

»So was Dummes«, kommentierte meine Mutter den Vorfall eines Nachmittags. Wir saßen allein auf der Terrasse, bei Kaffee und Kuchen.

»Das wäre mir viel zu unsicher. Da nehme ich lieber einen Strick und häng mich am Fensterkreuz auf. Das ist sicher.«

Wir sahen alle schweigend zu Boden.

Ich kannte die Tochter der Pumptows kaum. Einmal war sie bei uns gewesen. Sie war klein, etwas pummelig und sprach den ganzen Nachmittag kein Wort.

»Warum hat sich Petra denn umgebracht?«, fragte ich in die Stille hinein.

»Wegen ihrer Beine.«

Ich sah meine Mutter ungläubig an.

»Wegen ihrer Beine?«

»Na jaaa«, fuhr sie fort. »Sie wurde wohl in der Schule ständig gehänselt. Besonders im Sportunterricht muss es schlimm gewesen sein. Wenn sie kam, rief jedes Mal ein anderer, Pumpsi schwingt die Keulen, eine rechts und eine links.«

Ich schwieg. Am Abend warf ich die Tabletten weg.

Die Krise

Ein knappes Jahr war vergangen. Ich hatte meine Abtreibung erfolgreich verdrängt. Meine Mutter war mit gutem Beispiel vorangegangen, auch wenn sie sich in Abwesenheit meines Vaters immer wieder stundenweise im Schlafzimmer eingeschlossen hatte. Wie er mit seinem Verlustgefühl umging, ob er überhaupt eins hatte, blieb sein Geheimnis.

Es scheint im Leben der Männer zwei zentrale Erlebnisse zu geben. Der Kauf eines Hauses und der Kauf eines Autos. Auch mein Vater machte da keine Ausnahme.

An diesem Sonnabend hatte sich der Kreis schon früher zusammengefunden, um die Neuerwerbung meines Vaters zu feiern. Alle standen auf der Straße vor dem Gartentor, als er mit seinem Automobil, einem nagelneuen Mercedes Benz in glänzendem Schwarz, um die Ecke bog. Sanft ließ er ihn ausrollen und kam unter hellem Beifall zum Stehen. Während sich die Frauen in bewundernder Distanz am Gartenzaun anderen Themen widmeten, stürzten die Männer aufgeregt auf die Straße, umringten den stolzen Besitzer, als er sich mit abwinkendem Lächeln aus seinem neuen Gefährt schälte.

»Frisch vom Händler.«

»Ein 220er«, sagte Onkel Achim voller Bewunderung.

»S«, fügte mein Vater hinzu.

»Ach ja, natürlich, S.«

»Ein sehr schönes Automobil«, sagte Pfarrer Krajewski. »Wirklich schön, der Heilige Vater fährt auch Mercedes.«

»Einen Pullmann, ja«, nickte mein Vater anerkennend. »Eine Nummer zu groß für mich.«

»Hahaha, ist ja zum Piiiiiepen«, meldete sich meine Mutter aus dem Hintergrund. »Versündigen Sie sich nicht, Herr Doktor.«

»Wie viel Pferde ziehen den Karren?« Onkel Achim konnte sich gar nicht beruhigen.

»Hundertzehn«, sagte mein Vater. »An der Ampel macht der einen Satz, das könnt ihr euch gar nicht vorstellen. Als Limousine unschlagbar, sage ich dir. Streng genommen ein 220Sb, das b steht für die neuen Heckflossen und verleiht ihm mehr Aerodynamik.« Dabei fuhr er stolz über die rundum verchromten Spitzen.

»Fabelhaft.« Onkel Achim nickte anerkennend.

Nun führte sie mein Vater nach vorne. Alle folgten ihm wie bei der ersten Begehung eines neuen Bauwerks.

»Donnerwetter. Donnerwetter. Glanz und Gloria«, sagten sie.

»Das erste Modell mit Scheibenbremsen an den Vorderrädern, als erhöhte Sicherheitsmaßnahme.«

»Seeeeehr nützlich bei deinem Fahrstil«, rief meine Mutter lachend aus dem Hintergrund.

Heute würde meinen Vater nichts und niemand aus der Ruhe bringen, dachte ich, ohne auch nur im Geringsten zu ahnen, wie sehr ich mich täuschen sollte.

»Dazu erstklassige Knautschzonen. Selbst wenn man sich überschlägt.« Er klatschte zufrieden in die Hände. »Spielt keine Mandoline.«

»Ein Wunder deutscher Ingenieursarbeit. Elegant, klar, funktional. Deutsche Schönheit, deutsche Seele. Preußisch. Befreit«, sagte Onkel Achim.

Die anderen nickten. Jeder schien diesen merkwürdigen Worten nachzuhängen. Auch ich fragte mich plötzlich, was dieses Auto mit der deutschen Seele zu tun haben mochte. Die allerorten gelobte Ingenieursarbeit? In seinen Worten hatte es nicht nach Arbeit geklungen, vielmehr nach Kunst. Sie starrten so ergriffen, als verkörperte dieser schwarze Blechsarg ihren Sieg über die Vergangenheit. Als könnten sie an Bord dieses Schlachtschiffs alles überwinden, was bisher auch durch das große Schweigen nicht totzukriegen gewesen war. Als stünde vor ihnen ihre Zukunft. War es das? Jedenfalls schien es ein heiliger Moment zu sein, denn selbst der Herr Pfarrer bekreuzigte sich. Seine Lippen bewegten sich vorsichtig, als gelte es einen Segen zu formulieren. Der Horizont glühte rotgelb, die Sonne ging unter, ein wunderbarer Abend lag vor dem Kreis.

»So, genug geredet, lasst uns nun endlich Taten sehen«, sagte mein Vater.

»Damit sind wir gemeint, mein Kind.«

Meine Mutter winkte mich zu sich. Ich hasste es, wenn sie mich in aller Öffentlichkeit so nannte und dann auch noch in Gegenwart meines kleinen Bruders. Sputnik schien von alldem nichts mitzubekommen. Versonnen stand er vor dem neuen Fahrzeug. Brav schweigend hatte er den Ausführungen seines Vaters gelauscht, aber etwas schien ihm nicht zu gefallen. Eine gewisse Enttäuschung war ihm deutlich anzusehen.

»Papa!«, rief er. »Warum ist das kein Sportcoupé?«

»Damit du eine eigene Tür zum Einsteigen hast und nicht über den Beifahrersitz nach hinten klettern musst.«

Mäßig überzeugt nickte er.

Die Gruppe begab sich ins Haus.

»Wie schaffst du das alles nur, Sala?«

Tante Anneliese stand mit uns in der Küche und half uns, die kalten Platten mit Petersilie, Dill und Gürkchen zu dekorieren.

»Ach, seit ich aus Buenos Aires zurück bin, habe ich doch nichts mehr zu tun, außer dem bisschen Kochen. Ich hab' mir schon überlegt, bei Otto in der Praxis zu helfen, aber er will nicht.«

»Ist bei Achim dasselbe. Manchmal habe ich schon das Gefühl, er ist ganz froh, wenn er mich nur abends sieht.«

»Papperlapapp.«

Ich wunderte mich jedes Mal, dass Tante Anneliese kein Wort über ihre Tochter verlor. Dem Selbstmordversuch folgte ein zweiter, und beim dritten Mal klappte es schließlich. Das lag nur wenige Monate zurück. Tante Anneliese und Onkel Achim hatten sich kaum verändert. Jeder, der sie sah, hätte sie wohl für ein liebevolles Paar gehalten. Auf den verstörenden Gedanken, dass in dieser Liebe für niemanden sonst Platz war, kam ich erst sehr viel später. Direkt nachdem es geschehen war, hatten sie ein bisschen blasser als sonst gewirkt, aber bald kauften sie ein neues Auto, einen Opel Admiral, und fuhren für drei Wochen nach Italien. Zu Hause sprachen wir nicht über den Vorfall. So war es mit allem. Es gab keinen Tod. Es gab keine Vergangenheit. Es ging bergauf.

Im Wohnzimmer scharten sich die Männer um den kleinen Fernseher. Auch eine Neuerwerbung.

»Sag mal, Otto, dieses kleine Dingsda nennst du Fernseher? Kann man da überhaupt was drauf erkennen?«

Onkel Achim war wie immer in einem grauen Anzug erschienen und wirkte aufgeräumt, wie meine Mutter es nannte.

»Ich benutze die Flimmerkiste sowieso nur zum Nachrichtengucken. Der ganze andere Quatsch interessiert mich nicht.«

Sputnik und ich folgten den Ausführungen unseres Vaters mit hängenden Köpfen, wir wussten nur zu gut, was damit gemeint war, auch für uns wurden nur selten Ausnahmen gemacht.

»Wie? Nicht mal *Das Halstuch*?«

»Nee, was soll das sein?«, fragte mein Vater in aller Unschuld.

»Na, Mann, das gibt's doch gar nicht«, mischte sich jetzt auch Onkel Wolfi ein. »Das hat doch ganz Deutschland gesehen.«

»Sogar i hab mir den Schwachsinn angeschaut«, sagte Onkel Schorsch.

»Worum geht's denn da?«

Mein Vater hatte wirklich keine Ahnung. Alle brachen in Gelächter aus, auch der Herr Pfarrer schien keine der sechs Folgen verpasst zu haben. Es war fürchterlich peinlich.

»Ach du liebe Güte, war das dieser Krimi, wegen dem der Abend bei Trudchen und Gerd ausfallen musste?«, fragte mein Vater.

Onkel Gerhard nickte ernst.

»Ja. Ihr wart aber trotzdem eingeladen, bei Schnittchen und Bier. Aber du wolltest ja nicht. Heinz Drache war großartig.«

»Ja, natürlich, jetzt erinnere ich mich. In der Praxis haben die Sprechstundenhilfen von nichts anderem mehr geredet, ein Gequatsche war das, fürchterlich. Die waren alle nicht mehr zurechnungsfähig.«

»Man fühlte sich wie ein Fakir auf dem Nagelbett«, sagte Onkel Achim.

»Ein Fakir? Du machst Witze.«

Mein Vater kam langsam in Fahrt, aber auch Onkel Achim war nicht mehr zu bremsen.

»Wenn ich's dir sage. Es war furchtbar spannend«, sagte er. »In jeder Folge tauchte ein neuer Verdächtiger auf. Das kannst du dir gar nicht vorstellen.«

Mein Vater lachte. Er liebte es, wenn alle durcheinanderredeten. Leider hielt diese Stimmung nie lange an. Meistens folgte er schnell seinem inneren Impuls, alles gründlich zu analysieren.

»Das ist natürlich raffiniert. So halten sie die Leute bei der Stange. Fragt sich nur, woher man die ganzen Verdächtigen nimmt, aber in einem Land, in dem alle unter Generalverdacht stehen, kommt das natürlich gut an.«

Das war mal wieder typisch, ohne eine einzige Folge gesehen zu haben, riss er die Diskussion an sich, um nun nach den tieferen Beweggründen zu forschen.

»Na, das erhöht jedenfalls die Spannung ganz ungemein«, sagte Pfarrer Krajewski.

»Vielleicht fällt dem Autor ja auch nichts Besseres ein. Oder können Sie sich vorstellen, Herr Pfarrer, dass Dostojewski in *Schuld und Sühne* alle zehn Seiten einen neuen Verdächtigen hätte auftreten lassen?«

»Na, aber entschuldige, das ist doch ganz was anderes«, sagte Onkel Wolfi empört, während der Herr Pfarrer noch über die Frage nachzudenken schien.

»Aber wieso, Raskolnikow hat doch auch einen Mord begangen, oder etwa nicht?«, fragte er.

»Raskolnikow!« Onkel Achim schüttelte den Kopf.

»Ich habe den Dostojewski leider nicht gelesen, zu dieser Lücke muss ich mich bekennen, aber geht es da nicht auch um die Frage des Gottesbeweises?«

»Verzeihen Sie, Herr Pfarrer, das soll nicht despektierlich klingen, aber beweisen lässt sich da nicht viel«, sagte mein Vater.

»Sie haben recht, es ist und bleibt eine Frage des Glaubens, aber der Glaube …«

»Soooooooo«, unterbrach meine Mutter. »Jetzt bitte ich die Herren der Schöpfung, Platz zu nehmen und die Flimmerkiste auszuschalten.«

In diesem Augenblick wurde die laufende Sendung nach

einer kurzen Ankündigung durch einen Nachrichtensprecher unterbrochen. Mein Vater wollte gerade abschalten, als das Gesicht des amerikanischen Präsidenten auf dem Bildschirm auftauchte. In knappen Worten informierte er die amerikanische Bevölkerung mit einer Nachricht, die zugleich der ganzen Welt gelten sollte. Auf Kuba, nur knapp zweihundert Kilometer von der Küste Floridas entfernt, waren von der sowjetischen Regierung Mittelstreckenraketen mit Atomsprengköpfen stationiert worden. Präsident Kennedy kündigte eine Seeblockade an, sollte Chruschtschow seine mit weiteren Atomraketen bestückten Schiffe nicht zurückordern. Alle starrten stumm auf die Mattscheibe. Ich konnte den weiteren Ausführungen des Nachrichtensprechers nicht mehr folgen. Der gesamte Kreis hatte aufgehört zu atmen. Meine Eltern schien diese Nachricht schlimmer zu treffen als die kaum ein Jahr zurückliegende Fehlgeburt. Inzwischen war der Fernseher ausgeschaltet. Immer noch rührte sich keiner. Meine Mutter verschwand in der Küche.

»Sala?«

Anneliese lief ihr hinterher. Tante Gertruds Lippen zitterten. Die Männer rührten sich nicht. Meine Mutter kam zurück. Sie stellte sich dicht neben meinen Vater und fasste nach seiner Hand.

»Gut, dass wir verkauft haben. Gut, dass wir hier nur Mieter sind. Ab morgen gibt keiner mehr einen Pfifferling für diese Stadt.«

Mein Vater starrte immer noch vor sich hin. Sie alle sahen aus, als hätte man ihnen gerade den Spaten gezeigt, mit dem sie in wenigen Minuten ihr Grab schaufeln müssten. Pfarrer Krajewski faltete die Hände zum Gebet. Mit einer knappen Geste lud mein Vater alle ein, sich zu setzen. Zusammen mit Sputnik stellten wir die Platten mit den Schnittchen auf den Tisch vor dem Sofa, mein Vater schenkte eine Runde Cognac ein. Alle griffen nach Schnittchen und kauten still vor sich hin. Leere Gläser wurden geräuschlos auf dem Tisch abgestellt, schnell wieder gefüllt, wieder hinuntergekippt, wieder abgestellt.

»Dritter Weltkrieg.«

»Den überlebt keiner.«

»Atomsprengköpfe.«

»Was übrig bleibt, ist auf hundert Jahre verstrahlt.«

»Morgen gehe ich erst mal Waschmittel kaufen«, sagte meine Mutter.

Alle starrten sie an.

»Ich will nie wieder erleben, dass ich meine Wäsche nicht selbst waschen kann. Nie wieder.«

II

Wiederholen

1990 *im Herbst*

Klingeling, klingeling.

Ich war noch nie im Minirock hier. Wahrscheinlich wird er indigniert sein. Auf jeden Fall wird er es deuten. Er deutet alles. Etwas gewagt für mein Alter. Gewagt. Minirockluder. Peng. Blattschuss. Ob er verheiratet ist? Ich wüsste zu gerne, ob er zum Beispiel Kinder hat. So freche Blagen, die ihm abends nach einem anstrengenden Tag mit lauter Irren zu Hause noch mal so richtig die Hölle heißmachen. Eine ganze Horde, darunter bestimmt ein durch und durch unerzogenes, ein zickiges neurotisches Geschöpf von einem Mädchen, süß und unfassbar. Eine Frau, die plötzlich anfängt zu lachen, wenn er ihr Verhalten analysiert. Aber vielleicht ist sie ja auch Analytikerin? Vielleicht hat sie seine Praxis über ihm. Oder unter ihm? Schade, jetzt bin ich schon oben. Nach der Stunde muss ich unbedingt unten auf dem Klingelschild nachschauen. Vielleicht arbeitet sie unter einem anderen Namen. Inkognito. Ob sie hübsch ist? Jung? Bestimmt jünger als er. Privat, also außerhalb der Praxis ist er bestimmt ein Wilder. Es ist nicht zu fassen, dass er alles über mich erfährt und dass ich gar nichts über ihn weiß. Nichts. Nicht das Geringste.

Seit einem Jahr komme ich jetzt hierher. Was hat er mir neulich gesagt, als ich fragte, wie lange das noch so weitergehen würde? Das käme ganz darauf an, was ich erreichen wolle. Ich glaube, ich weiß jetzt, was ich erreichen will, ein Mann will ich werden, dann muss ich nicht mehr darüber nachdenken, was alles falsch an mir ist, warum nichts, rein gar nichts mehr geht, oder wie ich das alles beenden kann, wie ich mich aus dieser verdammten Lage befreie, oder mich möglichst elegant und unaufdringlich aus der Welt schaffe.

»Guten Tag. Bitte kommen Sie rein.«

»Tag.«

»Wie geht es Ihnen heute?«

Er hat sofort auf meinen Minirock geschaut. Ich wusste es. Er sah meinen Minirock und dachte sich was.

»Wollen Sie nicht reinkommen?«

»Doch, ja … entschuldigen Sie. Ich … äh … ich bin noch nicht ganz da.«

»Lassen Sie sich Zeit.«

Natürlich lasse ich mir Zeit. Ist ja meine Zeit. Ich bezahle dafür. Tür zu. Und heute will ich auch mal was für mein Geld sehen, wenn's recht ist. Also los, auf geht's.

»Das ist ja auch so ein Witz. Sitzt einer jahrelang in Russland in irgendeinem Lager, kriegt eine Postkarte, dass er in Deutschland beim Fronturlaub mal eben Vater geworden ist, kommt nach Jahren der Gefangenschaft zurück, Frau und Tochter weg, heiraten wir eben 'ne andere, sagt er sich, und eh er sich versieht, klingelt das Telefon und die Bagage steht wieder vor der Tür. Dann läuft die Chose in nicht ganz so glücklichen Bahnen, das Blag macht Schwierigkeiten, ist lange nicht so begabt wie das kleine Brüderchen, wen wundert's, musste ja auch die ersten prägenden Jahre auf ein Musterexemplar von Vater verzichten und bringt auch noch vor lauter Eifersucht das Kerlchen mit einer Überdosis Schokolade beinahe um die Ecke, wächst, ohne so recht zu gedeihen, heran, um sich am Ende als neurotisches Flittchen zu entpuppen, während man auf den Kosten sitzen bleibt. Tja, was soll man sagen, außer Spesen nichts gewesen.«

»Wie geht es Ihnen?«

»Nicht gut.«

»Was ist geschehen?«

»Ich habe heute Nacht von Franz geträumt.«

»Sie erwähnten den Namen schon einmal, aber helfen Sie
mir bitte.«

Oh weh. Das stimmt gar nicht. Ich habe nicht heute Nacht
von ihm geträumt. Das war vor ein paar Wochen, aber ich
wollte nicht darüber sprechen. Dummerweise werde ich
den Traum nicht los. Hoffentlich kriege ich das überhaupt
noch zusammen.

»Na ja … ich weiß nicht, wo ich da anfangen soll.«

»Wo auch immer.«

»Franz … haben Sie mal die *Verwandlung* von Kafka gelesen?«

»Ja.«

Er hat Kafka gelesen. Das ist das Erste, was ich von ihm,
von seinem Leben erfahre.

»Na ja, also, Franz ist … er ist nicht wie der Käfer, der
Käfer bin vielleicht eher ich, also auch nicht wirklich, aber
irgendwie schon. Franz ist … ich glaube, Franz ist der erste
Mann, in den ich wirklich verliebt war, das heißt, damals war
er noch gar keiner, also kein Mann, meine ich, und ich …
ich hatte gerade mal meine Tage bekommen … und dann
lief alles schief, und ich habe mich auf diesem beschissenen
Volksfest auf Hajo eingelassen.«

»Waren Sie in Hajo verliebt?«

»Ich … also eigentlich wollte ich sagen, nein, aber … ja,
leider stimmt das wohl nicht, also jedenfalls nicht ganz. Irgendwas Komisches war da, aber ich weiß nicht, was.«

»Aber bei Franz wussten Sie es.«

»Ja. – Ja, bei Franz und mir wusste ich es ganz genau.«

Er summt mir ermunternd zu.

»Ich habe heute Nacht von Franz geträumt …«

Jetzt schweigt er wieder. Es ist so furchtbar. Es ist unerträglich.

»Oh Gott, wie spät ist es denn jetzt? Ich muss gehen, sofort. Ich glaube, die Stunde ist schon längst vorbei, oder?«

»Beunruhigt Sie das?«

»Mich? Nein, wieso?«

»Wollten Sie nicht über Ihren Traum reden?«

»Nein.«

Ich glaube, ich gehe jetzt lieber.

»Nach Ihnen kommt heute niemand mehr.«

»Aha. Ach so, Sie meinen, wir können länger machen? Nein, lieber nicht.«

»Gut, dann machen wir für heute Schluss.«

Er ist wütend. Ich glaube, jetzt ist er zum ersten Mal richtig wütend auf mich. Kann ich verstehen. *Gut, dann machen wir für heute Schluss.* Verdammt. Sonst sagt er immer, lassen Sie uns da weitermachen, oder, machen wir da morgen weiter. Aber jetzt sagt er, machen wir Schluss. Schluss, Ende, aus. Das war's.

»Franz hat auch Schluss gemacht.«

Der komische Brief, dachte ich. Ich wusste ja nicht, dass es ein Abschiedsbrief war, ich war einfach zu blöd, zu bescheuert, zu, ja, auch verletzt, hab' nur an mich gedacht, hab' mich von dem nächstbesten Idioten auf dem Rummelplatz ficken lassen, hab mir … »Sie wissen ja gar nicht, wie tief man fallen kann, das wissen die Leute nicht, und wissen Sie was, es geht noch tiefer, das ist der Witz, es geht durchaus tiefer, viel tiefer, als man ahnt.«

Ich sehe ihn vor mir, jetzt weiß ich, was ich immer gespürt habe, an wen er mich erinnert, an Hannes, Franz war so, wie ich mir Hannes gewünscht habe, sensibler, weniger gewitzt, nicht so souverän. So wie er mich damals in die Luft warf und *Na, du süßes kleines Ding* zu mir sagte, das war nicht schön und doch war es sehr schön, das habe ich bei Franz vermisst. Gut. Ich sage es ihm jetzt. Es muss raus.

»Franz hat sich umgebracht.«

Schweigen.

»Wie geht es Ihnen jetzt?«

Die Steine, die alles ins Rollen brachten

Diesmal setzte sich mein Vater durch. Der Dritte Weltkrieg war nicht ausgebrochen, der Kelch an uns vorübergegangen, ein etwas kleineres Haus gekauft und bezogen, vom gemieteten Gralsritterweg in die Hainbuchenstraße. Wir hatten wieder eigenen Boden unter den Füßen, wie mein Vater zufrieden sagte. Nur Sputnik beschwerte sich, dass er jetzt noch weiter von seinem Busenfreund Martin entfernt leben musste. Mir war es relativ egal. Nach knapp bestandenem Abitur hatte ich mich an der Uni eingeschrieben. Ein Semester hatte mir gereicht, um festzustellen, dass mein Herz nur mäßig für die Medizin schlug, deswegen versuchte ich es jetzt mit Romanistik und ein bisschen Philosophie, übertreiben wollte ich es in beiden Fächern nicht. Die Uni entpuppte sich recht schnell als dröger Laden, dem ich nicht wesentlich mehr abgewinnen konnte als der Schule. Hier wie dort dieselben Spießer, die sich selbst und uns an der Nase herumführten, während sie alle auf die Ferien oder ihre Pensionierung hinarbeiteten. Nach kleinen anfänglichen Krisen machte ich Fortschritte.

Eigentlich las ich die *Bravo* schon lange nicht mehr, aber diesmal war der Zeitschrift ein wirklich grandioser Coup gelungen, sie organisierten die erste Deutschlandtournee der Rolling Stones. Und auch wenn mir Sputnik immer noch auf den Wecker ging, an diesem Tag waren wir ein Herz und eine Seele.

Das Wetter war fast noch sommerlich, und ich beschloss,

an diesem Tag die Uni zu schwänzen. Leider war es mir nicht gelungen, für das letzte Konzert der bereits gefürchteten englischen Rockband Karten zu ergattern, außerdem hatte mir mein Vater für dieses Vorhaben jegliche finanzielle Unterstützung von vornherein verweigert, und auch wenn Sputnik sich bereit erklärte, seine sämtlichen Ersparnisse zu opfern – er zerschlug tatsächlich sein Sparschwein –, war klar, dass unser Ziel unerreichbar bleiben würde.

Wochen zuvor war es immer wieder zu angespannten häuslichen Situationen gekommen, wenn Sputnik wütend gegen Wände getreten hatte, weil man ihm im Gegensatz zu seinem Freund Martin, dem Gefängnisdirektorensohn, den mein Vater auch den »Gitterjungen« nannte, konsequent das Tragen einer Schlaghose verweigerte. Er litt auch unter seinem viel zu kurzen topfartigen Haarschnitt, den meine Mutter meist besorgte, kämpfte verbissen um jeden Millimeter und legte vor jedem Spiegel den Kopf weit in den Nacken, in der Hoffnung, die Haare würden endlich seinen Hals bedecken, wie es sich für einen ordentlichen Fan der härtesten Band der Welt gehörte. Die mit Rabattmarken gefüllten Heftchen vom Feinkostladen am Ludolfinger Platz überließ ihm meine Mutter heimlich zum Kauf der 45er-Scheiben, auf deren A- und B-Seite die neuesten Songs gepresst waren. Im Sommer hatte er voller Stolz die Single *I Can't Get No Satisfaction* erworben, die er nun täglich abspielte, sobald die Luft rein war.

Eines Tages, meine Warnung kam zu spät, die Musik war so laut aufgedreht, dass er mich und unseren heimkehrenden Vater überhörte, wurde die Tür zum Kinderzimmer aufgerissen. Unser Vater blieb wie angewurzelt stehen, als er sah, wie sein Sohn völlig entfesselt seinen Kopf hin- und her- und auf- und niederwerfend breitbeinig vor ihm stand, mit geschlossenen Augen in einem, wie er später sagte, »krankhaft ekstatischen Zustand«. Während sich die kleinen Finger seiner linken Hand um den imaginären Hals einer E-Gitarre krallten, schlug die Rechte zuckend in die Saiten. Ich war hinter meinem Vater die Treppen hochgesprungen, um das Schlimmste zu verhindern. Für einen Moment, der sich bedrohlich in die Länge zog, guckte er so, als wäre gerade der Dritte Weltkrieg ausgebrochen. Meine Mutter konnte nur mit größter Mühe und unter dem Aufgebot aller diplomatischen Mittel die Konfiszierung der Platte verhindern.

Die Lage blieb angespannt. Ich ging meinem Vater aus dem Weg, so gut ich konnte, während Sputnik keine Gelegenheit ausließ, seinem Protest lautstark Ausdruck zu verleihen. Wenn ich ihm auch in der Sache recht gab, ärgerte es mich doch, wie ungehemmt er die Auseinandersetzung mit seinem Erzeuger suchte und sich auch von gelegentlichen Katzenköpfen nicht abschrecken ließ. Unnötig zu betonen, dass auf diese Weise sein Traum von der Schlaghose, die sein Freund Martin, der Gitterjunge, längst besaß, in weite Ferne rückte.

Wenn mein Vater beim Abendbrot empört die letzten Neuigkeiten aus der Tagespresse verkündete, hüllte ich mich in Schweigen und überließ es Sputnik, Fragen zu stellen.

»Was ist ein Wasserwerfer, Papa?«

»Die werden von der Polizei gegen die Langhaarigen eingesetzt, damit es nicht zu Krawallen kommt.«

»Ist das wie bei uns mit dem Gartenschlauch?«

»Nein, das ist etwas ganz anderes.«

»Ich will da hin.«

Mein Vater schaufelte noch schneller als sonst sein Essen in sich hinein, hörte plötzlich auf zu kauen und starrte Sputnik mit vollem Mund entgeistert an.

»Was hast du da eben gesagt?«

»Ich will da hin.«

»Das schlag dir mal ganz schnell aus dem Kopf, und überhaupt müssen deine Haare mal wieder geschnitten werden. Ich will nicht, dass du wie ein Gammler aussiehst.«

Ein scharfer Seitenblick traf meine Mutter, die unversehens auflachte.

»Ein Gammler? Das ist ja zum Piiiiiepen. Hast du gehört, Knabe, werd mir kein Gammler.«

»Martin ist beim letzten Fasching als Gammler Karl aufgetreten, das war das tollste Kostüm von allen, an seinem Gürtel hing eine leere Whiskeyflasche.«

Mein Vater aß schweigend weiter.

»Und was will er dann später mal werden?«, fragte er, ohne aufzusehen.

»Millionär.«

Mein Vater starrte Sputnik völlig perplex an.

»Was will er werden?«

»Millionär oder auch Multimillionär.«

»Der Junge wird übel enden, das habe ich immer gesagt.« Nach einer Pause, in der er unermüdlich weiter schaufelte, murmelte er kaum hörbar vor sich hin.

»Es wird zum Großeinsatz kommen, mit Hundestaffel und berittener Polizei. Nach dem, was in Hamburg passiert ist, haben sie die Faxen dicke.«

»Woher weißt du das alles so genau?«, fragte meine Mutter.

Manchmal mischte sie sich aus purer Lust am Widerspruch ein. Diese seltenen Momente der Uneinigkeit zwischen meinen Eltern nutzte sie, um sich auf unsere Seite zu schlagen. Sie gehörten fraglos zu den Höhepunkten im Familienleben.

»Schweigepflicht.«

»Ein Patient? Wie spaaaaßig.«

»Sala, Schweigepflicht.«

»Was ist das?«, fragte Sputnik.

Entweder hatte mein Bruder kein Gespür für den rechten Augenblick, oder es war ihm egal, jedenfalls war meinem Vater deutlich anzusehen, dass sich seine Laune rapide verschlechterte.

»Das heißt, dass man einfach mal den Mund hält«, sagte mein Vater.

Kurz vor einer Jähzornattacke wurde sein Ton immer leiser, man erkannte die drohende Gefahr auch an der konsequenten Vermeidung jeglichen Blickkontakts. So starrte mein Vater jetzt auf seinen leeren Teller, als sei er die Ursache allen Übels. Wir waren nur noch wenige Atemlängen von einer Explosion entfernt. Sputnik senkte den Kopf wie sein Vater, seine hohe Kinderstimme klang jetzt aufgeraut, den bedrohlich leisen Ton hatte er sich erfolgreich abgehorcht.

»Ich darf alles fragen, hast du gesagt. Immer.«

Meine Mutter legte den Arm um seine Schulter.

»Weißt du, das sind, also das ist sicher ein Patient von Papa, von der Polizei oder so, der wird ihn gewarnt haben, dass man da besser nicht hin …«

Die flache Hand meines Vaters sauste mit Wucht auf die Tischplatte. Ein Glas fiel zu Boden und zerbrach in tausend Scherben.

»Schweigepflicht.«

Mitten in die Stille nach diesem donnernden Schrei, als mein Vater noch einmal Luft holte, um zum radikalen Ausbruch vorzustoßen, klatschte Sputniks kleine Hand auf die Tischplatte. Mein Bruder sprang vor Wut zitternd auf und brüllte aus Leibeskräften.

»Und ich will da hin, ich will die Hunde sehen und die Pferde und die Rolling Stones und den Wasser … Dingsda … Schlauchwerfer.«

Die letzten drei Worte wurden durch wütendes Getrampel verstärkt. In Sekundenbruchteilen stand ein fertiges Katastrophenszenario vor meinen Augen. Die Lage war bedrohlich. Am Ende würde es auf eine komplette Ausgangssperre hinauslaufen, das war das Mindeste. Aber dann geschah etwas vollkommen Unvorhersehbares, etwas Ungeheuerliches, das mich erleichterte, während mich eine nur mit letzter Kraft zu kontrollierende Wut packte. Mein Vater sah auf, ein Lächeln huschte über sein sich gerade noch lila färbendes Gesicht, er sprang auf, packte den erstarrten Sputnik unter den Achseln, warf ihn in die Höhe, fing ihn wieder auf und drückte ihn aus vollem Halse lachend an sich. Er lachte und lachte und lachte, bis ihm die Tränen aus den Augen spritzten.

»Schlauchwerfer ... Dingsda ... hahahahahahahaha.«

Meine Mutter warf nun auch den Kopf in den Nacken und stimmte in dieses sinnlose Gewieher ein.

»Hahahahahaha, ist ja zum Piiiiiiiiepen, hahahahahahahaha.«

Auch Sputnik kreischte lachend vor sich hin, während mein Vater ihn immer wieder an sich drückte, in die Luft warf und wieder an sich drückte. Als sich unsere Blicke trafen, sah Sputnik erstarrend, dass von meiner Seite keine Unterstützung mehr zu erwarten war. Es war genug. Ich war die einzige Normale unter lauter Irren, und dieser Mann konnte ebenso wenig mein Vater sein, wie diese Nervensäge mein Bruder war. Warum? Darüber würde ich nicht sprechen, und wenn sich mir ihre Gesichter noch so fragend entgegenreckten, von mir würden sie kein Sterbenswörtchen mehr zu hören bekommen. Schluss. Aus. Schweigepflicht.

Am 15. September war es Sputnik gelungen, sich von der Mutter eine Schlafanzughose in so etwas wie eine Schlaghose umnähen zu lassen, mit einer Krawatte des Vaters als Gürtel und einem Halstuch der Mutter als Stirnband, den Kopf tief im Nacken auf der Flucht vor dem nächsten Haarschnitt, stolzierte er durch die Straßen von Frohnau jedem Passanten verkündend, dass er am Abend dieses jetzt schon denkwürdigen Tages mit seiner Schwester das Konzert der Rolling Stones besuchen würde.

Unsere Pläne deckten sich keineswegs.

Die Karten für das Konzert waren längst ausverkauft, und während Sputnik durch Frohnau tigerte, überlegte ich fieberhaft, wie ich in wenigen Stunden in die Waldbühne unweit vom Olympiastadion gelangen könnte. Zwanzigtausend Menschen wurden erwartet, noch nie war ich bei einer Veranstaltung dieser Größenordnung gewesen.

Am Nachmittag traf ich mich mit ein paar Kommilitonen in Tegel, die, einem Gerücht zufolge, bereits einen Plan schmiedeten, der uns einen Platz in der Nähe von Mick, Keith, Bill, Brian, dessen verhangene Augen mich besonders faszinierten, und Charlie sichern sollte. Zu Hause erzählte ich seit Tagen nichts mehr, gab mich darüber hinaus aber freundlich neutral, stets bemüht, auch mit dieser neuen Grundhaltung keinen Verdacht zu erwecken oder ihn durch ein hier und da eingeworfenes »schade« oder »ausverkauft, da kann man nichts machen« zu zerstreuen.

Als ich aus dem 15er-Bus stieg, blieb ich erschrocken stehen. Eigentlich musste ich nur die Straße überqueren, um zum verabredeten Platz vor dem U-Bahneingang zu gelangen, zehn oder vielleicht fünfzehn Leute würden dort auf mich warten, es konnten auch mehr sein, vielleicht zwanzig oder dreißig, aber die Traube, die sich über den gesamten Vorplatz auf der gegenüberliegenden Straßenseite verteilte, war riesig. Es waren weit über hundert. Nach dem ersten Schock lenkte ich meine Beine möglichst entspannt hinüber, lass dir deine Aufregung nicht anmerken, sprach ich mir zu. Die meisten kannte ich kaum, einige waren älter, vielleicht auch gar keine Studenten, Langhaarige hätte mein Vater sie genannt und wäre bei ihrem Anblick außer sich geraten. Alles, was er sagte, ging mir zunehmend auf die Nerven. Schweigepflicht. Ich weiß nicht, aber als er das Wort aussprach, war mir, als schleuderte er es mir mitten ins Gesicht. Warum mir? Ich wusste keine Antwort, schlimmer noch, mir fielen keine Fragen mehr ein oder sie erschienen mir banal. Ich näherte mich der Gruppe. War dieses komische Deutschland ein Land voller Ärzte und ohne Patienten?

»Jeder schleppt seinen eigenen Patienten mit sich herum.«

Diesen merkwürdigen Satz hatte er einmal vor dem Kreis laut ausgesprochen. Dort saßen bis auf den Pfarrer auch nur Ärzte, keine Patienten, keine Leidenden.

Hannah, eine Kommilitonin, rannte auf mich zu und zog mich in die Gruppe hinein. Jemand drückte mir ein komisches Kraut in die Hände, eine dünne brennende Wurzel aus Holz oder so.

»Judenstrick«, sagte ein fremdes Gesicht, das mir sofort gefiel.

»Was für'n Ding?«, fragte ich.

»Kommt aus Bayern, klingt komisch, aber turnt gut.«

Ich zog ein paarmal dran und reichte das Zeug weiter.

»Wieso heißt das Judenstrick?«

»Keine Ahnung.«

Wieder kicherten wir. Ich wusste sofort, dass vor uns ein außergewöhnlicher Abend lag. Ich fragte mich nicht einmal mehr, was meine Eltern wohl denken oder später sagen mochten, wenn sie feststellen würden, dass ich nicht zur verabredeten Zeit nach Hause gekommen war. Es war mir egal, und während wir hinabstiegen und der U-Bahntunnel uns verschluckte, um uns später vor dem Olympiastadion wieder auszuspucken, dachte ich kurz an die Geschichte von Jonas und dem Wal. Ich wusste nicht mehr, warum er Jonas verschluckt und wieder ausgespien hatte, ich erinnerte nur dunkel, dass Jonas auf dem Weg nach Ninive war, einer gottlosen Stadt. Mir wurde schwindelig. Kamen diese merkwürdigen Gedanken vom Judenstrick?

Unterwegs war die Parole ausgegeben worden, die Sperren der Ordnungshüter, wie wir sie lachend nannten, zu stürmen, offenbar hatte keiner in dieser Riesengruppe eine rechtmäßige Eintrittskarte. Ein Student verteilte Becher, Colaflaschen wurden weitergereicht, dazu Rum, alles wurde zusammengeschüttet, der junge Mann, der mir den Judenstrick zu rauchen gegeben hatte, reckte nun sein Glas.

»Cuba Libre.« Er prostete mir zu. »Ich bin Ole.«

»Ada«, kicherte ich und ärgerte mich über meine Unsicherheit.

Das Getränk schmeckte nach allem, was ich seit Jahren vergeblich gesucht hatte.

»Auf Che!«, sagte Ole und zwinkerte mir zu.

»Auf Che.«

Ich hatte den Namen schon mal gehört, ich wusste vage von der kubanischen Revolution, aber eigentlich gingen mir bei diesen Themen die Ohren zu, oder, wie ich inzwischen immer häufiger sagte, sie gingen mir am Arsch vorbei.

Vielleicht lag es an meinem Vater oder an den häuslichen Diskussionen zu politischen Themen. Für mich war das vermintes Terrain. Der Ablauf war immer gleich. Mit den Worten »das ist doch hochinteressant« sprang mein Vater auf und zerlegte in einem längeren Monolog alles, was auch nur im Ansatz kommunistisch, revolutionär oder links war.

»Magst du noch einen?«

Ich sah in Oles Gesicht. Es war ein schönes Gesicht. Überall Locken. Bis über die Ohren, dunkelblond. Aschfarben. Ich traute mich nicht, nach seinen Händen zu sehen. Seit Hajo vertraute ich meiner Händetheorie nicht mehr. Ich wusste nun, jemand konnte die schönsten Hände der Welt haben und doch ein Schwein sein. Es gab keine Gewissheiten, schon gar nicht im Erscheinungsbild. So viel war sicher. Aber Ole war nett. Ich nickte ihm zu.

»Ja.«

Er schenkte mir lachend ein.

»Auf den Che«, sagte ich und versuchte mich in einem politisch überzeugten Blick.

»Auf Che«, antwortete er. »Auf das Leben.«

Das Leben? Ich erschrak. Auf das Leben? Ja, warum eigentlich nicht. Ich prostete zurück.

»Auf das Leben.«

»L'chaijm«, sagte er strahlend.

Er gab mir einen Kuss. Es geschah so natürlich, als würde er mir die Hand reichen.

»Bist du Jude?«, fragte ich.

»Ich? Nee, aber ich finde, wir müssen uns als Deutsche mit Israel solidarisieren.«

Er sprang auf und reckte seinen Cuba Libre in die Luft.

»Nie wieder Auschwitz!«

»Nie wieder Auschwitz!«, donnerte es im Chor zurück. Die anderen Fahrgäste starrten uns mit schreckgeweiteten Augen an.

Der Zug fuhr in den nächsten Bahnhof ein. Die Türen wurden aufgerissen. Eine alte Dame drehte sich im Aussteigen um.

»Ihr habt ja keine Ahnung.«

»Keine Ahnung«, johlten wir zurück. »Keine Ahnung.«

Ole sprang wieder auf. Er griff nach meinen Händen, warf sie auf seine Schultern und lief los. Die andern folgten uns. Hände legten sich auf Schultern, eine Polonaise, von Cuba Libre befeuerte Gesichter und zuckende Leiber hüpften singend durch den Waggon.

»Keine Ahnung, keine Ahnung, keine Aaaahahanung.«

Mit hochgezogenen Schultern beobachteten uns die restlichen Fahrgäste. Im Vorbeihüpfen hörte ich einen Mann, der ebenso alt wie mein Vater sein mochte, laut schimpfen.

»Wie die Hottentotten.«

Was wenige Minuten später in meinem Bauch ohrenbetäubend trappelte, waren nicht meine im Chaos übereinander herfallenden Gefühle, diese eigentümliche Mischung aus Angst und freudiger Erwartung, die einem wilde Schauer oder Schmetterlinge durch den Körper jagt – es war ein Kommando der berittenen Polizei, vor der ein Patient meines Vaters gewarnt hatte. Die Ersten in der Reihe sprangen erschrocken zurück, dann sah ich, wie sie Schlagstöcke zückten, um auf Einzelne von uns einzuprügeln. Ich schmiegte mich fest an Ole, der jetzt auch etwas blass umherstarrte. Das war's, dachte ich und fühlte plötzlich eine unbändige Wut aufsteigen. Was hatten wir denen getan, verdammt noch mal? Wir wollten doch bloß ein bisschen Musik hören, wir wollten unter uns sein, weg von diesen ganzen Hohlköpfen, den Lehrern, Ärzten und Feuerwehrleuten, den Schaffnern mit ihren Knipszangen, den Uniformierten, wie ich sie aus dem Kreis kannte, mit ihren Kassengestellen, ihrem Gott-erhalte-mir-meine-Bügelfalte-Blick, den Scheitel- und Krawattenträgern, den Ordnungshütern, die ein Reich zu hüten vorgaben, von dem wir von vornherein ausgeschlossen waren, ein untergegangenes Reich, das seine Tentakel krakenartig ausbreitete. Ohne zu denken, packte ich ein Pferd an seinem Schweif. Ich kannte Pferde, ich fürchtete sie nicht. Ich hatte mich zwischen ihnen hindurchgeschoben, als sie begannen, uns einzukesseln, und dann, als ihre Schlagstöcke auf die ersten Köpfe niedersausten, packte ich diesen dunklen Schweif, bevor er mir ins Gesicht schlug. Ich hielt mich fest. Ganz fest. Das Tier machte einen Satz nach vorn. Ich hielt die Augen geschlossen und dachte an Argentinien. Noch ein Satz. Ich wusste, es konnte nicht nach mir ausschlagen, es konnte nur nach vorn, ich hatte es bei den Gauchos hundertfach gesehen, wenn sie sich um die Wildpferde scharten, mit ihren Pluderhosen, an den Gürteln ihre blitzenden Messer. Wieder warf es mich auf die andere Seite. Ich hörte schreiende und kreischende Stimmen, die Reiterei wich zur Seite, das Pferd stieg hoch, einmal, noch einmal und noch einmal. Der Reiter flog in die Menge. Ich ließ los, das Pferd, ein wunderschöner Fuchswallach, sprang davon, wie ein Fohlen auf der Weide. *Buenos Aires*, dachte ich und preschte mit den anderen zweihundert schreiend nach vorn.

Kaum hatten wir die letzten freien Sitzplätze ergattert, kam die erste Band auf die Bühne. Ihren Namen hatte ich noch nie gehört. Egal, jeder Song wurde frenetisch gefeiert, es war, als würden wir uns langsam warmlaufen. Neben mir saß Ole und drehte eine Zigarette. In den Tabak mischte er eine bräunliche klebrige Masse, die er in Kügelchen, oder langgezogenen dünnen Würsten unter den Tabak mischte. Ein schwerer, harziger Duft stieg zu mir auf, als er das zylinderförmig gerollte Ding anzündete. Als er es mir reichte, sah ich, dass es etwa doppelt so groß war wie eine normale Zigarette. Es musste ein Joint sein. Ich wusste es sofort.

»Bist du auch an der Uni?«, schrie ich.

»Nee«, lachte er. »Den Quatsch hab' ich hinter mir.«

Ich zog vorsichtig an dem Zylinder und stieß den Rauch lachend und hustend wieder aus.

»Du musst versuchen, den Rauch in dir zu behalten.«

Er machte es mir vor. Erst nach ein paar Sekunden stieß er den Rauch aus.

»Wahnsinn. Und ein paar Meter weiter hat 1936 ein Schwarzer unter den Augen von Hitler vier Goldmedaillen gewonnen. Ich glaube, darüber kotzen die Deutschen heute noch«, sagte er.

Ich hörte nicht mehr richtig zu. Ole war süß, bis auf seine Locken ähnelte er sogar ein bisschen Brian Jones, das hatte mich gleich für ihn eingenommen. Von dem komischen Zeug spürte ich nichts. Da war mir vom Judenstrick schwindeliger gewesen. Aber jetzt schossen sie auf die Bühne. Brian, Mick, Keith, Bill und Charlie. Die Stimmung war bis jetzt frenetisch gewesen. Jeder Song der Vorgruppen war bejubelt worden. Aber was nun geschah, übertraf alles. Schon nach den ersten Takten versuchten Fans, auf die Bühne zu gelangen. Zu den Klängen von *Everybody needs somebody to love* stellten sich ihnen Ordner und Polizisten entgegen. Wir schrien alle. Die ganze Waldbühne schrie und kochte vor Freude. Ich hielt den Atem an und starrte nur auf Brian. Ganz in Weiß stand er ruhig da, während Mick springend und hüpfend mit dem Arsch wackelte. Die Ordner hatten keine Chance, schon stürmten die Ersten an ihnen vorbei, hinauf auf die Bühne. Die Stones verschwanden. Zwanzigtausend Zuschauer sprangen in die Luft. Das konnte es nicht gewesen sein. Ein Song? Nur ein verdammter Song? Dafür hatten wir das nicht alles auf uns genommen, das Warten, die Tränen zu Hause, wenn unsere Idole in den Schmutz gezogen und mit ungewaschenen Affen verglichen worden waren. Scheinwerfer kreisten suchend über die Menge. Die Hasardeure verließen die Bühne. Es fing an zu regnen. Dann traten die Stones wieder auf. Unter den wilden Schreien war die Musik kaum noch zu hören. Egal. Sie standen da, fünf Songs, die uns alle in dem Gefühl vereinten, endlich anders zu sein als unsere Eltern und für dieses Anderssein eine Stimme gefunden zu haben. Hart wie Steine, die den Berg hinunterrollten und alles unter sich begruben, den ganzen Mist, den wir nicht mehr haben und hören wollten.

»Die singen ja nur Coversongs«, schrie einer neben mir. »Wollen die uns verarschen? Und dafür sechs Märker, die sind wohl bekloppt.«

Schuhe flogen auf die Bühne, Äpfel und Tomaten, die Menge schrie immer lauter.

Mick trat ganz nah an die Rampe. Mein Herz stand still. Dann spielten sie *The Last Time*. Die Geschichte einer Trennung. Ich sah das Gesicht von Franz. Ich konnte nichts dagegen tun. Ich wusste nicht, was mit mir geschah. Ole versuchte, mich in den Arm zu nehmen, er streichelte mein Haar, nahm meine Hand. Ich schüttelte ihn wild schluchzend ab. Die Musik jagte in Wellen von der Bühne auf mich zu. Alles um mich herum geriet in Bewegung, alle schrien und tanzten, wir zuckten ekstatisch, wir fühlten die Freiheit, wir waren die Zukunft, die anderen brauchten wir nicht mehr.

Ich fasste nach Oles Hand. Alles um uns herum kreischte. In der Reihe vor uns zog ein Mädchen ihren Schlüpfer aus und schwenkte ihn triumphierend in die Höhe. Schuhe und Klamotten flogen in Richtung unserer Idole. Immer wieder durchbrachen einzelne Fans die Polizeiblockade, sprangen auf die Bühne, bis sie von den Polizisten mit Gummiknüppeln zurückgetrieben wurden.

»Da!«

Ole deutete wild gestikulierend auf die Bühne. Aus dem Hintergrund schoss ein Schatten hervor, er hüpfte Mick in den Rücken und klammerte sich wie ein Reiter an ihm fest. In wirbelnden Tanzschritten versuchte Mick, ihn abzuwerfen. Mick ging in die Knie, drehte sich in einer Schleuderbewegung wieder hoch und warf den Angreifer wie einen lästigen Cowboy ab. Im Fallen gelang es ihm, Mick seine Jacke zu entreißen, oder war es Mick, der sich so aus seiner

Umklammerung löste? Er drehte sich zu seinen Musikern, winkte, und alle rannten von der Bühne. Sie waren einfach weg. Die Bühne war leer. Was war geschehen? Das Geschrei ließ nach. Köpfe wirbelten suchend herum. Ein kleiner Mann trat ans Mikrofon.

»Das Konzert ist beendet. Geht nach Hause.«

»Der hat Micks Jacke«, flüsterte Ole, »Micks Jacke.«

Das Licht ging aus. Die schalteten einfach das Licht aus. Waren die denn verrückt geworden? Ich sah nichts mehr. Aus dem unruhigen Gemurmel brachen wütende Schreie hervor. Wasserwerfer wurden auf uns gerichtet. Die wollten uns fertigmachen, die wollten uns von den Bänken fegen. Die Ersten wurden von der Bühne gespritzt. Neben mir rissen ein paar Leute die Holzplanken von den Sitzen und warfen sie den herannahenden Polizisten entgegen, die jeden niederknüppelten, der sich ihnen in den Weg stellte. Weiter oben knickten wütende Zuschauer die Laternen um wie Lakritzstangen. Flaschen flogen auf die Bühne, zerrissene Bravohefte wirbelten wie brennendes Konfetti durch die Luft. Bevor ich etwas sagen konnte, packte Ole meine Hand und riss mich mit.

»Komm raus hier, bevor's 'ne Massenpanik gibt.«

Ich stolperte hinter ihm die Stufen zum Ausgang hoch, wurde geschubst und gestoßen, ohne jede Angst, ich fühlte mich gut, ich hatte zum ersten Mal das Gefühl zu leben, so zu leben, dass ich auch etwas dabei empfand.

Über die Seitenstraßen gelangten wir zur S-Bahn zurück. Links und rechts von uns krachten Steine in die Fenster der umstehenden Villen, deren Lichter im Nu erloschen. Dunkle Schatten gingen in Deckung, als stünde der Bezirk Westend kurz vor einer schweren militärischen Invasion.

Wir sprangen in die S-Bahn, stiegen am Westkreuz um. Kurz vor Halensee sahen wir, wie im Nachbarwaggon die

Scheiben eingeschlagen und die Sitze aufgeschlitzt wurden. Irgendjemand zog die Notbremse. Alle stürmten aus den Abteilen. Einzelne begannen, aufeinander einzuprügeln. Während wir versuchten, in Deckung zu gehen, heulten Martinshörner heran. Wir rannten die Treppen hoch, konnten gerade noch aus dem Bahnhof auf den Ku'damm springen, als die ersten Polizeiwagen auf den Gehsteig schossen. Uniformierte jagten mit gezückten Gummiknüppeln heraus. Zwei wurden von einer Gruppe niedergerannt. Ohne uns umzudrehen, flohen wir so schnell wir konnten über den Platz, bogen rechts in die Westfälische und rannten und rannten, bis wir nichts mehr hörten.

Atemlos blieben wir stehen, sackten an einer Hauswand zu Boden, unsere schweißnassen Lippen saugten sich ineinander fest.

Schweigend gingen wir durch die Nacht.

In der Wielandstraße kramte Ole, ohne mich loszulassen, mit der Linken einen Schlüssel aus seiner Hosentasche. Die Tür sprang langsam auf und fiel hinter uns wieder ins Schloss. Wir schlichen die Treppen hinauf bis zum dritten Stock und schoben uns durch die halb offene Wohnungstür.

Sein Zimmer war klein. Platten auf dem Boden, Stones, Beatles, Doors, Beach Boys, Kinks, aber auch ein paar Bands, die mir völlig unbekannt waren, Velvet Underground, The Who, The Byrds. Dazwischen stapelten sich Klamotten, ein paar Pfeifen, Tabakkrümel, Zigarettenpapier, ein wildes Durcheinander, andere Architekturen als die ordentlich gestapelten Schätze in meinem eigenen Zimmer, das wie ich selbst immer noch unter elterlicher Beobachtung stand.

»Willst du noch einen rauchen?«

»Ich ... also ehrlich gesagt, hab' ich gar nichts gespürt.«

»Is' beim ersten Mal immer so.«

Er lächelte.

»Willst du?«

»Wenn du willst.«

»Muss nicht sein. Dachte nur so … zum Runterkommen.«

Ich legte mich in seinen Arm und schlief augenblicklich ein.

Als ich aufwachte, war es heller Tag. Ole war weg. Ich sprang erschrocken hoch. Aus dem Fenster fiel mein Blick auf einen leeren Innenhof. Ein paar Fahrräder, sonst nichts. Schwankend tastete ich mich in den Flur. Hinten links, ein paar Stimmen. Ich trug ein weites Hemd von Ole und ein paar dicke Wollsocken. Keine Ahnung, wie ich da rangekommen war. Mein Schädel brummte, und mir dämmerte, dass sich inzwischen in Frohnau ein Berg voller Probleme türmte, dem ich mich in meinem jetzigen Zustand nicht gewachsen fühlte. Der dunkle Flur führte in eine geräumige Küche. Ich steckte vorsichtig den Kopf hinein.

»Hi.«

Jungen und Mädchen in meinem Alter saßen da. Manche hatten oben nichts an, andere waren unten herum nackt.

»Kaffee?«

»Mhm.«

Ich nickte, mir war sofort klar, dass lange Sätze in diesem Zusammenhang unpassend waren. Der schwere harzige Geruch von gestern Abend stieg mir wieder in die Nase. Von hinten legte sich ein Arm um mich. Ole. Wir küssten uns, als lebten wir schon seit Ewigkeiten so. Er deutete auf die einzelnen Gesichter.

»Mareike, Andrea, Micha, Tanja, Hotte, Kerstin, und das ist Ada.«

Wir nickten uns zu. Ein Joint ging herum. Auch eine Art Kreis, dachte ich und lachte kurz auf bei der Vorstellung, Wolfgang Däumer, Achim und Anneliese Pumptow, Schorsch, die Buschatzkis und Pfarrer Krajewski würden demnächst bei uns zu Hause halb nackt um den Wohnzimmertisch versammelt hocken, einen Joint kreisen lassen und über den Freiheitsbegriff bei Kant diskutieren, während im Hintergrund ein Plattenarm über eine alte Aufnahme von Beethovens Neunter mit den Berliner Philharmonikern dirigiert von Furtwängler kratzen würde.

In die Stille hinein führte mich Ole auf den letzten freien Stuhl und machte sich am Kühlschrank zu schaffen. Der Joint kreiste weiter. Beim ersten Zug wurde mir sofort schwindlig. Hustend stieß ich den Rauch aus und wedelte ihn lachend weg. Das Mädchen, das Tanja hieß, kicherte, dann reichte ich die Tüte, wie sie das Ding nannten, weiter. Micha begutachtete fachmännisch die Glut. Ich musste etwas falsch gemacht haben. Mir war, als würde er sich eine tadelnde Bemerkung verkneifen. Stattdessen feuchtete er seinen Mittelfinger an und betupfte vorsichtig die hintere Seite des Joints. Dann machte er zwei, drei knappe Züge, drehte den Zylinder gegen das Licht, nickte und reichte ihn zufrieden weiter.

Ole schlug ein paar Eier in die Pfanne. Das leise Brutzeln mischte sich mit dumpfen Klängen. Hotte, schmales langgezogenes Gesicht mit runder Nickelbrille und wildem Bart, bearbeitete eine kleine Doppelconga, die er zwischen seine nackten Beine geklemmt hatte. Ole bestrich eine Scheibe Brot mit Butter, belegte sie mit zwei Scheiben Käse, balancierte zwei gewendete Spiegeleier darüber und stellte den Teller vor mich hin. Ich konnte mich nicht daran erinnern, dass mein Vater je meiner Mutter Spiegeleier gebraten und sie dann auch noch gewendet hatte. Ich wusste auch nicht, wie das hier funktionierte, wer arbeiten ging, wer das Geld verdiente, von dem sie lebten, aber es fühlte sich gut an, anders und richtig.

Der Stoff schien diesmal zu wirken, eine tiefe Gelassen-

heit breitete sich in mir aus. Ich ließ mich in Oles Arme sinken, der jetzt hinter mir saß, auf meinem Stuhl.

Ich war endlich zu Hause. Über alles andere musste ich
nicht nachdenken. Nicht hier. Nicht jetzt. Morgen.

Als der Abend nahte, schien es mir doch ratsamer, mich
auf den Heimweg zu begeben. Von einem beträchtlichen
Schaden war bereits auszugehen, aber es gab wenig in unserer Familie, das sich so zuverlässig steigern ließ wie auf-
gestaute Gefühle auf der Suche nach dem passenden Ventil.
Wahrscheinlich hatte mein Vater bereits Feuerwehr, Polizei
und sämtliche Krankenhäuser alarmiert und durchkreuzte
auf der Suche nach mir seit einigen Stunden die Stadt. Als
Zielscheibe hatte ich mich in den letzten vierundzwanzig
Stunden bestens qualifiziert.

Karneval der Tiere

Umso größer war meine Überraschung, als mir beim vorsichtigen Betreten des elterlichen Wohnorts nur beklommenes Schweigen entgegenschlug. Man begegnete mir höflich, erwähnte den Vorfall mit keinem Wort, interessierte sich nicht für diese im Familienleben fehlenden fünfundzwanzig Stunden. Es war, als wäre etwas aus unserer Mitte herausgerissen worden, und dieses Etwas war ich möglicherweise selbst. Ich beschloss, mich mit Gelassenheit zu wappnen. Ole hatte mir ein Stück Shit mitgegeben, das sollte mir über die Trennung und die ersten heimischen Schwierigkeiten hinweghelfen. Es war nicht ausgemacht, wann wir uns wiedersehen würden, auch das gehörte zu meinem neuen Leben. Ich beschloss, mich nicht durch Verlustgedanken vor meinen neuen Freunden zu erniedrigen. Ich würde den Kampf aufnehmen, koste es, was es wolle, und sei es mein Untergang, den ich allerdings weniger fürchtete als die Streichung sämtlicher finanzieller Mittel.

Zwei Tage später erwarteten meine Eltern wieder einmal die Freunde vom Kreis, und ich beschloss, mir diesen Abend durch ein paar ordentliche Züge aus Oles liebevoll gedrehter Wundertüte zu versüßen, ohne zu ahnen, welch bahnbrechende Erkenntnisse mir damit bevorstanden.

»Donnerwetter, jawoll«, sagte Onkel Achim und fasste mich bei der Taille, als wollte er mich zum Tanz bitten. Ich grinste ihn aus meinen bekifften Augen an. Dieses Zeug war besser als jede Tarnkappe, und während ich noch in meinem versponnenen Zustand überlegte, wer in welchem Märchen oder in welcher Sage zu welchem Zweck eine Tarnkappe getragen hatte, kicherte ich verlegen über Tante Annelieses eifersüchtigen Blick. Ich würde jedenfalls heute nicht das Rumpelstilzchen geben, sollte sich jemand anders vor Wut zerreißen, ich würde über den Dingen schweben und freute mich bei diesem Gedanken diebisch über den bevorstehenden Spaß. Ich wusste nicht, wie viel Ole in diese Tüte hineingedreht hatte, aber die Wirkung war grandios, gerade so, als wären wir alle Figuren in einem Film, aus meiner Perspektive gedreht, ein bisschen überzeichnet vielleicht, dafür umso wirkungsvoller.

»Lachen«, begann mein Vater, nachdem alle Gläser gefüllt waren und die ersten Zigaretten qualmten, »Lachen ist momentane Anästhesie des Herzens.«

Zu meinem Erstaunen verwandelte er sich dabei vor meinen Augen in einen Löwen. Ich sah in die Runde. Alle Mitglieder des Kreises waren jetzt Tiere. Meine Mutter ein Schwan, Onkel Achim ein Auerhahn, Tante Anneliese eine Henne, Onkel Gerhard ein Esel, Tante Gertrud ein Kuckuck, Onkel Wolfi ein Zierfisch, Onkel Schorsch ein Pfau und Pfarrer Krajewski eine Schildkröte. Ich nahm die Hand vor den Mund und lachte laut auf. Alle drehten sich empört um.

»Schttttt«, sagte der Auerhahn.

»Schttttt«, sagte auch die Henne.

Ich sah zur katholischen Schildkröte und bekreuzigte mich brav. Vorsichtig schob sie das Köpfchen aus dem Panzer, nippte am Weinglas und stöhnte selig.

»Gewürztraminer.«

»Des is a Riesling, Herr Pfarrer, bitte um Vergebung«, sagte der Pfau.

Die Schildkröte zog sich beleidigt in ihren Panzer zurück.

»Also bitte, ja? Hört doch einmal diesen wunderbaren Satz, Kinder, Lachen ist Anästhesie des Herzens«, sagte der mütterliche Schwan.

»Momentane Anästhesie«, ergänzte Vater Löwe.

»Jaja, natürlich momentan, was denn sonst? Habe ich doch gesagt, mooooomentaaaaaane Anästhesie des Herzens.«

»Nein«, antwortete der Löwe und schüttelte seine Mähne. Ich dachte an seine Glatze und prustete unter dem strengen Blick von Auerhahn Achim wieder laut los.

»Also wirklich …«, sagte der Kuckuck.

»Ja, Gertrud«, sagte der Esel, sah zum Kuckuck auf und schob sich gleich zwei Schnittchen ins weit offene Maul.

»Dieser Satz aus dem Essay von Henri Bergsons *Das Lachen* …«, sagte der Löwe.

»On vient d'en rire, alors qu' on devrait en pleurer«, unterbrach der Schwan.

»Was?«, fragte der Löwe irritiert.

»Man lachte, obwohl man drüber weinen sollte: Musset«, sagte der Schwan.

Auerhahn und Henne schoben verdutzt ihre Hälse vor und zurück.

»Muscadet?«, fragte die Schildkröte. Der Herr Pfarrer war zwischenzeitlich eingenickt.

»Musset, Herr Pfarrer, Musset«, sagte der Schwan.

»Ah ja.« Die Schildkröte zog sich abermals beleidigt in ihren Panzer zurück.

Zu meiner Freude sah ich sie nun alle auch noch in wechselnden Farben. Ein wirklich außergewöhnliches Material, das Ole mir da zur Verfügung gestellt hatte. Wie würde es hier abgehen, wenn ich ihnen etwas davon in den Zigarettenspender schieben könnte? Vielleicht würden sie dann mal wirklich lachen, anstatt nur darüber zu reden. Wieder prustete ich vor mich hin.

»Tsssssssssss, tsssssssssss, tssssssssssss …«

»Die Ada lacht wie a besoffene Fliege«, sagte der Pfau.

»Tssssssssss, tsssssssssssss, tssssssssss …«

»Aber eine wirklich entzückende Fliege«, sagte der Zierfisch-Wolfi und schnappte nervös nach Luft.

»Vielleicht ist jetzt mal Schluss«, meldete sich Auerhahn-Achim mit schlackerndem Doppelkinn zu Wort.

»Danke, Achim«, sagte der Löwe. »Lasst mich auf den Punkt kommen.« Er wandte sich zum Schwan: »Wenn man hier ständig unterbrochen wird, verliert man den Faden. Also …«

Der Karneval der Tiere verstummte augenblicklich. Alle wandten ihre Köpfe aufmerksam dem Löwen zu.

»Was meint Bergson damit überhaupt?«

Die Tiere senkten nachdenklich ihre Köpfe.

»Ihr alle kennt das Beispiel aus zahlreichen Komödien«, fuhr der Löwe fort. »Oder aus alten Stummfilmen …«

»Stummfilme …«, stieß der Schwan seufzend hervor.

»Sala, bitte …«

»Verzeihung, Herr Doktor.«

Die Tiere lachten.

»Der Mensch, der auf dieser Bananenschale ausrutscht, bringt uns nur dann zum Lachen, wenn wir ihn nicht kennen, wenn wir also, anders als bei unseren Lieben, nicht mit dem Herzen bei ihm sind. Wir erkennen sein unfreiwilliges Missgeschick, erkennen uns in der Situation selbst wieder, begreifen die unglückliche Mechanik … und lachen. Ein Erkenntnisprozess.«

»Bravo«, sagte der Auerhahn. »Das ist groß.«

»Wirklich groß«, pflichtete ihm seine angetraute Henne bei.

»Momentane Anästhesie des Herzens bedeutet Distanz«, sagte der Löwe und winkte bescheiden ab. »Nähe betäubt unsern Verstand und rührt uns zu Tränen.«

Der Löwe sah mich an.

»Ergreifend, möchte ich beinahe sagen«, stimmte der Schwan ein und blickte stolz zu seinem Löwen empor.

Da ich auch in diesem Haus mein Quartier im Keller bezogen hatte, fiel es niemandem auf, als ich mich noch in der Nacht durch das kleine Fenster auf Rasenhöhe aus dem Staub machte, zurück zu meiner neuen Familie, zurück in die Wielandstraße.

Immer noch etwas benommen von Oles Tüte und den dampfenden Gesichtern des Kreises schlüpfte ich in sein Bett, während er ein hölzernes Gerät mit Tabak und Dope füllte.

»Was ist denn das?«, kicherte ich nervös.

»Ein Shilom.«

»Noch nie gehört.«

»Zieh mal.«

Er reichte mir das mit kunstvoll geschnitzten Figuren verzierte Stück Holz. Das Mundstück war mit einem farbigen Seidentuch umwickelt.

Ich zog. Die Rauchentwicklung war noch um einiges imposanter als bei einem Joint. Alles drehte sich. Vorsichtig ließ ich mich in die Kissen zurückfallen, während Oles Finger sanft über meinen Bauch trommelten. Kaum berührte er mich, begann ich zu zerfließen. Sein ganzer Körper war Musik. Er war anders als die meisten Männer, femininer, dachte ich, als ich spürte, wie er in mich eindrang. Im Hintergrund spielte eine Musik, die ich noch nie gehört hatte.

»Wer ist das?«, flüsterte ich.

»Pink Floyd.«

Wow, dachte ich, als mich die erste Welle überlief und dann noch eine und noch eine, es wollte gar nicht mehr aufhören. So etwas hatte ich noch nie erlebt, so konnte es also auch sein, dachte ich, als mir die Augen vor Glück zufielen, während er in mir blieb.

Die Arche

»Wollen wir schwimmen gehen?«

»Abgefahrene Idee.«

Micha stand in seiner ausgeleierten Unterhose am Herd und bereitete das Frühstück zu. Der schwere Duft des kreisenden Morgenjoints mischte sich mit dem brutzelnden Eierspeck. Alles in diesem Paradies roch nach Leben, dachte ich, während ich mich in Gedanken an den Totentanz des Kreises vom letzten Abend schüttelte. Heute war Sonntag, und meine Alten würden schon ahnen, dass ich nicht zum Ruderbootfahren mit ein paar braven Kommilitonen verabredet war. Dass sie auf jegliches Theater verzichtet hatten, rechnete ich ihnen an. Vielleicht waren sie doch noch lernfähig.

Im gelben Doppeldecker fuhren wir nach Halensee, von dort mit der S-Bahn zum Wannsee. Den Gedanken, zum Strandbad zu latschen, verwarfen wir als zu sehr Establishment. Wer wollte sich schon neben gegrilltem Wellfleisch samt plärrenden Kindern in seicht abfallendem Gewässer treiben lassen. Da gab es aufregendere Fantasien.

Nach einem längeren Marsch führte uns Micha über einen schmalen Fußweg eine Böschung hinunter zum Kleinen Wannsee. Blinzelnd standen wir am Ufer. Dort schnappten wir uns zwei herumliegende Kanus und paddelten los.

»Ey, das ist Diebstahl, ihr Wahnsinnigen«, rief ich lachend.

»Falsch, Requirierung demnächst in allgemeinen Besitz

zu überführender Fortbewegungsmittel«, konterte Hotte, genüsslich an einer frisch gedrehten Tüte ziehend.

Ein paar Minuten später, vielleicht auch mehr – Zeit verlor zunehmend an Bedeutung –, legten wir an einer abfallenden Wiese an. Oben befand sich eine riesige Villa, die mich in meinem Zustand an ein sizilianisches Herrenhaus erinnerte. Wir befestigten unsere Kanus und beschlossen, einen Landgang zu machen.

»Requiriert«, sagte Hotte, als er sich bereits nach ein paar Metern auf den Rasen fallen ließ.

Tanja, Mareike und Kerstin packten ein paar belegte Brote und Cola-Dosen aus, die Jungs breiteten eine bunt karierte Wolldecke auf der frisch und gleichmäßig gemähten Rasenfläche aus.

»Englisch. Eins A gepflegt.«

Ole fuhr anerkennend mit der linken Hand über das Grün.

Einige von uns entledigten sich gerade ihrer Klamotten, um sich nackt ein zweites Frühstück zu genehmigen, als ein kugelrunder Asiate auf kurzen Beinen die Wiese heruntergerollt kam.

»Guck mal, wie der geölte Blitz, die kleine Kugel«, schmunzelte Hotte.

Der Mann baute sich vor uns auf. Kleine Schweißperlen tropften von seiner Stirn.

»Privatgelände. Bitte verlassen Sie Grundstück.«

Trotz seines lustigen Auftretens wirkte er recht entschieden.

Wir starrten ihn amüsiert an, der Stoff begann zu wirken, und wir dachten nicht im Geringsten daran, das Feld zu räumen.

»Aus welchem wunderbaren Land kommen Sie, guter Mann?«, fragte Hotte.

»Bitte verlassen Sie Grundstück ... ist Privatgelände.«

»Nichts ist privat.«

»Ich rufe Polizei.«

Hinter seinem Rücken kam eine blonde Frau im Tennis-rock herbeigelaufen.

»Schon gut, Herr Nguyen.« Sie wandte sich an uns. »Was kann ich für Sie tun?«

»Champagner, Kaviar, Langusten und ein paar Austern, aber die schönen fetten, nicht diese popeligen Dinger, wenn's beliebt, Gnädigste«, sagte Hotte, der sich kurz aufgerichtet hatte, um gleich wieder ins Gras zu sinken und seinen elfen-beinernen Körper der Sonne zu überlassen.

Die Tennisdame ließ sich nicht aus der Ruhe bringen. Sie streckte ihm die Hand entgegen.

»Engelmann.«

»Frau Professor Doktor Engelmann ist Besitzerin und bittet höflich gehen«, sagte Herr Nguyen.

»Sehr erfreut, Frau Professor.«

Hotte sprang auf, verneigte sich mit großer Geste.

»Mein Name ist Professor Hotte, Dr. Dr. jur. rer. nat., wie kann ich Ihnen behilflich sein?«

Sie stockte kurz.

»Nun, ich wäre Ihnen überaus verbunden, wenn Sie tat-sächlich dem Vorschlag von Herrn Nguyen folgen könnten und Ihr Picknick auf meinem Grundstück beendeten.«

»Gnädigste, darf ich Sie als Jurist daran erinnern, dass die öffentlichen Gewässer, wie der Name schon sagt, kei-neswegs privatem Besitz zuzuordnen sind und der Zugang der anliegenden Grundstücke insofern jedermann frei zu gewähren ist, und zwar die sieben Meter bis zum Wasser?«

Für einen kurzen Moment schien es ihr die Sprache zu verschlagen.

»Wie bitte?«

Die Tennisspielerin starrte entgeistert. Dann öffnete und schloss sie ein paarmal tonlos ihre Lippen, fuhr sich mehrfach mit der Linken durch ihr blondes schulterlanges Haar.

»Wie kommen Sie denn darauf?«

»Paragraf 61 und 62 StGB, Gnädigste«, sagte Hotte und deutete mit einer eleganten Bewegung auf uns. »Verzeihen Sie, ich vergaß, Ihnen meine Kollegen vorzustellen, Prof. Dr. Linke, Politologie«, Micha verneigte sich, »Frau Prof. Dr. Grünschnabel, Garten- und Landschaftsarchitektur«, Andrea lächelte freundlich, »Frau Prof. Dr. Schläfer, Anästhesie, Herr. Prof. Dr. Bong, nebst Assistentin, Toxikologie, Frau Prof. Dr. Beinspreitz, Sexualtherapie«, Kerstin, Tanja, Mareike, Ole und ich verneigten uns tief, auch wenn ich mich ein wenig ärgerte, dass Hotte mir als Einziger nur einen Assistentinnenstatus zubilligte.

Frau Prof. Dr. Engelmann blickte sich zum Haus um, warf einen Blick auf ihre elegante Armbanduhr, um sich dann in kindlicher Hilflosigkeit wieder an Hotte zu wenden.

»Ja … und was machen wir jetzt?«

»Liebe Frau Kollegin, was können wir denn für Sie tun?«

Wir nickten alle zustimmend.

»Nein, um Gottes willen, also, … wissen Sie, mein Mann kommt gleich vom Reiten zurück.«

»Soll ich Polizei rufen, Frau Professor?«, fragte Herr Nguyen, der bis jetzt dem Gespräch mit gebührendem Abstand gefolgt war, nun aber den Moment gekommen sah, Entschlossenheit zu demonstrieren.

»Herr Engelmann wird sehr …«

Es war nicht ganz klar, an wen sich diese Warnung richtete. Unsere Gastgeberin drehte sich ein paarmal unsicher zwischen ihm und uns hin und her.

»Ja, Herr Nguyen, vielen Dank, aber ich … also, wenn ich Ihre Hilfe brauche, werde ich Sie das wissen lassen.«

»Jawohl, Herr Nguyen, wir werden Sie das gerne wissen lassen«, ergänzte Hotte, der nun unserer Gastgeberin eine frisch gedrehte Tüte anbot. »*Ladies first.*«

»Was soll denn das sein?«

»*Jux primae noctis*, wie wir Lateiner sagen.«

»*Jus!*«, entgegnete die Dame im Tennisdress pikiert.

»Oh«, kicherte Hotte. »Wir kennen unsere Klassiker, ja? Probieren Sie ruhig, ein bisschen Entspannung kann Ihnen nicht schaden.«

»Am Morgen einen Joint, und der Tag wird dein Freund«, grinste Micha.

Frau Professor Engelmann wich erschrocken zurück. Hotte zuckte mit den Schultern und überließ mir die Ehre, die Tüte anzuzünden. Diesmal würde ich mich nicht blamieren. Behutsam feuchtete ich die Klebenaht mit meiner Zunge an, legte meine Lippen um den kleinen Kolben, saugte mit laszivem Blick zur Frau Professor den Stoff bis in die äußersten Winkel meiner Lungen, schloss die Augen und blies ihn ihr sanft ins Gesicht. Ich weiß nicht, wer von uns eher umzufallen drohte, jedenfalls sprang sie wie ein scheues Reh zurück, während ich taumelnd das Gerät weiterreichte und an Oles Schulter sinkend Schutz vor der hochschießenden Wirkung suchte.

»Schwarzer Kaschmir«, grinste Hotte. »Ganz was Feines, nicht wahr, Gnädigste?«

»Herr, äh …«

»Sag ruhig Hotte zu mir, so nennen mich alle, Titel sind Schall und Rauch.«

Er blies ihr eine dicke Kaschmirwolke ins Gesicht, der sie tapfer standhielt.

»Also gut, Hotte …«

»Und du?«

»Bitte?«

»Na, wie heißt du, Schätzchen?«

»Katja«, antwortete Frau Engelmann gequält.

»Also, Katjuschka?«

Ich glaube, langsam wurde ihr klar, dass Hotte, ohne mit der Wimper zu zucken, diesen Dialog ad absurdum führen würde.

»Die Cateringfirma kommt in einer Viertelstunde. Hier ist mein Vorschlag …« Sie holte tief Luft. »Hotte … ich bringe Ihnen …«

»Dir, Schätzchen, dir, bleib ganz locker, ich beiße nicht.«

»Ja … dir … äh euch das Menü und ihr guckt schon mal, worauf ihr Lust hättet und, wenn die dann …, wenn sie da sind, ja, also der Caterer, meine ich, dann nehmt ihr euch was, ich werde es euch natürlich einpacken lassen … und dann macht ihr euch einfach noch einen schönen Tag mit den Kanus und … ja. Was halten …« Sie sah seine hochgezogenen Augenbrauen. »Ich meine, was hältst du davon … Hotte?«

Hotte nahm einen tiefen Zug aus Kaschmir, der ihn direkt auf einen Achttausender zu katapultieren schien.

»Nicht schlecht …«

»Ja, nicht wahr?«

Mareike und Tanja waren im Gebüsch verschwunden und kamen aufgeregt zurück.

»Hey, das müsst ihr sehen, so was habt ihr noch nie gesehen, jedenfalls nicht aufm Wannsee.«

»Was denn?«

»Hinter der Böschung ist ein Bootshaus …«

»Und da drin …«, fuhr Tanja fort, »ein Ding, also ein Boot, der Wahnsinn, sage ich euch.«

Mareike war völlig aus dem Häuschen. Hotte blickte Katja fragend an.

»Katjuschkaleben? Was ist denn da für ein Bötchen? Wolltest du das deinen Freunden vorenthalten?«

»Was für ein Boot, Hotte?«, fragte unsere neue Freundin in gespielter Unschuld.

»Na komm, wir gucken mal, ja?«

Ich nahm noch einen kräftigen Zug Kaschmir und folgte Arm in Arm mit Ole den andern die Böschung hinab.

Hinter dem Gestrüpp lag tatsächlich ein Bootshaus. Gar nicht mal so klein, dachte ich, nein, es war sogar ziemlich groß und hoch vor allem. Das war ein richtiges Haus, da drin hätte man wohnen können. Wir schlüpften durch die halb offene Tür und blieben stehen. Vor uns im Wasser schunkelte gemütlich ein Boot aus edlem Holz, mit einer beigefarbenen Plane zugedeckt. Vorsichtig hob Micha die Plane an und befreite es aus seinem Winterschlaf. Prächtig lag es da. Die senkrecht hochgezogenen Seitenwände bestanden aus klinkerförmig vernagelten Planken. Auf dem durchgelatteten Boden lag ein Mast aus Bambus, mit einem Segeltuch bespannt, man brauchte ihn nur noch in die dafür vorgesehene Öffnung zu hieven und das Boot war bereit, um in See zu stechen.

»Was ist das?«, stammelte Andrea leise.

»Eine Dschunke«, sagte Herr Nguyen, der feierlich hinzugetreten war. »Ein vietnamesisches Segelschiff.«

»Vietnam?«, sagte Hotte und musterte Herrn Nguyen. »Aus welchem Teil dieses wunderbaren Landes kommen Sie, Nord oder Süd?«

Herr Nguyen schwieg.

»Herr Nguyen ist Nordvietnamese«, sagte Katja Engelmann.

»Donnerwetter, Katjuschkaleben, das nenne ich fortschrittlich. Du beherbergst einen Kämpfer gegen den weißen Imperialismus?«

Katja sah ihn leicht verwirrt an. Langsam schüttelte sie den Kopf. Ich glaube, sie wusste wirklich nicht mehr, wie ihr geschah, ich glaube, wenn Hotte sie in diesem Moment gefragt hätte, ob sie nicht mit uns an Bord ihres Schiffes der Weltrevolution entgegensegeln wollte, sie hätte nicht gezögert.

»Lieber Genosse Nguyen, Sie sollen wissen, dass wir alle auf Ihrer Seite stehen.« Hotte reckte die geballte linke Faust. »Nieder mit den Imperialistenschweinen. Nieder mit Johnson. Ho – Ho – Ho Chi Minh.«

Herr Nguyen starrte ihn erschrocken an. Vielleicht stellte er sich seine Befreier anders vor.

»Weißt du was, Katjuschkaleben? Wir machen das Tierchen jetzt flott, und während du mit Herrn Nguyen das Sonntagsbuffet aufbaust machen wir einen kleinen Törn und bringen dir dann heute Abend dein Schmuckstück wohlbehütet und unbeschadet zurück, was sagst du?«

Katja Engelmann sah Hotte ungläubig an. Es war nicht klar zu erkennen, was jetzt in ihr vorging. Andrea und Tanja liefen an den Seiten nach vorne und stießen die Doppeltür des Bootshauses weit auf. Die Sonne strömte herein. Wir sprangen auf das Schiff, während Hotte behutsam die Dame des Hauses Herrn Nguyens weiterer Fürsorge überließ. Dann gab er der Dschunke einen Stoß und sprang als Letzter an Bord.

Nach den ersten Metern packten Micha und Ole den Mast, bugsierten ihn in die vorgesehene Öffnung und hissten die rot leuchtenden Segel. Vom Garten aus starrten uns Katja und Herr Nguyen entsetzt nach. Zwei frische Joints kreisten, das Abenteuer war perfekt. Kaum waren wir in See gestochen, näherte sich von der anderen Seite ein Motorboot in beträchtlichem Tempo. Aufgescheucht von dem kulturlosen Lärm, begab sich Hotte zum Bug. In entrüsteter Bootseignerpose stellte er sich breitbeinig und nackt vor das Segel und forderte die heranpreschenden Banausen mit abwiegelnden Gesten auf, Geschwindigkeit und Lärm zu drosseln. Seine Bemühungen waren vergeblich, der Kahn legte noch einen Zahn zu. Jetzt erkannten wir zwei stehende Männer, die ihre Ferngläser auf uns richteten. Hotte fiel der Unterkiefer runter, und bevor er ihn wieder hochklappen konnte, erkannten auch wir, dass es sich bei dem heranbrausenden Flitzer um ein Polizeiboot handelte. Die Joints flogen über Bord und mit ihnen unser Nachschub, eine großzügig bemessene Ration, die gut und gerne für zwei oder drei weitere Tage gereicht hätte. Die Polizei drosselte den Motor und drehte bei.

»Berliner Wasserschutzpolizei. Sollen wir anlegen, oder wollen Sie?«

Ganz so harmlos war unsere Gastgeberin wohl doch nicht gewesen. Bestimmt hatte sie uns die Bademeister auf den Hals gehetzt. Wie einflussreich der Ehemann von Katja Engelmann war, sollten wir wenige Stunden später erfahren, als uns ein durch meine Eltern zur Seite gestellter Anwalt erklärte, in was für eine juristisch prekäre Lage wir uns da manövriert hatten. Der Vorgang wurde vorschriftsmäßig protokolliert, ich wurde vom Anwalt meiner Eltern alleine nach Hause gefahren, und das Ganze hätte sich vermutlich zu einem handfesten Skandal ausgewachsen, wenn Frau Prof. Dr. Engelmann nicht von einer Anzeige abgesehen hätte.

»Mazzel gehabt«, sagte meine Mutter.

Es war das einzige Wort, was an diesem Abend bei uns zu Hause gesprochen wurde, anschließend gingen wir schweigend zu Bett.

Das Ende vom Anfang

Unter dem Vorwand, mit meinen Kommilitonen den intensiven Lernstoff zu verarbeiten, verbrachte ich meine Tage und Nächte in Oles Zimmer. Wir widmeten uns einem anderen Stoff, lebten in den Tag hinein, kifften und vögelten uns die Seele aus dem Leib, schwebten in anderen Sphären. Die Uni, die von meinen Eltern für mich entworfene bürgerliche Zukunft waren Vergangenheit, vor mir lag das Leben, so wie ich es selbst gestalten wollte, eine fortwährende Party, voller aufregender Freunde und neuer Begegnungen. Nach Hause kam ich nur noch, wenn das Geld knapp wurde, oder um meine Wäsche zu waschen. Hotte, unser spiritus rector, versorgte uns mit geistiger Nahrung, Bücher, in denen wir blätterten, wenn wir von den leiblichen Genüssen satt und zunehmend leer nach Abwechslung suchten.

Nach dem zweiten sorglosen Sommer schlich sich auch der Herbst unbemerkt davon. Mitten im Winter, wenn die kindliche Freude mit dem ersten Schnee dahinschmilzt, hockten wir einander gegenüber, ich mit einem Buch von Wilhelm Reich im Schoß, irgendwas mit Orgasmustherapie, an deren Wirksamkeit im echten Leben ich erste, noch zarte Zweifel hegte, Ole zwischen Mickey Mouse und einem Buch von Karl Marx, dessen Titel mir entfallen ist. Mit anderen Worten, die Decke fiel uns auf den Kopf, und an manchen Abenden begannen wir uns auf die Nerven zu gehen. Bei mir lag es daran, dass ich nicht wusste, wohin mein Leben oder ich gehen sollten. An manchen Tagen fragte ich mich, was uns von einer stinknormalen Kleinfamilie unterschied, abgesehen von der Tatsache, dass wir meistens halb nackt herumliefen, was die Heizkosten zusätzlich hochtrieb.

Ole stand mit nacktem Oberkörper über einen Schraubstock gebeugt. Zwischen die eisernen Blöcke schob er einen braunen Klumpen, fett wie ein Buch, zog den Hebel fest, beugte sich mit aller Kraft vor, ruckte noch ein paarmal an der Eisenstange, löste sie mit einem kräftigen Schlag und präsentierte stolz das Ergebnis seiner Arbeit.

»Was ist das?«

»Dope, frisch gestreckt und gepresst.«

»Gestreckt?«

»Bisschen Henna, bisschen Gummi, bei gutem Stoff heißt das, aus eins mach zwei.«

»Wozu denn?«

»Profit.«

»Du willst doch nicht dealen, oder?«

»Nee, ich will das gestreckte Zeug selber rauchen. Ada, mit den paar Kröten von deinen Alten kommen wir nicht weit, irgendwie müssen wir uns das süße Leben finanzieren, oder?«

»Und wenn sie dich schnappen?«

»Ich vertick's nur an Leute, die ich kenne oder die auf Empfehlung kommen. Oles Feinkostladen, verstehst du?«

Ich sah ihn skeptisch an, fand es aber auch irgendwie anziehend.

»Was verdient man dabei?«

Er hielt das große Stück hoch.

»Zweihundert Gramm aus einem Piece von ursprünglich hundert Grämmer, macht doppelter Gewinn, plus Mengenrabatt von zwanzig Prozent für meinen ersten Großeinkauf – und das ist erst der Anfang.«

»Wie?«

»Na ja, wenn wir nach Amsterdam fahren, könnten wir dort mit dem Gewinn ein Kilo Spitzenware kaufen, danach gleiches Procedere, und der Rubel rollt. Das machen wir ein Jahr, höchstens zwei, und danach gehen wir erst mal auf Weltreise, Süße.« Seine Augen leuchteten. »Stell dir mal vor, Pakistan, Afghanistan, dann Indien … Ich kauf uns einen Bus, bau das Ding um, möbel es auf zu einer perfekten Wohn-Schlafküche mit Toilette, Dusche und allem Pipapo. Fetzige Farben, ein paar gute Boxen für den richtigen Sound, und ab ins Paradies, oder willst du den Rest deines Lebens in dieser Mauerstadt bei Schnee, Regen und deutscher Küche fristen?«

»Und wenn sie dich schnappen?«

»Schaffen die nicht. Ich hab' einen Plan, der ist so was von wasserdicht, da lache ich den Fuzzis an der Grenze noch ins Gesicht, bevor sie mir in den Arsch leuchten.«

»Echt?«

»Glaubste mir nicht?«

»Weiß nicht …«

»Ada, glaub mir, ich weiß, was ich tue, und wenn du mitmachst, sind wir unschlagbar.«

Bonnie und Clyde

Die erste Tour war der helle Wahnsinn. Ein paar gefälschte Seminarscheine beeindruckten meine Mutter so sehr, dass sie sich bei meinem Vater für mich einsetzte und das Unmögliche möglich machte. Er borgte uns tatsächlich seinen Mercedes für eine Fahrt ins Blaue. Natürlich gab ich ein anderes Ziel an. Mein neuer Freund sei Kunststudent, wir würden uns so gerne gemeinsam die verschiedenen Kirchen und Kathedralen in Bayern ansehen. Bayerischer Barock, so viel brachte ich gerade noch hervor. Mit neuem Haarschnitt präsentierte sich Ole sanft wie ein geschorenes Lamm mit einem von Hotte geliehenen grauen Anzug nebst blaurot gestreifter Spießerkrawatte, nickte brav und bescheiden, vor allem aber anerkennend bei den nicht enden wollenden Ausführungen meines Vaters über die besonderen Fahreigenschaften dieses Meisterwerks deutscher Ingenieurskunst.

»Mercedes«, sagte er, als er endlich fertig war und Ole den Schlüssel überreichte. »Unübertroffen, eine Klasse für sich. Die Papiere liegen im Handschuhfach.«

Ole nickte dankend. Als wir eingestiegen waren, klopfte mein Vater aufgeregt an die Fensterscheibe. Ole kurbelte lässig runter.

»Ja?«

»Bitte, Ole, verstehen Sie mich nicht falsch, aber ich muss Sie das fragen … äh, ja, also könnte ich noch kurz Ihren Führerschein sehen …?«

»Aber natürlich, Herr Doktor.«

Jetzt strahlte auch meine Mutter übers ganze Gesicht. Sie liebte es, wenn man ihren Mann mit dem Doktortitel ansprach. Wurde das vergessen, bestand sie darauf, der Titel gehöre zum Namen und im Übrigen habe ihr Mann dafür hart gearbeitet. Ole stieg artig aus, um Führerschein und Ausweis wie bei der Polizeikontrolle zu präsentieren, er war einfach süß.

»Wunderbar, alles in bester Ordnung, lieber Ole.«

»War ja auch nicht anders zu erwarten, Otto«, sagte meine Mutter triumphierend, aber doch etwas pikiert. Hatte sie sich etwas in den Kopf gesetzt, ließ sie sich nicht mehr davon abbringen. Solche Nachforschungen erlebte sie als Infragestellung ihrer Glaubwürdigkeit, und das nahm sie persönlich.

In Amsterdam checkten wir in einem kleinen Hotel direkt am Leidseplein ein. Piet, Oles Kontaktmann, wartete schon in der Lobby auf uns. Er sei eigentlich Musiker, sagte er, drückte uns gleich eine Tüte in die Hand und lud uns ein, mit seinem blauweiß lackierten Holzboot bei Sonnenuntergang durch die Grachten zu schippern. Dieser Geschäftstrip, wie Ole es nannte, war unsere erste gemeinsame Reise. Amsterdam warf uns das Leben vor die Füße.

»Und das ist nur der Vorgeschmack.«

Ole war in seinem Element. Er gab sich weltmännisch und zog den ersten Deal meisterhaft durch, als hätte er nie etwas anderes gemacht. François, der uns den Stoff in den Hinterräumen seiner kleinen Bar verkaufte, lebte seit ein paar Jahren hier. Aus seiner Zeit als Matrose verfügte er über die nötigen Beziehungen und verdiente sich jetzt eine goldene Nase. Dass ich fließend Französisch sprach, machte nicht nur einen guten Eindruck, es verschaffte mir auch einen gewissen Vertrauensvorsprung, vor allem aber war ich dadurch mehr als ein Anhängsel, denn als Franzose blieb François Ausländern, insbesondere Deutschen gegenüber, grundsätzlich misstrauisch. Nach zwei durchfeierten Nächten befanden wir uns auf dem Rückweg kurz vor der Grenze zwischen Holland und Deutschland. Ich hatte keine Ahnung, wie oder wo Ole das Dope versteckt hatte, reine Vorsichtsmaßnahme, meinte er, so würde ich im schlimmsten Fall an der Grenze unschuldig wirken. Ole war nicht nur süß, er wusste einfach, was sich gehörte. Die Sonne strahlte, ich fühlte mich geborgen und sicher. Was sollte uns schon passieren? Wir waren Glückskinder, Ole sagte es immer wieder, je näher wir der Grenze kamen. Langsam ließ er den Mercedes an die Schlange zum Grenzübergang rollen. Er drehte das Radio aus.

Erst hinterher fiel mir auf, dass wir ab diesem Zeitpunkt kein Wort mehr miteinander gesprochen hatten. Als sich rechts und links von uns zwei weitere Schlangen bildeten, hinter uns mindestens zehn Autos standen, wurde mir bewusst, dass wir in der Falle saßen. Auf einmal kam mir unser Unternehmen nicht mehr ganz so elegant geplant vor. Es gab kein Zurück mehr. Jedes Ausscheren aus der Schlange, jeder Versuch, der Gefahr auszuweichen, war nun zum Scheitern verurteilt. Es gab keinen Zweifel, wir waren vollkommen verrückt. Wenn sie uns jetzt durchsuchten, wanderten wir ohne Umweg ins Gefängnis. Während ich mich fragte, wo Ole den Stoff versteckt haben konnte, sah ich vor mir die entsetzten Gesichter meiner Eltern. Ich konnte meine eigene Angst riechen, während wir unserem Schicksal im Schritttempo entgegenrollten. Sieben Wagen noch, dann waren wir dran. Ich hatte gezählt, seit einer halben Stunde zählte ich nur noch. Ich zählte, die Sekunden, Minuten, Stunden, die Tage, Wochen, Monate zu den Jahren zusammen, die wir in getrennten Zellen in irgendeiner deutschen Haftanstalt verbringen würden. Ich dachte an den Vater von Sputniks Busenfreund Martin, den Oberregierungsrat und stellvertretenden Gefängnisdirektor der Jugendstrafanstalt in Berlin-Plötzensee, der Plötze, wie sie die Berliner nannten. Nach ein paar Bier prahlte er gerne mit seinem Insiderwissen von den brutalen Verhältnissen in seiner Anstalt, von den einfachen Erniedrigungen bis zu den alltäglichen Vergewaltigungen, natürlich auch im Frauenknast, wie er genüsslich vor sich hin seierte. Ich zählte die Menschen, die mich noch besuchen würden, die noch bereit wären, mich zu kennen, nachdem ich so tief gefallen war, die Seminarstunden, die ich seit dem Stones-Konzert und meiner ersten Nacht mit Ole verpasst hatte, die Gespräche, die ich mit meiner Familie nicht geführt, die liebevollen Sätze, die ich nie gesagt, die Fragen, die ich nie gestellt hatte und die zu beantworten ich mich standhaft weigerte. Ich zählte und zählte und zählte, als ich sah, wie der junge Grenzbeamte mit strengem, zum Äußersten entschlossenem Blick zwei Wagenlängen vor uns einen zitronenfaltergelben Citroën 2CV, einen *deux chevaux*, aus der Reihe winkte, und ich glaubte, nein, ich war mir vollkommen sicher, dass wir, ein so junges Paar in einem so teuren Auto, als Nächste kontrolliert werden würden, dass es keine Chance gab, unserer Verhaftung zu entgehen.

Aber dann geschah etwas ganz und gar Merkwürdiges. Als meine Angst ihren Höhepunkt erreichte, als ich nicht mehr bereit war, auf meine Zukunft auch nur einen Pfifferling zu setzen, als ich schon überlegte, mich freiwillig zu stellen, um einer erniedrigenden Leibesvisitation und allem anderen erhobenen Hauptes zu entgehen, fiel mein Puls von gefühlten zweihundertsiebzig Schlägen pro Minute in den Ruhezustand. Der Schweiß auf meiner Stirn trocknete, im Schminkspiegel der Lichtblende trat mir ein entspanntes, lebensfroh gerötetes Gesicht entgegen, lächelte mir beruhigend zu, während ich dem Zöllner zuzwinkerte, als er uns mit ernstem Nicken durchwinkte. Eines war sicher, beim nächsten Mal würde ich die Organisation übernehmen, und ich hatte auch schon einen Plan.

Eine Butterfahrt

Ole hatte den Stoff mit Silberpapier umwickelt in den Hohlräumen links und rechts über den Vorderrädern verstaut. So viel Naivität hatte ich ihm wirklich nicht zugetraut. Ich dachte, François und Piet wären ihm mit Rat und Tat zur Seite gestanden, aber das hatte sein Stolz offenbar nicht zugelassen. Langsam dämmerte es mir, Ole war ein Kind, ein kleiner Junge, der glaubte, bei den Großen mitmischen zu können. Ich war sauer.

»Das war reines Anfängerglück, das ist dir hoffentlich klar.«

Ich stand breitbeinig, die Arme in die Hüften gestemmt vor ihm, als er die Platten mit Henna gestreckt in seinen Schraubstock schob.

»Ein Ritt über den Bodensee war das.«

»Was für'n Ding?«

»Ein … ach, vergiss es. Wir könnten jetzt im Knast sitzen, das ist dir hoffentlich klar.«

Er trat zu mir, legte seine Arme um mich.

»Komm …«

»Nix komm.«

Ich machte mich los.

»Schnuppe, wir machen jetzt das große Geschäft, denk an unsere Weltreise.«

»Schnuppe?«

»Ja, du bist meine Sternschnuppe.«

Das war wiederum süß. Aus seinen blauen Augen strahlte er mich verträumt an. Er war wirklich das Gegenteil meines Vaters, aber langsam fragte ich mich, ob das ausreichen würde, außerdem verglühten Sternschnuppen recht schnell.

»Dann darf ich mir was wünschen, oder?«

»Wieso?«

»Bei Sternschnuppen darf man sich immer was wünschen.«

»Aber doch nicht die Sternschnuppe«, sagte Ole.

»Nein, die setzt den Wunsch in die Tat um.«

»Heißt?«

»Später …«, ich grinste ihn an. Er war Butter in meinen Händen, und ich wusste es.

Der Stoff war schnell unter die Leute gebracht. In diesem Punkt gab es nichts zu beanstanden, als Dealer verstand Ole sein Geschäft. Das Dope war so stark, dass es ihm auch noch gestreckt aus den Händen gerissen wurde. Eine Woche später waren wir bereit für die nächste Reise, in der Tasche das nötige Kleingeld für drei Kilo feinster Ware. Diesmal, hatte ich beschlossen, würden wir mit dem Zug reisen, zusammen mit Tanja und Mareike als Verstärkung. Ich weiß nicht, warum ich ausgerechnet sie gewählt hatte, Bauchgefühl, jedenfalls schienen sie mir genau die Richtigen zu sein. Mein Plan war einfach und genial, weil alle genialen Dinge so einfach sind, dass kein anderer darauf kommt.

Während wir Mädchen in Düsseldorf ausstiegen, reiste Ole, diesmal unverkleidet, weiter nach Amsterdam, um dort alles klarzumachen. In diesem Punkt konnte ich ihm vertrauen. Dass die Zöllner an der Grenze den Zug bestiegen, gehörte nicht zu meinem Plan, dass sie Ole bis auf die Socken filzten und dabei sein gebündeltes Bargeld für den Deal entdeckten, dass sie ihn fragten, was ein junger Mann denn mit so viel Geld in ihrem Land vorhabe, hatte ich ebenso wenig bedacht. Dummerweise erzählte er es mir auch nicht. Jedenfalls nicht gleich. Auch ziemlich naiv, naiver, als ich denken konnte, aber manchmal ... egal, ich will nicht vorgreifen.

In Düsseldorf kleideten wir uns bei Peek und Cloppenburg wie drei brave deutsche Muttis ein, die eine Butterfahrt ins nahe Venlo planten, um nach einer kleinen Sightseeingtour und ein paar Gläschen Sekt, angeheitert, mit Butter, jungem, mittelaltem und altem Gouda, Heizdecken und Kaffee bewaffnet, im Sonnenuntergang schnatternd zurückzufahren. Die neutralen weißen Tüten in unseren Handtaschen waren unverfänglich, auch den Zollbeamten im Zug waren sie nicht weiter aufgefallen, als sie Ole durchsuchten, um ihren Anfangsverdacht zu erhärten.

In Venlo waren wir um Punkt 16.30 Uhr in der Fußgängerzone verabredet. Um diese Zeit, so mein Plan, würde kein Polizist der Welt in dem Strom Einheimischer und Touristen auf drei junge Frauen achten, die sich auf dem Weg in einen der vielen Käseläden machten, auch nicht, wenn sie dort auf einen jungen Deutschen trafen, den man aufgrund seines bunten Aufzugs niemals mit ihnen in Verbindung bringen würde. Natürlich war Ole nicht pünktlich, aber auch das hatte ich einkalkuliert. Um 16.47 Uhr bog er mit geröteten Augen in die Fußgängerzone. Wäre die Gesamtlage nicht so angespannt gewesen, wäre ich wohl beim Anblick dieses zugedröhnten Paradiesvogels prustend im nächsten Hauseingang verschwunden. Aber der Ernst der Lage verlangte zügig kontrolliertes Vorgehen. Wie verabredet liefen wir aneinander vorbei, kehrten in einen bereits in Berlin festgelegten Käseladen, den angeblich besten auf der ganzen Meile, packten den Käse in unsere neutralen weißen Tüten, die wir beim Zahlen auf dem Boden abstellten. Der Laden war gerappelt voll, niemand nahm Notiz von dem verstrahlten jungen Mann, der seine ebenfalls in neutralem Weiß gehaltenen, prall gefüllten Tüten neben unseren abstellte. In dem

Gedränge hätte auch kein aufmerksamer Beobachter erkennen können, dass wir mit seinen und er etwas später mit unseren Tüten aus dem Laden in verschiedene Richtungen abmarschierten. Etappe zwei, die Übergabe, war anstandslos über die Bühne gegangen. Der Rest war ein Kinderspiel.

Zurück in Berlin stapelten wir die Beute auf dem Küchentisch. Hotte verzog sich schnell, er wollte von unseren Machenschaften, wie er sich verächtlich ausdrückte, nichts wissen. Diese bürgerliche Attitüde eines angehenden Revolutionärs war für mich eine herbe Enttäuschung. Das Argument, wir würden den Kapitalismus mit seinen eigenen Waffen schlagen, ließ er nicht gelten. Der Duft von drei Kilo Extraklasse breitete sich in der ganzen Wohnung aus, während Ole ein Stück von dem Dunkelsten abbrach und sein Shilom damit füllte. Drei verschiedene Sorten hatte er gekauft.

»Schwarzer Nepal, Schimmelafghane, Roter Libanese. Alle drei absolut top. Davon wird nichts gestreckt, damit stoßen wir in andere Dimensionen vor. Kein Kleinkram mehr, ab jetzt verticke ich nur noch hundertgrammweise an Zwischenhändler zum Dreifachen des Einkaufspreises.«

Der Stoff törnte wirklich gut. So etwas hatten wir alle noch nicht geraucht. Nach der ersten Welle fielen wir über den holländischen Käse her. Mareike bestrich dafür ihr Brot mit Nutella anstatt mit Butter, Ole mit Senf und ich mit Marmelade. Es war göttlich.

»Ihr hättet mal die Gesichter der Grenzer in Venlo sehen sollen, als ich mit drei Tüten voller stinkendem Gouda um die Ecke gebogen bin.«

»Erzähl, erzähl«, riefen Mareike und Tanja mit aufgepumpten Backen.

Ole machte ein wichtiges Gesicht und hüllte sich in Schweigen.

»Na los, erzähl schon«, sagte ich.

Ich war etwas enttäuscht, dass es ihm bei so einer wichtigen Mission nicht einmal gelungen war, nüchtern aufzukreuzen. Mein Plan mochte wasserdicht sein, aber für Nichtschwimmer war er nicht gedacht.

»Na jaaaa«, jetzt klang er schon wie meine Mutter. »Es waren dieselben Typen wie auf der Hinfahrt, die Hirnis hatten sich meine Personalien notiert und wollten jetzt meine Kohle sehen.«

»Was denn für Kohle?«, fragte ich.

»Na, die Kohle, die drei Mille, die sie bei der Hinfahrt beim Filzen gesehen hatten.«

»Die haben dich auf der Hinfahrt gefilzt?«

Er nickte.

»Und das erzählst du uns jetzt?«

»Wollte dich nicht nervös machen, Schnuppe.«

»Bist du noch ganz dicht?«

Am liebsten hätte ich ihm eine geklebt. Breitbeinig schmauchend saß er vor mir, schob sich zwischen den Zügen eine Goudascheibe nach der anderen zwischen die Kiemen und verkündete in aller Seelenruhe, dass die Bullen seine Devisen notiert hatten. Ein zerlumpter junger Deutscher mit gebündelten dreitausend Deutschen Märkern in der Hose auf dem Weg nach Amsterdam kehrt am übernächsten Tag mit leeren Taschen und ein paar Kilo Gouda zurück. Honni soit qui mal y pense.

»Weiter«, sagte ich.

»Na jaaaaa«, schon wieder dieser Heimatsound, ich hätte ihn auf den Mond schießen können.

»Komm auf den Punkt.«

»Okay, also ich steh so vor denen, die durchsuchen die Tüten, schneiden den Gouda echt auf, ja, ich sage noch, hey, das ist mein Käse, den könnt ihr mir bezahlen, aber flotti

Galotti, sonst hört ihr von meinem Anwalt, wusste ja, dass sie mir nichts können, sah, wie die langsam rot und grün vor Wut wurden. Mitkommen, sagt einer, so'n Zwerg mit großer Nase, Leibesvisitation. Ich grins ihn an und meine, ich würde mich über jede Visite freuen, auch wenn sie noch so überraschend käme, denn ich sei mir als aufrichtiger Staatsbürger nun wirklich keiner Schuld bewusst. Da schubst der mich in so 'ne Kabine und fordert mich auf, die Hosen runterzulassen. Na na, grinse ich ihn an, wackle rügend mit dem Zeigefinger und freue mich schon auf sein enttäuschtes Gesicht. So kam's dann auch. Ich glaub', der hat mir vom Darmausgang bis in die Kehle geleuchtet, so versessen war der darauf, etwas zu finden, was da nicht hingehört. Tja, Pusteblume, außer Spesen nichts gewesen. Jedenfalls mussten sie mich ziehen lassen.«

Mareike und Tanja starrten ihn bewundernd an. Manchmal können Frauen einfach entsetzlich dämlich sein. Am liebsten hätte ich sie fotografiert, um sie zu etwas mehr Selbstkritik zu motivieren.

»Vorher habe ich noch gehört, wie Zwerg Nase seinem Chef etwas zuflüsterte, woraufhin der achselzuckend sagte, daar kunnen we hem niet mee inpakken. Wenn man kurz nachdenkt, ist die Sprache gar nicht so schwer. Auf Holländisch klingt alles irgendwie netter, jedenfalls wollte er wohl sagen, dass er mich womit auch immer nicht packen kann, aber dann hat er es trotzdem versucht.«

»›Was haben Sie denn mit Ihre dreitausendsiebenhundert D-Mark in Amsterdam gemacht?‹

›Party‹, sage ich und grinse ihm frech ins Gesicht.

›Für dreitausendsiebenhundert D-Mark, eh? Was soll denn das für ein Party sein?‹

›Schöne Party‹, sage ich.

›Habe noch nie von solche Party gehört.‹

›Tja‹, sage ich. ›Jeder wie er kann, nicht?‹

›Was mache Sie beruflich?‹

›Künstler‹, sage ich.

›Ach ja? Was verkaufe Sie denn?‹

›Träume.‹«

»Ich glaube, der überlegte kurz, ob er mir eine reinhauen soll. Tja, was soll ich sagen, stimmt doch, Träume, hab' nicht mal gelogen.«

Ich ging schweigend ins Zimmer und warf mich aufs Bett.

Ich fühlte mich nicht gut.

Am nächsten Morgen war wieder Waschtag. Wie immer warf ich alles auf einen Haufen, auch Oles Zeug, leerte die Taschen, wollte mich gerade auf den Weg zu meinen Eltern machen, als ich auf dem Boden zwischen verklebten Tempos einen kleinen Zettel liegen sah. *Linda, nieuwe liliestraat 24 b, 0031-20-894511, lekker neuken in de keuken.* Lekker war nicht schwer zu verstehen, aber was bedeutete der Rest?

»Lekker neuken in de keuken?«, sagte ich zu Ole, als ich in die Küche kam. Er stand allein am Herd und wechselte dreimal hintereinander die Gesichtsfarbe. Mit offenem Mund starrte er mich an, als sei ich von einem anderen Stern und würde ihn nach dem Weg zum Leidseplein fragen. Bevor er sich etwas zurechtlegen konnte, fasste ich schnell nach.

»Wer ist Linda in der nieuwe liliestraat?«

Er gab dann schnell auf. Linda war eine Prostituierte, *keuken* bedeutete Küche und *neuken* hieß ficken. Auf dem Zettel stand also in etwa *lecker in der Küche ficken.* Mir wurde schlecht.

»Ada?«

Ich fuhr erschrocken herum. Sputnik stand in der Tür.

»Hey.«

Er sprang mir um den Hals.

»Adaaaaa.«

Ich drückte ihn fest an mich.

»Bleibst du jetzt?«

»Ich weiß noch nicht …«

»Bitte, bitte, bitte, bitte.«

Er war schon wieder gewachsen. Regungslos stand ich
mit ihm da.

»Gestern hatten wir Besuch.«

»Ja?«

»Ja, Onkel Hannes war da.«

»Onkel Hannes?« Ich erstarrte. »Welcher Onkel Hannes?«

»Na, Onkel Hannes, der Papa von Fränzchen.«

»Wer ist denn Fränzchen?«

Offenbar war ich nicht auf dem neuesten Stand.

»Na, seine Tochter, und Mama ist ihre Patentante.«

»Von wem?«

Ich war vollkommen verwirrt, es schien noch einen anderen Hannes zu geben. Nie hatte ich von einem Fränzchen
gehört, ich wusste auch nicht, dass meine Mutter ein Patenkind hatte.

»Na, von Onkel Hannes.«

»Seit wann hat Mama denn ein Patenkind?«

»Weiß ich nicht. Immer schon?«

Sie hatte mir nie davon erzählt. Ungeheuerlich.

»Bist du sicher?«

»Er hat Mama beim Reinkommen geküsst.«

»Was hat er?«

»Auf den Mund geküsst.«

»Echt?«

»Ja, und Papa hat nichts gesagt, der hat nur so komisch geguckt, so …«

»Wie denn?«

»Weiß nicht …«

Er zuckte mit den Achseln. Ich musste Mopp anrufen, aber nicht von hier.

Am Abend war ich mit der gebügelten Wäsche zurück. In der Küche erwartete mich ein kleines Empfangskomitee mit Frauenüberschuss.

»Ja?«

Was dann geschah, war ohne Beispiel. Links und rechts von einem völlig geknickten Ole standen aufrecht Tanja, Mareike und Andrea. Hotte war wahrscheinlich wieder auf einer seiner politischen Versammlungen.

»Ada«, sagte Mareike. »Wir müssen reden.«

Im ersten Moment dachte ich, sie hätten Ole die Leviten gelesen, so sah er jedenfalls aus, aber dann kam es doch etwas anders.

»Wir wollen doch nicht diesen kleinbürgerlichen Scheiß unserer Eltern reproduzieren, oder?«

»Wieso?«, fragte ich noch mit einem gewissen Widerstand in der Stimme, weil ich bereits ahnte, was nun kommen würde.

»Na jaaaaa«, sagte Tanja, und ich fragte mich, ob jetzt alle beschlossen hatten, wie meine Mutter zu reden. »Du weißt schon, sexuelle Treue, Besitzanspruch und der ganze Krampf, wegen dem wir alle so neurotisch sind.«

»Was?«

»Jetzt tu nicht so, du weißt schon.«

Wenn der *spiritus rector* Hotte nicht da war, verliefen die Gespräche etwas schlichter.

»Jeder Mensch ist frei geboren, oder?«, fragte Andrea.

»Genau«, sagte Tanja.

»Alles andere ist Unterdrückung.«

»Und du liebst doch Ole, oder nicht?«

Diese drei Wohlmeinenden, das wurde mir schnell klar, würden sich mir nichts dir nichts in griechische Rachegöttinnen verwandeln, wäre ich nicht bereit, mich ihrem polygamen Modell zu unterwerfen, was im Grunde nichts anderes meinte, auch das war mir auf unserer Butterfahrt nicht entgangen, als dass jede ihr Schäferstündchen mit meinem Freund haben wollte, diesem von Elend gekrümmten Häufchen, das sich jetzt vorsichtig, aber schon mit siegesgewissem Dackelblick erhob. Er ahnte, wie schnell sich seine drei Grazien in Furien verwandeln konnten, bereit, für ihn, oder besser noch, um ihn zu kämpfen. Das ganze Gerede von weiblicher Solidarität kannte nur ein Ziel, die eigene Lust, zu deren Gunsten ich, die Schwester im Geiste, großzügig verzichten sollte. Nicht mit mir, dachte ich und ließ alle vier türenknallend stehen.

Selbst Könige müssen sich entscheiden

Ich lief heulend durch die Stadt. Die Leute wichen mir aus. Ein zerlumptes Hippiemädchen, wahrscheinlich auch noch drogensüchtig. Alle sahen weg. Bestimmt dachten sie an ihre eigenen Kinder, fürchteten, mein Verfall könnte ansteckend sein. Komisches Volk. Sie wandten sich immer nur ab. Nichts sollte sie stören auf ihrem Weg in die Zukunft, keine Kinder, keine Vergangenheit. Waren wir nicht ihre Zukunft? Wohl nicht die, die ihnen vorschwebte. Es begann zu regnen.

Als ich vor Mopps Wohnungstür stand und die Klingel drückte, wusste ich selbst nicht, wie ich hierhergekommen war.

»Ada … was … komm rein.«

Ich war bis auf die Knochen nass. Trotz der schwülen Hitze saß ich zitternd auf dem Sofa. Mopp brachte mir eine Tasse Tee.

»Zitronentee mit Honig und einem Schüsschen Rum. Kann nicht schaden. Vorsicht, heiß.«

Ich trank in kleinen Schlucken. Der Rum wärmte mich. Das war kein Schüsschen, eher eine halbe Tasse.

»Zeig dich mal her, ich hab' dich ja ewig nicht gesehen. Prächtig siehst du aus. Eine junge Frau.«

Sie nahm meine Hände und rieb sie aneinander. Ihr Blick war so offen, dass mir sofort die Tränen kamen.

»Wo drückt der Schuh?«

Ich versuchte es, aber immer wieder schnürte sich mir die Kehle zu. Womit sollte ich anfangen?

»Komm, ich leg mal Musik auf. Beatles?«

»Du hast Platten von den Beatles?«

»Alle.«

Ich fiel ihr um den Hals. Die Beatles. Ich war zwar mehr Stones-Fan, aber egal. Welche Freunde meiner Eltern hörten denn unsere Musik? So etwas gab es nicht.

Sie legte eine Platte auf.

Ah, look at all the lonely people …

Eleanor Rigby, ich erkannte es sofort. »Warum bist du eigentlich nie bei uns? Beim Kreis, oder so?«

»Ach.« Mopp winkte ab. »Da passe ich nicht hin, und dein Vater, na ja, ich bin ja eher Salas Freundin. Aus andern Zeiten, weißt du.«

»Außer dir hat Mama gar keine Freundin.«

Mopp nickte nachdenklich.

»Und ich eigentlich auch nicht, seit Uschka weg ist«, sagte ich.

»Keine Freundin? In deinem Alter?«

»Na ja, schon, aber die sind alle … ach, ich weiß nicht. Ich glaube, ich bin anders.«

»Hast du mit deiner Mutter schon mal darüber geredet?«

»Nie.«

»Warum nicht?«

»Zu viele Fragen.«

»Von ihr?«

»Ja. Sie … ach, egal. Für uns beide wäre es besser gewesen, nie nach Deutschland zurückzukehren.«

Der Tee tat gut. Mopp füllte meine Tasse von Neuem. Sie gab auch noch einen Schuss Rum dazu.

»Erinnerst du dich an unser Gespräch? Damals, als Mutter weg war und du dich bei uns um alles gekümmert hast?«

»Natürlich.«

»Kannst du es mir jetzt sagen?«

»Was?«

»Du weißt schon.«

Mopp sah vor sich hin.

»Hannes?«

Ich nickte.

»Er war da«, sagte ich.

»Hier? In Berlin?«

»Ja. Sputnik hat es mir erzählt. Sie hätten mich wenigstens anrufen können.«

»Warum ist es so wichtig für dich?«

»Sie ist die Patentante seiner Tochter, wusstest du das?«

»Nein.«

»Warum weiß ich das nicht? Was soll diese Geheimnis-tuerei?«

Mopp schenkte mir etwas Tee nach.

»Was, wenn er mein Vater ist?«

Mopp rührte in ihrer Tasse.

»Und wenn es keine Antwort gibt?«

»Du meinst, wenn auch Mama es nicht weiß?«

Mopp nickte.

»Aber ich muss es doch wissen.«

Mopp sah mich an.

»Was nützt Gewissheit?«, begann sie vorsichtig. »Früher, wenn ein König sein Kind nach der Geburt zum ersten Mal hochnahm, erkannte er damit seine Vaterschaft an.« Sie atmete ruhig aus. »So sicherte er dem Kind seine Herkunft und seinen Rang in der Thronfolge. Der König musste sich gut überlegen, was er tat, er konnte seine Entscheidung nicht widerrufen, auch nicht, wenn spätere Beweise noch so erdrückend waren.«

»Und?«

»Otto hat sich für dich entschieden.«

»Mama hat mich damals gefragt, wen von beiden ich lieber als Vater hätte!«

»Vielleicht wusste sie selber nicht, wen sie mehr liebte.«

Mopp stand auf. Sie ging in die Küche und öffnete die Balkontür. Vom Wohnzimmer aus konnte ich sehen, wie eine kleine Katze auf ihren Arm schlüpfte. Ich lauschte den Beatles.

All the lonely people
Where do they all come from?
All the lonely people
Where do they all belong?

Ich stand auf.

An der Wohnungstür umarmte ich Mopp.

»Ich wusste gar nicht, dass du eine Katze hast.«

»Die Kleine ist mir vor ein paar Wochen zugelaufen. Ich und eine Katze«, lachte sie. »Ich dachte erst, was soll das bloß werden, aber jetzt will ich mir ein Leben ohne sie gar nicht mehr vorstellen.«

Ich sah, wie sich das Tier in der Küche die Pfoten leckte.

»Otto wusste es ja auch bei Sputnik besser«, sagte ich. Es fühlte sich eigenartig an, seinen Namen einfach so auszusprechen. Die Katze fuhr sich mit der Pfote übers Gesicht.

»Wie heißt sie?«

»Eleanor.«

»Sie ist schön.«

»Was wusste dein Vater bei Sputnik besser?«

»Als wir Mama nach der Geburt im Krankenhaus besucht haben … die Hebamme wollte uns das falsche Baby geben. Eine Verwechslung.«

Als ich schon in der Tür stand, nahm Mopp noch einmal meine Hand.

»Dein Vater hat einen guten Instinkt.«

Als ich die Stufen hinuntersprang, sah ich Hannes vor mir. Bei unserer ersten Begegnung hatte er mich auch hochgenommen, er hatte mich sogar in die Luft geworfen. In meinem Kopf sang Paul.

Für eine bessere Zukunft

Was wie ein Spiel begonnen hatte, entwickelte sich zunehmend zu einer zwanghaften Flucht. Alle waren ständig bekifft. Ich fragte mich wirklich, wie sich Sex im nüchternen Zustand überhaupt anfühlen mochte. Von Liebe war sowieso nicht mehr die Rede. Es kotzte mich an. Vielleicht war ich in diesen Dingen einfach anders, keine Ahnung, auf jeden Fall ging mir die ganze Mechanik der Sache gewaltig auf den Keks, und meine Lust ging dabei zunehmend flöten.

In den nächsten Monaten ging es bergab. Wir diskutierten immer wieder irgendwelche Regeln, wer wann was aufräumen sollte, wer einkaufen ging, vor allem aber, wer das Badezimmer putzte. Das war das größte Problem. Ehrlich gesagt stand die Wohnung vor Dreck. Das Waschbecken in der Küche quoll über, die Badewanne, ein in Wohngemeinschaften ungeahnter Luxus, schimmelte vor sich hin, aber am schlimmsten sah die Toilette aus, vor allem stank sie erbärmlich. Männer verfügen über die Gabe, alles, was sie nicht interessiert, zu überhören oder zu übersehen. Auch Ole, Hotte oder Micha wussten, dass sie nur lange genug stillhalten mussten, bis es einer von uns zu viel wurde. Leider griff meistens ich als Erste nach dem Lappen, obwohl es mich furchtbar ekelte, für andere das Klo zu säubern, allein bei dem Gedanken wird mir heute noch schlecht, aber ich hielt es einfach nicht aus in diesem Dreck. Darauf setzten sie. Vielleicht auch nur unbewusst, vielleicht auch nur, weil ihre Mütter sie so erzogen hatten. Mütter. Oft denke ich, sie machen das mit uns, was ihre Mütter mit ihnen gemacht haben. Erziehung ist Rache.

Dann kam das Heroin. Es schlich sich in unser Leben. Zuerst bemerkte ich die Veränderung nicht. Seit Wochen gingen wir uns aus dem Weg. Während ich versuchte, wieder mein Studium aufzunehmen, kümmerte sich Ole um seine Geschäfte. Wenn ich morgens aufwachte, lag er halb tot neben mir. Kam ich am Nachmittag nach Hause, war er verschwunden.

Das erste Mal sah ich ihn durch die halb offene Badezimmertür. Mareike stand dicht vor ihm, verdeckte ihn halb. Beide waren nackt. Es sah aus, als würden sie miteinander rummachen. Ich sollte gehen, dachte ich, aber etwas hielt mich fest. Was war das? Warum wollte ich sehen, was mir wehtat? Es roch nach verbranntem Zucker. Was machte Ole da? Band er sich seinen Gürtel um den Arm? Wozu? Warum über der Ellenbeuge? Ich sah, wie er die Hand zu einer Faust ballte. Mareike gab zurücktretend den Blick frei. Ich konnte sehen wie er ihr seinen abgebundenen Arm hinstreckte. In ihrer rechten Hand hielt sie eine Spritze. Sie nahm sie hoch. Im Gegenlicht spritzte sie ein paar Tropfen in die Luft. Dann setzte sie die Nadel auf die Vene. Ich drehte mich weg. Ich hasste Spritzen, ich konnte nicht zusehen, wie er sich freiwillig diese Nadel in den Arm stechen ließ, ich ahnte dunkel, was er da tat, ich hatte schon mal von diesem Zeug gehört. Die Zärtlichkeit zwischen den beiden sperrte mich aus. Ich begriff, dass Mareike genau das war, was er haben wollte. Eine Krankenschwester. Ole sackte auf den Steinboden und rührte sich nicht mehr. Mareike packte die Sachen zusammen, ein Feuerzeug, einen Löffel, ein Papierbriefchen, den Gürtel. Sie drehte sich um. Unsere Blicke trafen sich. Auf dem Boden Ole, die Augen halb geschlossen, sein Atem ging ruhig, ein Lächeln auf den Lippen, schien er die ganze Welt zu umarmen. Nur mich nicht. Vorsichtig schloss ich die Tür.

Nicht nur Ole hatte sich verändert. Hotte politisierte von früh bis spät, brachte immer öfter eine wachsende Zahl Freunde mit. Er wurde immer fanatischer, redete von Untergrund und bewaffnetem Widerstand. Im Fernsehen sah es so aus, als würde die Welt an allen Ecken anfangen zu brennen, als seien wir es, die sie in Flammen aufgehen lassen wollten. Alle redeten von Vietnam, aber jeder redete anders. Ich begriff, dass es Zeit war zu gehen.

»Komm rein.«

Zurück in meinem Keller packte ich meinen Koffer aus. Als ich abends hochkam, stand auf dem Tisch eine Flasche Champagner. Wir hatten noch nie Champagner getrunken. Man ließ es sich gut gehen, aber Verschwendung kam nicht infrage, so etwas machte man nicht. Ihre tastenden Blicke schnürten mir den Hals zu. Tapfer kämpfte ich dagegen an. Ich konnte nicht mehr klar denken, alles, was jetzt geschah, was in den letzten Monaten geschehen war, ich konnte es nicht in Worte fassen. Sputnik saß neben mir. Unter dem Tisch fasste er still nach meiner Hand. Seine Augen zwinkerten nervös. Wir standen uns alle noch etwas entfernt auf einer dünnen Eisfläche gegenüber und schlitterten aufeinander zu. Und dann passierte es doch. Ich konnte nichts dagegen tun, vielleicht wollte ich es gar nicht. Ich senkte den Kopf. Als ich mich wieder aufrichten konnte, saßen wir alle stumm da und wischten uns die Tränen aus dem Gesicht.

Frühling 1967

Ich ging jetzt täglich zur Uni, als wäre ich nie weg gewesen. Trotzdem merkte ich, dass sich etwas verändert hatte. Es war die Rede von Kundgebungen, vom AStA, vom SDS, von einem gewissen Rudi Dutschke. Es war etwas im Gange, und ich ging vorsichtshalber mit. Alle redeten aufgeregt durcheinander, es schien um Organisation und Widerstand zu gehen. Mitglieder der Kommune 1 waren verhaftet worden, weil sie ein Attentat auf den amerikanischen Vizepräsidenten geplant hatten, angeblich mit Pudding. Ein Witz? Außerdem wurden Vietnamdemos geplant. Politik interessierte mich nicht besonders, aber dass alle gegen die Nazieltern wetterten, fand ich gut. Wie auf ein Kommando stürmten sie los.

»Wo gehen die hin?«, fragte ich.

»Ins Audimax.«

Das Audimax drohte auseinanderzubrechen, ich quetschte mich in eine der hintersten Ecken. Ehrlich gesagt verstand ich nur Bahnhof. Da wurde von irgendwelchen restriktiven Maßnahmen geredet, die von der Universitätsleitung beschlossen worden waren, es ging um schwarze Listen, auf denen unliebsame Studenten aufgeführt waren, die deswegen mit Disziplinarmaßnahmen rechnen mussten. Verschiedene Leute traten auf, hielten Reden mit glühenden Augen und fuchtelnden Armen. In der Pause, hieß es, würde man Beat-Musik spielen, Lyriklesungen seien geplant, es versprach lustig zu werden. Leider kam es nicht dazu, der Strom wurde einfach abgeschaltet. Dann sprang einer auf die Bühne. Ich kann mich nicht daran erinnern, was er sagte, die Sätze spannten sich girlandenartig durch den Raum. Alle lauschten ergriffen diesem Typen, der eine Energie ausstrahlte, mit der er alle in seinen Bann zog. In seinem Trenchcoat war er anders als seine Kommilitonen, die ihn brav gescheitelt, in Schlips und Kragen umringten. Irgendwie erinnerte er mich sogar an den Privatdetektiv Philip Marlowe von Raymond Chandler, nur schneller und aggressiver. Wie bei seinen Vorrednern wurden seine Forderungen durch Klatschen zur Abstimmung gebracht. Diese unkomplizierte Direktheit gefiel mir, man sagte etwas, und wenn die Mehrheit klatschte, war es beschlossene Sache.

»Was hat das mit Demokratie zu tun?«, brüllte plötzlich einer neben mir.

Ich sah ihn erschrocken an, andere zeigten ihm einen Vogel. Bei seinem nächsten Zwischenruf wurde er rausgeworfen. Ich wusste nicht, was ich von alledem halten sollte, jedenfalls wurden keine halben Sachen gemacht.

2. Juni 1967

Vor dem Schöneberger Rathaus war eine riesige Menschenmenge versammelt. Einige hatten sich Papiertüten mit draufgemalten Gesichtern übergestülpt, andere hielten Transparente hoch, *SCHLUSS MIT DEN FOLTERUNGEN POLITISCHER GEFANGENER.* Ich kämpfte mich so gut ich konnte nach vorn, sah hier und da Gesichter von der Uni, aber niemanden, den ich kannte. Vorne auf dem Treppenabsatz posierte ein Paar mit einigen Honoratioren für die Journalisten. Die Frau war wirklich schön. Plötzlich zuckte ich zusammen. Ganz vorne in der Nähe der Treppe glaubte ich ein Gesicht zu erkennen. Die dunklen Haare, die Körperhaltung, nachdenklich, gespannt, ich war mir nicht sicher, aber ich wollte es unbedingt wissen, ja, das musste, das konnte nur er sein.

»Hannes!«

Ich schrie laut seinen Namen, arbeitete mich weiter vor, sprang immer wieder rufend und winkend in die Höhe, aber meine Stimme ging in dem allgemeinen Geschrei unter. Inzwischen war ich nicht mehr weit von der Treppe entfernt. Hannes, oder wer immer eben noch dort gestanden hatte, war verschwunden. Enttäuscht drehte ich mich in alle Himmelsrichtungen, reckte und streckte mich und konnte gerade noch sehen, wie das Paar mit den Honoratioren im Rathaus verschwand.

»Waren sie das?«, fragte ich.

Mein Nachbar starrte mich an, als käme ich vom Mond.

»Wer?«

»Na, der Schah und Farah Diba.«

»Nee, das Sandmännchen.«

Der kam sich wohl besonders schlau vor.

»Und der Typ daneben?«

»Albertz, der Bürgermeister.«

Plötzlich ging ein paar Reihen vor mir ein Geschrei los. Links und rechts von den Treppen positionierte Männer in schwarzen Anzügen, weißen Hemden und dunklen Krawatten zückten Schlagstöcke, um gezielt auf die umherstehenden Demonstranten einzuprügeln. Es geschah so schnell, dass ich zuerst nichts verstand. Ich dachte, es wären Polizisten in Zivil, aber ihre Gesichter waren dunkler, sie packten ihre Opfer und schleiften sie unter den Augen der stur vor sich hinstarrenden Polizisten vom Eingang des Rathauses weg, um sie den Ordnungskräften zu übergeben, die nun langsam aufwachten. Die bedankten sich auch noch artig dafür. In wenigen Minuten verwandelte sich der Rathausplatz in ein wütend schreiendes Getümmel. Von der linken Seite kam eine Staffel berittener Polizei ihren Kollegen zu Hilfe. Sie jagten die aufsteigenden Pferde in die Menge hinein. Wir schrien, versuchten wegzurennen. An den Seiten waren Absperrgitter aufgebaut, die ursprünglich die Menschen fernhalten sollten, uns jetzt aber einkesselten. Es wirkte wie eine konzertierte Aktion, als hätten sich die Männer in den dunklen Anzügen, die gerade noch dem Schah zujubelten, mit den Polizisten abgesprochen, gemeinsam in aller Entschlossenheit gegen die Demonstranten vorzugehen. Das war ein anderes Bild als die Krawalle vor der Waldbühne beim Stones-Konzert vor zwei Jahren. Ich hatte mal wieder nichts mitbekommen. Offenbar hatte sich in den letzten Tagen und Wochen einiges verändert, es war, als käme ich aus einer klosterähnlichen Abgeschiedenheit mitten in eine wutentbrannte, tobende Menge. Ich sah weiter vorne ein paar blutende Gesichter davontaumeln, Polizisten rannten hinterher, in den Gesichtern Feindschaft und Hass. Vorsichtig zog ich mich zurück. Ich hatte keine Lust, einen Knüppel auf den Kopf zu kriegen oder in einer grünen Minna zu landen.

»Langhaariges Gesocks. Heute Abend gibt's auf die Fresse.«

Neben mir stand ein Mann in hellgrauem Anzug. Ich konnte nicht erkennen, zu welcher Gruppe er gehörte, ob er Demonstrationsgegner oder Polizist war. Ich wurde weiter nach vorne gestoßen. Neben mir schob ein Mann seine Papiertüte aus dem Gesicht. Er hatte lange Haare und trug eine runde Brille. Ganz nett sah er aus. Nicht schlecht.

»Was passiert denn heute noch so?«

»Wir treffen uns um 19 Uhr vor der Oper, um das Paar gebührend zu empfangen. Kommst du mit?«

»Äh … ja.«

»Fritz.«

Er hielt mir seine Hand hin. Als ich sie nehmen wollte, zog er sie blitzschnell weg und umarmte mich.

»Und wer bist du?«

»Ada.«

»Wir haben den Kopfschmuck hier unter die Leute gebracht.«

Jetzt erst erkannte ich, dass auf den Tüten die Gesichter des Schahs und seiner Gattin aufgemalt waren.

»Ah.«

»Also bis heute Abend?«

»19 Uhr?«

»Vor der Oper.«

Ich nickte und rannte rückwärts laufend davon.

Die Zauberflöte

Als ich ein paar Minuten vor 19.00 Uhr von der Bismarck-
straße in die Krumme Straße einbog, befanden sich bereits
Hunderte Demonstranten und Schaulustige hinter den Ab-
sperrungen. Die Stimmung war aufgekratzter als am Mittag. Sicherheitshalber schloss ich mein Fahrrad ab, überlegte
es mir noch mal anders, schob es in einen Hof, den Kopf
vorsichtig zwischen den Schultern, um von niemandem
gesehen zu werden. Nachdem ich es an einem Kellergitter
befestigt hatte, schaute ich um mich. Der Innenhof war leer.
Weder links noch rechts noch in den oberen Stockwerken
rührte sich etwas. Von der Menschenmenge vor der Oper
war hier nichts mehr zu hören. Während ich mich fragte,
was ich hier überhaupt wollte, fand ich mich auf einmal in
einer der vordersten Reihen hinter der Absperrung wieder,
gegenüber der Deutschen Oper mit ihrem den Taktstock
schwingenden Dirigenten, oder was die eisenschwere Skulptur links vom Eingang auch immer bedeuten sollte. Im Rücken ein Bauzaun, hinter dem wahrscheinlich ein weiteres
dieser hässlichen Mietshäuser hochgezogen werden sollte,
mit denen sie alles zupflasterten.

Ein Citroën 2CV mit aufgerolltem Verdeck fuhr an uns vorbei. Wie in einer großen Staatskarosse standen zwei Leute
auf den Rücksitzen. Mit ihren übergestülpten Schah- und
Farah-Diba-Tüten verneigten sie sich würdevoll unter dem
Beifall der jauchzenden Menge. Vielleicht würde es doch

ganz lustig werden. Ich sah um mich herum ein buntes Pot-
pourri aus Demonstranten, Schaulustigen. Nicht alle waren
jung, manche hielten noch die bunten Blättchen umklammert, die ihrer geneigten Leserschaft das luxuriöse Leben
des Kaiserpaares wie ein Märchen aus Tausendundeiner
Nacht anpriesen, während andere schon in Vorfreude die
Fäuste ballten, als sich die ersten Polizeitrupps der Absperrung von der anderen Seite näherten. Langsam formierten
sich Sprechchöre.

»Mörder, Mörder, Mörder.«

»Schah Schah Schaschlik.«

Auch links und rechts von mir fielen sie nun mit ein, je
näher die Polizisten heranrückten.

»Ge-sta-po! Ge-sta-po! Ge-sta-po! Ge-sta-po! Ge-sta-po! Ge-
sta-po!«

Die Polizisten rannten zu den Bäumen, auf denen einzelne Jugendliche Stellung bezogen hatten, rissen sie zu Boden,
zückten ihre Schlagstöcke. Ein paar Schaulustige wurden
hinter uns vom Bauzaun gestoßen, offenbar hatten sich Polizisten auch auf das dahinter liegende Gelände geschlichen.
Die Sprechchöre wurden lauter.

»Fallobst«, lachte ein Anzugträger neben mir.

»Not-stands-übung, Not-stands-übung, Not-stands-übung.«

Die Menge war gespalten.

Erste Tomaten flogen den Polizisten entgegen.

»Schweine! Dreckige Bullenschweine! Faschos!«

»Keine Diktatoren als Gäste einer freien Stadt!«, schrie ein
Schüler neben mir, er war höchstens sechzehn.

Die Polizisten bildeten eine Kette entlang der Absperrgitter. Manche die Hand am Pistolenholster, andere hielten
ihre Schlagstöcke bereit. Beim Anblick ihrer starren Gesichter fragte ich mich, auf welcher Seite die Angst größer war.
Gleichzeitig loderte in ihren Augen eine kalte Spannung.

Hinterher dachte ich, es war der Moment, bevor die Angst in Hass umschlug. Ich hätte gehen sollen. Es wäre der richtige Zeitpunkt gewesen. Aber inzwischen war ich auch von dieser Aufregung befallen. Ich dachte nicht. Ich war Teil einer Menge geworden. Ich atmete mit ihr, schrie mit ihr, wurde von einem gemeinschaftlichen Glückstaumel erfasst.

In zwei Doppeldeckerbussen der BVG trafen unter Buhrufen und Pfiffen die Perser vom Rathaus ein, die dort auf die Studenten eingedroschen hatten. Wieder versuchten sie, sich mit Plakaten direkt neben dem Eingang zu postieren. Die Polizei forderte sie auf, sich auf die Seite des U-Bahneingangs zu begeben. Farbbeutel, Tomaten und Eier flogen ihnen entgegen.

Aus unserem Schlauch flog ein Stein. Er verfehlte nur knapp einen Polizisten. Immer noch standen sie starr vor uns, als warteten sie nur auf ihren Einsatzbefehl wie eine gut trainierte Hundestaffel. Schweine, dachte ich jetzt auch, Schweine. Woher war der Stein gekommen? Ich drehte mich um, als schon die nächsten über mich hinweg auf die ausweichenden Polizisten zuflogen, dazu ein paar schwarze Teile, die wie kleine Räder oder Rollen aussahen. Die Werfer mussten hinter dem Bauzaun sein, im Schlauch lagen keine Pflastersteine. Die Tomaten und Eier hatten die Demonstranten mitgebracht, aber die Steine?

Inzwischen erkannte ich immer mehr Gesichter von der Uni.

»Hey.«

Ein junger Mann nickte mir zu. Ich kannte sein Gesicht aus irgendeinem Romanistikseminar, konnte mich aber nicht an seinen Namen erinnern. Helle Hose, rotes Hemd, Schnurrbart. Ein bisschen weich, dachte ich, aber nett, neben ihm eine junge Frau, wahrscheinlich seine Freundin. Sie wirkte nervös.

»Komm, wir gehen.«

»Gleich.«

»Die sind übel drauf, komm.«

»Ich will sehen, was passiert.«

Sie sah ihn unentschlossen an. Er legte den Arm um sie.

»Mir ist das hier zu eng. Ich mag das nicht. Was soll das alles?«, sagte sie.

Er gab ihr einen flüchtigen Kuss auf die Stirn. Sie mussten sich schon länger kennen.

»Ich geh schon vor. Ich bin müde.«

Er fuhr ihr mit der Hand über den Kopf. Ich war wie hypnotisiert von ihnen. Sie waren kaum älter als ich und wirkten schon erwachsen. Er nickte.

»Ich bleib nicht lange.«

Sie gab ihm einen Kuss und schob sich an mir vorbei. Ob ich Hannes hier vielleicht treffen würde? Ich reckte mich, um über die Köpfe hinwegzuschauen. Der Student neben mir lächelte. Ich wollte gerade etwas sagen, ihn fragen, aus welchem Seminar wir uns kannten, da sah ich ein paar Meter weiter hinten den Blondgelockten von heute Mittag. Seine schlaksigen Bewegungen und seine Brille, das war er.

»Fritz«, rief ich und winkte wild drauflos.

Er reagierte nicht gleich, tat so, als könnte er mich im ersten Moment nicht einordnen. Schon stand ich neben ihm.

»Ada, von heute Mittag.«

Sein hängendes Gesicht hellte sich auf. Klare Augen. Ein Schelm. Ein Eulenspiegel. Till würde besser zu ihm passen als Fritz. Ob er ein guter Küsser war?

»Wie hätte ich dich denn vergessen können, Prinzessin?«

Der Abend war gerettet. Ein bisschen gerötete Augen hatte er auch.

»Hast du was zu rauchen?«

Die Vorstellung, vor den Bullen einen durchzuziehen, fand ich in diesem Augenblick unschlagbar.

»Was bist du denn für 'ne Braut?«

Er kramte einen Stick aus seiner Tasche, zündete ihn an und reichte ihn mir.

»Sieht aus wie 'ne normale Fluppe«, sagte ich.

Wir lachten und winkten den Bullen zu. Ich schaute noch mal rüber zu dem Romanistiktypen, aber er war verschwunden. Egal, ich hatte jetzt Gesellschaft, dazu noch eine abenteuerliche Kulisse, mit echtem Kaiserpaar.

»Da. Sie kommen«, rief Fritz.

Tatsächlich näherte sich ein Konvoi schwarzer Limousinen.

»Haha, 600er Pullmann, auf Staatskosten, klar, nobel geht die Welt zugrunde. Guck dir die Spinner an. Wüsste zu gerne, wie viele er heute hat wegsperren, verschleppen oder erschießen lassen. Und Berlin rollt ihm den roten Teppich aus.«

So sah also ein Mercedes Pullmann aus, von dem der Herr Pfarrer und mein Vater geschwärmt hatten. Wieder flogen Steine von hinten. Wieder diese komischen schwarzen Dinger.

»Was ist das?«, schrie ich, inzwischen konnte man kaum noch sein eigenes Wort verstehen.

»Sieht aus wie Hartgummiringe«, schrie Fritz zurück.

»Wo haben sie die denn her?«

»Keine Ahnung, würde mich nicht wundern, wenn hinter dem Bauzaun Zivis stehen, um das Ganze ein bisschen anzuheizen.«

»Schweine«, schrie ich so laut ich konnte.

»Schweine«, schrie Fritz und lachte.

Wir waren das perfekte Team, ich spürte jetzt schon zwischen meinen Beinen, was alles noch kommen würde.

Kein Grund zur Eile, dachte ich, schön langsam und in Ruhe genießen.

Der Pullmann kam sanft zum Stehen. Leibgarden sprangen herbei, um die Türen aufzureißen. Die Kaiserlichen Hoheiten wurden mit einem schrillen Pfeif-Konzert empfangen.

»Schah Schah Schaschlik, Schah Schah Schaschlik.«

»Autonomie der Teheraner Universität«, brüllte einer laut neben mir. Seine Halsschlagader drohte zu platzen.

»Lasst die inhaftierten Studenten frei, ihr Schweine.«

Der Schlauch kam in Bewegung. Manche hielten sich untergehakt, Gruppen formierten sich zu Sprechchören.

»Mörder, Mörder, Mörder, Mörder …«

Rauchbomben, Eier und Steine verfehlten die Kaiserlichen Hoheiten. Zügig wurden sie von ihrer Leibgarde in die Oper geschoben.

»Die Rauchkerzchen haben wir gebastelt«, flüsterte mir Fritz ins Ohr.

Ich sah ihn an. Der schien was draufzuhaben.

»War's das?«, fragte ich mit einem kleinen Zwinkern, als wollte ich ihn aufmuntern, die Zelte abzubrechen. Er schien noch nicht ganz entschlossen.

Kaum setzten wir uns in Bewegung, geriet um uns herum alles ins Stocken. Etwas weiter rechts langten Polizisten über die Absperrgitter, packten Studenten, rissen sie zu Boden. Einer versuchte sich zu befreien, ein Hartgummiknüppel krachte auf seinen Kopf.

»Ey! Fritz! Hast du das gesehen? Sind die wahnsinnig?«

Fritz begann neben mir nervös auf und ab zu wippen. Eine Rauchbombe flog über die Absperrung zu uns in die Menge. Ich sah, wie ein Polizist sich bückte, um die nächste Rauchbombe in unsere Richtung zu schleudern. Neben mir beugte sich ein älterer Mann schützend über sein Enkelkind.

Die merkten offenbar nicht, dass hier nicht alle Demonstranten waren.

»Wir müssen hier raus«, rief ich.

Fritz setzte sich plötzlich auf den Boden.

»Hinsetzen!«, rief er laut. »Hinsetzen. Wir machen eine Sitzblockade. Wir deeskalieren, dann müssen sie aufhören.«

Ein Polizist hechtete über das Gitter und schlug auf ihn ein. Fritz riss schützend die Hände über den Kopf. Der Polizist trat ihm in die Nieren. Fritz krümmte sich, ohne sich zu wehren. Wieder sauste der Knüppel auf ihn nieder. Alle um ihn herum sprangen auf. Die Bullen kamen von beiden Seiten auf uns zu. Wahllos prügelten sie auf jeden ein. Panisch versuchten alle zu fliehen. Ich wollte mich wegducken, wurde aber auch mitgerissen, stolperte über einen am Boden liegenden Körper. Raus hier, raus. Von allen Seiten kam die Polizei. Wir waren gefangen in einem Schlauch. Mit Schlägen versuchten sie uns auseinanderzutreiben, nach rechts Richtung Krumme Straße und nach links in die Sesenheimer. An den Enden des Schlauchs warteten Neue auf uns, rissen Einzelne zu Boden, die mit blutenden Gesichtern zurück in den Schlauch gestoßen wurden. Irgendwo schepperte ein Megafon.

»Hier spricht die Polizei. Alle Personen werden aufgefordert, umgehend das Gelände zu räumen. Räumen Sie das Gelände.«

»Wie denn, ihr Idioten?«, schrie eine Frau neben mir.

Es war absurd. Sie forderten uns auf zu verschwinden und hielten uns gleichzeitig eingekesselt. Es gab kein Entkommen.

»Hilfe! Hilfe!«

Die Schreie kamen von weiter hinten. Ich sah nicht, was geschah. Als ich mich umdrehte, stand ein Polizist vor mir. Mit starrem Blick riss er seinen Knüppel hoch.

»Lassen Sie mich hier raus«, schrie ich. »Ich will doch gehen, sehen Sie das nicht? Lassen Sie mich raus.«

Er war nicht älter als ich. Wir hätten noch vor zwei oder drei Jahren in derselben Klasse sitzen können, vor denselben idiotischen Lehrern, dieselben dämlichen Klausuren verhauen. Aber jetzt stand er vor mir, bereit, mir den Schädel einzuschlagen. Mitten in der Bewegung hielt er inne, den Arm hoch über seinem Kopf. Ich schlüpfte an ihm vorbei, sah sein Gesicht, in seinen Augen dieselbe Angst. Blut lief über meine Stirn. Irgendwas musste mich doch getroffen haben, ich wusste nicht, was es war. Ich sprang über das Gitter, wurde von zwei Polizisten erfasst und über den Asphalt geschleift, zwei andere kamen hinzu, packten mich an den Füßen, zu viert schleuderten sie mich zurück in die Menge, wie ein Tier, das auf einen Viehwaggon geworfen wird. Ich flog über weiße Polizeimützen, wurde auf der anderen Seite aufgefangen, kroch wieder unter dem Gitter hervor. Einer versuchte mir mit seinen Stiefeln auf die Hände zu treten, ich konnte sie gerade noch zurückreißen und kroch wieder in den Schlauch. Von beiden Seiten setzten sie jetzt Wasserwerfer ein. Körper krümmten sich, wurden gegen andere geschleudert. Ein paar Leute versuchten über den Bauzaun zu klettern. Ich kämpfte mich zu ihnen vor, setzte meinen Fuß in eine offene Hand, schaffte es mit dieser Räuberleiter auf den Bretterzaun und ließ mich auf die andere Seite fallen. Ich rannte um mein Leben. Links und rechts von mir fliehende Gestalten. Über die Baustelle gelangten wir in die Krumme Straße. Am Boden blutende Gesichter, Studenten, die sich vor Schmerzen krümmten. Über Megafon tönte eine wütende Stimme. Ich verstand nicht, was sie sagte.

»Ein Polizist wurde erstochen. Sie haben einen Polizisten getötet«, schrie eine Frau neben mir. Jetzt tönte es von allen Seiten aus Lautsprechern oder Megafonen. Überall Stimmen. Ich wusste nicht, woher sie kamen, noch zu wem sie gehörten, ich dachte nur, das ist das Ende, jetzt bringen sie uns alle um. Ich stürzte in den Hof in grelles Licht. Niemand hinter den Fenstern zu sehen. Ratten. Verdammte Ratten. Zitternd schloss ich mein Fahrrad auf, riss es herum und warf mich auf den Sattel. Als ich aus dem Hof floh, rannten Studenten auf mich zu, hinter ihnen Männer in grauen Anzügen. Ich riss den Lenker herum. Im Fallen erkannte ich den Studenten, der mich vorhin im Schlauch angesprochen hatte, sein Hemd leuchtete mir von Weitem blutrot entgegen. Ich sah ihn noch in einem der Höfe verschwinden. Polizisten rannten hinter ihm her. Ich war keine dreißig Meter gefahren, da knallte es in meinem Rücken. Ein trockener Knall. Noch einer. Ich fuhr weiter. Weg. Nur schnell weg.

Am nächsten Tag waren die Zeitungen voll. Galten die zwei Schüsse, die ich auf meiner Flucht gehört hatte, dem ermordeten Studenten? War der junge Mann mit dem roten Hemd, der an mir vorbei in einen der Höfe gerannt war, Benno Ohnesorg? Ich konnte es erst gar nicht glauben, bis ich sein Foto in jeder Zeitung sah. Ich hatte neben ihm gestanden, ich hatte die Angst seiner Frau gesehen, ich las in der Zeitung, dass sie verheiratet waren, dass sie ein Kind von ihm erwartete.

In den kommenden Tagen brannte die Stadt. Steine flogen in alle Richtungen, zerschlugen die Scheiben des Springerkonzerns. Beide Seiten rüsteten auf.

Im Kreis der Lieben

Ein paar Monate später, im Februar 1968, tagte wieder der Kreis. Neuerdings hockten sie immer um den Fernseher gruppiert bei Bier und Schnittchen. In den Nachrichten liefen noch die Bilder einer großen Vietnamdemo auf dem Ku'damm. Schweigend starrten alle auf den kleinen Bildschirm.

»Bist du da auch mitgelaufen?«, fragte meine Mutter.

Ich schüttelte den Kopf.

»Wär' ja auch wirklich zum Piepen gewesen.«

»Kommt Ada jetzt im Fernsehen?«, rief Sputnik aufgeregt.

»Nein, und jetzt Abmarsch ins Bett, Knabe.«

Beleidigt verabschiedete sich Sputnik mit einem kurzen Winken in die Runde. Als er die Treppen hinaufstapfte, beugte sich meine Mutter zu mir.

»Er bewundert dich so. Seiiiiine große Schwester, wenn du wüsstest.«

Ich nickte abwesend. Auf meine gefeierte Rückkehr waren schnell die ersten Eingliederungsmaßnahmen gefolgt. Unmerklich tat sich die Kluft von Tag zu Tag, von Woche zu Woche wieder auf, und eh wir uns versahen, standen wir uns auf beiden Seiten unversöhnlicher gegenüber als zuvor, nur konnte ich diesmal nicht ausweichen. Ich fühlte mich fremder denn je, egal, ob ich in ihre Gesichter oder in den Spiegel starrte.

Onkel Achim räusperte sich.

»Liebe Leutchen, wenn ich euch so sehe, ihr seid doch fast noch Kinder, was ist nur mit euch geschehen?«

Alle sahen ihn erwartungsvoll an.

»Ich meine, was wollt ihr denn überhaupt? Das kann doch alles gar nicht wahr sein, das ist doch alles vollkommen verrückt.«

»Nein, Achim«, fiel ihm zu meiner Überraschung Tante Anneliese ins Wort. »Lass jetzt bitte mal Ada was sagen.«

Ich war so perplex, dass mir im ersten Moment nichts einfiel. Wirklich nichts. Vor allem fragte ich mich, warum ich schon wieder hier hockte. Hatte ich wirklich nichts Besseres zu tun?

»Wie meinst du …?«, fragte ich.

»Na, du bist doch die Jugend.«

Ich hatte also aufgehört, Ada zu sein. Ich war jetzt die Jugend, die ganze, zugleich aber ein seltenes Exemplar, zur Besichtigung oder zum Studium freigegeben, wie ein Tier zum Abschuss. Ein Tierchen, zu dem man die Verbindung verloren hatte, wenn es je eine gegeben hatte. Im Fernseher trat der Moderator einer beliebten Musiksendung auf. Alle starten jetzt wieder auf die Mattscheibe. Selbst meine Eltern, denen ich so etwas nie zugetraut hätte, schauten gebannt, oder taten sie nur aus Höflichkeit so?

»Guck doch mal, Otto«, rief meine Mutter. »Der hat doch ein Toupet auf, das gibt's ja nicht.«

»Klar, deswegen heißt er ja auch Toupeterchen«, sagte mein Vater, ohne eine Miene zu verziehen.

»Peter Alexander?« Tante Anneliese war ernsthaft entsetzt.

»Ja«, sagte mein Vater.

»Der trägt ein Toupet?« Auch Tante Gertrud wirkte jetzt beunruhigt.

»Des … des Toupeterle … nach dem Adolf unser nächs-

tes, zugegebenermaßen etwas bescheideneres Gastgeschenk …« Onkel Schorsch lachte schallend. »A kleine nach-
barschaftliche Aufmerksamkeit sozusagen, als Revanche für
den Beethoven.«

»Peter Alexander ist Österreicher?«, fragte Tante Anneliese.

»Lässt sich leider ned verleugnen.«

»Und Beethoven nicht?«

»Also Anneliese, ich bitte dich, der kommt aus Bonn«,
sagte meine Mutter.

»Kam, liebe Sala, kam, entschuldige bitte, wenn ich kor-
rigiere.«

Onkel Achim schätzte es nicht, wenn man seine Frau
kritisierte.

»Na so was, man erfährt ja immer was Neues hier«, sagte
Onkel Gerhard.

Er war in den letzten Monaten um zwanzig Jahre gealtert.
Als mein Vater eine Flasche Weißwein entkorkte, trat auf
der Mattscheibe ein kleiner Junge auf. Mit brav gescheitel-
tem Haar, glockenheller Stimme und starrem Gesicht legte
er los. Der Schlager schien einigen Mitgliedern des Kreises
bekannt, sanft wiegten sie sich im Takt der Musik oder
summten leise mit. Jede Geisterbahn war harmlos dagegen.
Hier wirkte nichts übertrieben, es gab auch keine Ironie,
ihre Mienen waren ernst, todernst, während sie dem braven
Jungen auf der Mattscheibe zuhörten.

Mama
Du sollst doch nicht um deinen Jungen weinen
Mama
Einst wird das Schicksal uns vereinen

Onkel Achim griff nach Tante Annelieses Hand. Dachten sie jetzt an Petra? Sahen sie ihre Tochter aus dem Fenster springen? Onkel Achim drückte den Rücken durch und stimmte kraftvoll mit ein. Und was sang dieser wiederauferstandene Hitlerjunge da? Dass es auf Erden nur eine gibt, die ihn so heiß hat geliebt? Auch meine Mutter hatte Tränen in den Augen, es war nicht zu fassen, wirklich nicht zu fassen.

Mama
Und bringt das Leben nur Kummer und Schmerz

Onkel Achim schwang den Arm im Kreis, als wollte er alle auffordern mitzusingen, was sie auf sein Zeichen dann auch taten.

Dann denk ich nur an dich
Es betet ja für mich oh Mama dein Herz.

Kaum waren die letzten Takte verklungen, saßen sie schweigend da. Damals ahnte ich nicht, dass sie dieses Lied aus ihrer Jugend kannten, dass die Nazis es genauso ergriffen geschmettert hatten wie jetzt Onkel Achim. In Gedanken versunken, starrte jeder ins Leere. Ich rutschte unruhig auf meinem Stuhl hin und her. Was geschah da gerade vor meinen Augen? Waren das meine Eltern? Hatten sie wirklich solche Freunde? Außer Onkel Schorsch wirkten alle von vorzeitiger Totenstarre befallen.

»Ach, wie schön«, sagte Onkel Achim.

»Dieser Junge ist wirklich rührend«, pflichtete Tante Anneliese ihm bei.

»Ja, bezaubernd«, ergänzte Tante Gertrud.

»Und diese Kindlichkeit, nicht wahr? Echte, unverfälschte Kindheit in seinem Gesicht«, sagte Onkel Achim.

»Echte, unverfälschte Kindheit? Des kann ned dein Ernst sein, Achim, ich bitte dich.«

»Ja, also, ich weiß auch nicht …«, sprang mein Vater seinem Freund Schorsch zur Seite. »Schon etwas schmalzig. Ein Bübchen noch.«

»Na, scho a Greis, a Frühvergreister is des.«

»Ein Greis? Also, was ist denn heute mit euch los? Liebe Leutchen! Lasst euch doch nicht vom Zeitgeist ins Gesicht blasen!« Onkel Achim schüttelte sich verärgert. »Das ist nicht Beethoven, aber es ist ein netter Schlager, nicht dieses dumpf-aggressive Negergetrommel. Zuckende Irre, die durch die Gegend hampeln, eine ganze Generation außer Rand und Band, die unsere Grundwerte zertrampelt?«

»Was denn für Grundwerte, bitte schön? Des tät mich jetzt mal wirklich interessieren, lieber Achim.«

»Ich meine«, mischte sich jetzt Tante Gertrud wieder ein. »Ich meine, denkt doch mal, zum Beispiel, an die Mutter dieses armen Jungen.«

»Welcher arme Junge denn?«, fragte Onkel Achim, leicht verärgert, dass sich jetzt auch noch Tante Gertrud einmischte.

»Na, der da letztens umgekommen ist, der, na wie hieß der noch?«

»Benno Ohnesorg.« Alle sahen mich erschrocken an, als hätten sie vergessen, dass ich noch da war. »Er ist nicht umgekommen, er wurde erschossen. Ermordet, um genau zu sein«, sagte ich.

»Ohnesorg, also der Name, nein wirklich, Ohnesorg, wirklich makaber«, sagte Onkel Gerhard.

Er beugte sich kopfschüttelnd vor, um nach einem Schnittchen zu greifen. Der Teller war leer.

»Oh«, sagte er.

»Mord? Das ist nicht bewiesen. Ich halte das für eine

bösartige Unterstellung. Eine Verleumdung«, sagte Onkel Achim.

Ich dachte an seine Tochter Petra, die sich im vorigen Jahr das Leben genommen hatte, und hob ruhig den Kopf.

»Du bist ja, Gott sei Dank, dabei gewesen.«

»Ada, bitte«, sagte meine Mutter.

»Mörder«, sagte ich. »Oder die, die sich mit Mördern gemein gemacht haben, können das nicht verstehen. Wie auch?«

Ich sagte es, glaube ich, ganz ruhig, nahezu höflich. Es war der sachliche, keineswegs provozierende Ton, mit dem ich sie traf. Ich sah meine Mutter erstarren. Bis heute kann ich es mir nicht verzeihen. Bis heute kann ich nicht an diesen Abend denken, ohne vor Scham zu erröten, aber in diesem Moment war es keine Frage von falsch oder richtig, ich konnte nicht anders. Ich dachte nur, sie alle sind schuld. Alle, alle, alle. Ich wollte, ich konnte keinen Unterschied mehr machen, ich wusste nicht einmal genau, wessen ich sie beschuldigte, ich wusste nur, dass sie alle auf eine ganz furchtbare Art schuldig waren und dass ich es mit ihnen war, für immer, auch wenn ich es nicht sein wollte. Der Herr Pfarrer sah mich an, als drohte ich seine Kirche abzufackeln und ihn mit dem gesamten Kreis in die Flammen zu werfen. Dass wir beim Schahbesuch vor der Oper wie eine Schafsherde hinter Gittern eingepfercht worden waren? Interessierte nicht. Dass wir dadurch dem Aufruf, das Gelände zu räumen, nicht hatten nachkommen können? Interessierte nicht. Dass die ersten Steine von eingeschleusten Provokateuren geworfen worden waren? Interessierte nicht. Dass die Polizisten in diesen Schlauch wie in eine Leberwurst hineingestochen hatten? Dass sie über die am Boden Liegenden hinweggerannt waren? Interessierte nicht. Dass durch die Verbreitung der Lüge, ein Polizist sei erstochen worden, die anderen in blinder Wut mit ihren Hartgummi-knüppeln und Totschlägern auf uns eingehämmert hatten, bis das Blut aus unseren Gesichtern spritzte? Interessierte nicht. Es interessierte sie nicht, dass die Springer-Presse seit Wochen gegen uns hetzte. Sie hatten sich ihr Schweigen ebenso hart erarbeitet wie die scheißenden Tauben unseren Dachboden. Onkel Achim hatte es für alle ausgesprochen, wir zertrampelten ihre Grundwerte. Sie wollten ihre Ruhe. Sie wollten in ihrem Schweigen nicht gestört werden. Nur das interessierte sie.

»Merkt ihr nicht, dass man neben euch erstickt?«

Mit diesem Satz war ich aufgesprungen. Alles in mir brannte, es war dasselbe Feuer der Vernichtung wie in ihren Augen. Wir trugen die Fackel weiter und merkten es nicht.

Als alle Gäste gegangen waren, saß meine Mutter allein in einer Ecke des Wohnzimmers. Sie starrte aus dem Fenster, als hätte ich ihr bei lebendigem Leib die Haut abgezogen. Ich trat zu ihr.

»Ich habe mich nur einmal mit Mördern eingelassen«, sagte sie. »Einmal nur. Sonst wärst du nicht geboren. Ich verlange keinen Dank, aber sag nie wieder, ich hätte mich mit ihnen gemein gemacht. Du weißt nicht, wovon du redest. Nichts wisst ihr. Nichts.«

»Welche Mörder? Wieso bei meiner Geburt? Was hab' ich jetzt damit zu tun?«

»Damals war ich hochschwanger mit dir, in Leipzig, ich hatte keine Ahnung, ich wusste nicht einmal …«, sie unterbrach sich, ihre Hände verkrampften sich, sie rang nach Luft. »Ist auch egal.«

»Nein …«

Sie sah mich nicht an.

»Jedenfalls machte mir damals ein Naziprofessor, an dessen Klinik behinderte Kinder im Auftrag Himmlers umgebracht wurden ... weil ... weil sie es nicht wert waren, weiter zu leben ...«. Sie stockte. Ihre Stimme zitterte.

Ich suchte ihre Hand. Sie gab sie mir nicht.

»Ihr habt ja keine Ahnung. Ihr glaubt, ihr wisst Bescheid? Ihr wisst es nicht.«

»Woher auch.«

»Vielleicht.«

Sie sah mich ruhig an.

»Jedenfalls sollst du wissen, dass es nicht einfach war, dich auf diese Welt zu bringen. Alles hat seinen Preis.«

»Was für einen Preis?«

»Er wusste, dass ich unter falschem Namen in der Klinik eines Kollegen arbeitete. Dass ich Jüdin war, na ja, Halbjüdin nur, aber das war kurz vor Kriegsende auch schon egal. Er hat mich sofort durchschaut. Seine Frau lag in Leipzig auf meiner Station. Am Anfang haben Mopp und ich uns um sie gekümmert, bald nur noch ich. Sie mochte mich. Sie konnte kaum noch essen. Nur ich durfte sie füttern. Ich habe sie nicht einmal klagen hören. Eine besondere Frau. Verheiratet mit einem Ungeheuer. Auch das hat es gegeben. Auch davon wisst ihr nichts. Und dieses Ungeheuer hat mir ein Angebot gemacht. Wenn ich seine sterbenskranke Frau begleite, wenn ich sie bis zu ihrem letzten Atemzug pflege, wenn ich es ihr an nichts fehlen lasse ... und ...«, sie holte tief Luft. »Wenn ich ihm schriftlich bestätige, schriftlich, unterzeichnet mit meinem wahren Namen, dass er mir, einer Jüdin, in den letzten Wochen des Krieges geholfen, dass er mich vor meinen Verfolgern versteckt hatte, dass er einer von den Guten war, ein Schaf im Wolfspelz, dann würde er mir helfen, dich zur Welt zu bringen.«

Sie machte eine Pause.

»Nein, es war schlimmer. Viel schlimmer. Du sollst alles hören und dann … dann kannst du von mir aus urteilen.«

Und dann sprach sie den Satz aus.

»Ich wollte dich nicht.«

Vier einfache Worte. Nicht schwer zu verstehen. Sie wollte mich nicht. Wie ruhig ich blieb. Meine Mutter stand vor mir, sie sagte mir klar und deutlich, was ich mein ganzes Leben gespürt hatte und doch nie in Worte fassen konnte. Sie wollte mich nicht. Endlich, dachte ich und wusste jetzt, wie lange ich schon auf diesen Augenblick gewartet hatte, während über mir die Wahrheit baumelte, an einem dünnen Faden, aus dem immer neue Lügen gesponnen worden waren. Lügen über mich, über sie, über meinen Vater, über Hannes. Laute und stille Lügen über den ganzen Sumpf, in dem dieses Land selig versackte. Lügen, denn ihr Schweigen war auch eine Lüge.

»Weil … weil …«, wieder hielt sie inne, wartete, bis sich ihr Atem beruhigte, dann sprach sie mit fester Stimme weiter. »Weil mein ganzes Leben eine einzige Katastrophe war, weil ich gar keine Ahnung hatte, was das sein sollte, eine Mutter. Woher auch, hast du vorhin gesagt. Ja, das kann ich wohl auch sagen. Woher auch?«

Sie starrte wieder vor sich hin. Spätestens morgen würde sie nicht mehr sprechen. Spätestens dann würde sie sich auflösen in weiß gleißendes Licht hinter verschlossenen Türen. Aber jetzt musste sie sprechen. Jetzt durfte ich sie nicht gehen lassen. Diesmal, dachte ich, diesmal entkommst du mir nicht. Sie holte wieder Luft.

»Weißt du noch damals, als wir aus Buenos Aires hier ankamen? Du warst noch ganz klein. Zwei Männer haben uns besucht. Einer von ihnen war Otto … und der andere … der andere war Hannes.«

Jetzt, dachte ich, jetzt musst du weiterleben, jetzt darf

dein Herz nicht aufhören zu schlagen. Jetzt kommt die Wahrheit, und du musst sie aushalten, koste es, was es wolle. Jetzt. Kein Preis ist zu hoch.

»Wer ist mein Vater?«

Sie sah mich schweigend an.

»Bitte …«

»Sala?«

Er stand plötzlich in der Tür. Seine Stimme klang müde. Meine Mutter drehte sich zu ihm um. Sie sahen sich an.

»Die Küche ist fertig«, sagte er.

Er klang so hilflos wie ein Kind. Noch nie hatte er aufgeräumt. Ich sah zu meiner Mutter. Lächelte sie? Bevor ich es erkennen konnte, drehte sie sich zurück zum Fenster, im Vorübergehen streifte mich ihr Blick, dann fiel er stumm hinaus.

»Ja.«

Ja? Was bedeutete dieses Ja? Der Augenblick war da. Ich ließ ihn gehen. Wir sprachen nie wieder davon. Ja. Nur dieses eine Wort. Ja, so ungewiss man es denken konnte.

III

Durcharbeiten

1991 *im Herbst*

Jetzt bläst der Wind. Der Sommer ist dahin. Noch hat die Sonne Kraft, bald färben sich die ersten Blätter rot. Bald werde ich fünfzig sein. Oder tot. Das wäre die Alternative. Es drängt mich zum Ende hin, aber noch ist nicht alles gesagt, noch darf ich jünger sein, meine Tage zählen, um sie zurückzugewinnen und neu zu verlieren. Liegend schlage ich der Zeit viermal in der Woche ein Schnippchen, pflücke und zerlege sie, packe sie in Kästchen, verschiebe sie. Als könnte ich irgendeinen Einfluss auf das alles nehmen. Nein, das bilde ich mir nicht ein. Ich und Ich. Weit voneinander entfernt. Die beobachtende Ada traut mir nicht, noch will sie nicht gehen.

»Guten Tag.«

»Guten Tag.«

Ich gehe hinein, vorbei am Vorhang, hinter dem sich manchmal andere Patienten vom Klingeln aufgeschreckt verstecken, wenn er ihre Stunde nicht rechtzeitig beendet hat. Es ist ein ungeschriebenes Gesetz, dass man seinem Vorgänger nicht begegnet. Da. Ist da jemand? Wie es mich ärgert, wenn der schwere, goldene Samtvorhang noch nachschwingt, wenn ich erkenne, wie zwei Hände von der anderen Seite die Stoffbahnen panisch zusammenpressen. Soll ich stehen bleiben, um den Vorhang auseinanderzureißen, um das erschrockene Gesicht dahinter zu sehen? Verbirgt sich dahinter meine eigene Angst? Das hier ist meine Zeit. Mit Geld bezahlt, mit Schmerzen erkauft.

Die Couch ist noch warm. Fremder Angstschweiß. Unerträglich. Ich kann nicht.

»Was gibt es?«

Was es gibt? Bin ich die Zeitung?

»Ich will nicht mehr.«

Lebensüberdruss, die tägliche Qual aufzustehen, in dieses Gesicht zu gucken, das wieder keinen Schlaf gefunden hat. Ich ertrage nicht mehr, wie unendlich blöde es zurückstarrt, wie fremd und eigensinnig, wie höhnisch es mir jedes gute Gefühl verweigert, als lachte es über meine Bemühungen, mein hilfloses Scheitern an diesem Quark, den sie Leben nennen.

»Ich will diesen Zirkus beenden.«

Soll er doch schweigen. Gibt nichts mehr zu sagen.

»Jedenfalls werde ich nicht aus dem Fenster springen. Am Ende wache ich auf und bin querschnittsgelähmt. Tabletten sind auch keine gute Wahl. Zu riskant, sich mit der Dosierung zu vertun. Keine Lust, als Pflegefall vor mich hin zu vegetieren. Erhängen ist eklig, der Schließmuskel gibt nach, man verunreinigt sich. Kein guter Abgang. Heiße Badewanne und dann die Pulsadern aufschneiden. Nicht quer, längs. Kann ebenso leicht danebengehen wie beim Erschießen. Viele rutschen ab. Am Ende bleibt eine Sauerei. Ertrinken? Meine Mutter hat mir mal erzählt, dass sie im Atlantik beim Baden fast ertrunken wäre. Anfangs kämpft man wohl, aber wenn man genug Wasser geschluckt hat, gibt man nach. Alles wird weich. Ein Schwindelgefühl, als wäre man beschwipst. Ein Rausch. Vielleicht vorher was einwerfen. Doppelt hält besser. An die Nordsee fahren. Im Watt spazieren gehen, bis die Flut kommt.«

Was ist das? Singt da draußen jemand? Ist das Fenster offen? Warum lässt er einfach das Fenster offen? Oh Gott, singt der falsch. Vollkommen daneben. Trifft keinen einzigen Ton. Laut, leidenschaftlich und falsch. Das muss man sich erst mal trauen. Oder merkt der das nicht? Was singt der überhaupt? O mia bella Napoli?

Woher kommt der? Ein Ausländer? Gastarbeiter? Warum ist das verdammte Fenster offen?

Was ruckelt da hinter mir? Als würde sich der ganze Sessel schütteln. Was ist das? Jetzt singt der auch noch lauter.

Wieso singt ein Gastarbeiter deutsche Schlager?

> O mia bella Napoli,
> du Stadt am blauen Meer.

Was zittert denn hinter mir so?

> O mia bella Napoli,
> mein Herz ist sehnsuchtsschwer.

Ist der wahnsinnig? Ich spüre ganz eindeutig irritierende Vibrationen. Was ist das?

> In mir klingt eine Melodie,
> wo ich auch sei.
> O mia bella Napoli,
> dir bleib ich treu.

So. Jetzt drehe ich mich um, und wenn ich mir dabei den Hals verrenke. Ist mir egal, dass ich ihn nicht sehen darf. Was ist das überhaupt für ein komisches Verbot. Ich bin kein Kind mehr. Ich kann selber entscheiden, was ich will. Jetzt. Was ist das? Er hält sich ein Taschentuch vor den Mund gepresst, das Gesicht ist verzerrt. Lacht er?

Ich will mich umbringen, und er lacht? Ist er jetzt völlig verrückt geworden?

»Lachen Sie?«

Ja, er lacht.

»Wie können Sie jetzt lachen?«

»Wie könnte ich nicht?«

Hat er das jetzt wirklich gesagt? Hat er gesagt: Wie könnte ich nicht?

»Während Sie darüber nachdenken, sich das Leben zu nehmen, singt dort unten ein Gastarbeiter vom Heimweh.«

»Und was hat das jetzt mit mir zu tun?«

»Was glauben Sie?«

»Nein, nein, nein. So nicht. So geht das nicht. Das ist eine Unverschämtheit. Sie sind wohl vollkommen verrückt geworden. Mitten in meiner Verzweiflung ziehen Sie den Kopf aus der Schlinge, indem Sie meine Frage an mich zurückgeben? Das ist ja wirklich eine feine Art, seinen Lebensunterhalt zu verdienen.«

»Wie geht es Ihnen jetzt?«

»Wie bitte?«

»Wie geht es Ihnen jetzt?«

»Ich habe eine Scheißwut auf Sie. Ich … ich könnte … soll ich Ihnen sagen, was ich könnte …? Ich könnte Sie umbringen. Erstechen und erschießen und auseinanderreißen, zerfetzen könnte ich Sie.«

»Aber an Selbstmord denken Sie jetzt nicht mehr?«

»Das könnte Ihnen so passen.«

»Gut, machen wir da morgen weiter.«

Paris

Im März '68 fuhr ich in den Semesterferien zu meiner Tante Lola nach Paris. Ich musste raus. Weg aus diesem Land, in dem ich nicht mehr atmen konnte. Fort von dieser Familie, der ich eine Last war. Vielleicht wollte ich auch mir selbst entkommen, diesem Bild entschlüpfen, das ich in den letzten Monaten oder Jahren mit zunehmendem Befremden täglich anstarrte und immer weniger verstand. Wer war ich? Ich hatte keine Ahnung. Ich wusste nicht, wie ich es herausfinden konnte. Jeder Weg endete vor einer Mauer. War es immer die gleiche? Meine Versuche waren alle fehlgeschlagen. Ich war kein argentinisches Mädchen geworden, kein deutsches Kind, keine brave Tochter, die ihren Eltern Freude bereitete, keine junge Frau, die auf eigenen Wegen wandelte. Es war mir nicht gelungen, mich anzupassen, aber auch im Widerstand war ich gescheitert. Ich suchte so lange nach dem Bett, in das ich passte, bis ich keinen Schlaf mehr fand.

Ich stand an der Gare de Lyon und fragte mich, ob man mich mögen konnte, ich fragte mich, wie ein Mensch, der nirgendwohin passte, überhaupt den Anspruch erheben konnte, begehrenswert zu sein?

»Qu'elle est belle, mon Dieu, bist du hübsch, wer hat denn diese grauenhaften Fotos von dir gemacht, die mir deine Mutter hat geschickt?«

Lola stand vor mir. Sie war viel kleiner, als ich gedacht

hatte. Sie war sportlich gekleidet, vielleicht auch nur bequem, wirkte aber trotzdem elegant.

»Komm«, sie hakte mich unter. »Deine Mutter habe ich noch mit dem Chauffeur abgeholt, als sie damals hier ankam, mon Dieu, war die beeindruckt, ein süßer kleiner Backfisch, der die Welt noch vor sich sehen lag, nein, liegen sah, oder? Und du?«

Ich wusste nicht, was antworten, und lachte. So bestand ich meine erste Prüfung, wie ich später erfuhr. Lola hasste Menschen, insbesondere Frauen, die bereitwillig jede Frage beantworteten, weil es sich so gehörte. Ebenso ungehalten reagierte sie allerdings auf bockiges Schweigen, wie ich bald feststellen sollte. Bravheit wie Frechheit waren für sie zwei Seiten derselben Medaille und damit kein Zeichen von Unabhängigkeit.

»Ein erwachsener Mensch«, sagte sie, »ist weder brav noch frech noch nett oder unfreundlich, er ist einfach das, was er ist, und hüpft dabei aus jeder Schublade, in die man ihn sperren will.«

Solche Sentenzen feuerte sie meistens im Vorbeigehen ab, wenn man am wenigsten darauf gefasst war. Alles an ihr wirkte so absichtslos, wie die fein gewebten, mit nahezu unsichtbaren Goldfäden durchzogenen Stoffe, aus denen sie ihre Mode entwarf. Schönheit und Absicht vertrugen sich in ihrer Welt nur selten, und taten sie es doch, drohte unverzeihliche Enttäuschung.

Wir stiegen in die Metro. Alle Plätze waren besetzt. Im Anfahren konnte ich gerade noch nach der Stange über meinem Kopf greifen, völlig unnötig, denn der Wagen war so voll, dass ich bestenfalls in mir hätte zusammensacken können, ohne auch nur einen Zentimeter nach links oder rechts zu fallen. Lola musterte mich von der Seite. Ihre dunklen Augen sprühten vor Lebenslust, tasteten dabei aber auch in unnachgiebiger Schärfe ihre Umgebung ab. Darauf angesprochen, sagte sie mir eines Tages, diese lästige, meist unbewusste Eigenschaft habe sie wohl oder übel während der deutschen Besatzungszeit entwickelt, als hinter jedem freundlichen Lächeln auch ein Verräter stecken konnte. Wie alt mochte sie sein? Sicherlich jünger als meine Großmutter Iza. Mitte sechzig? Sie war schwer zu schätzen.

»Ich weiß gar nicht mehr … ach doch, warte, den ersten Nachmittag habe ich mit deiner Mutter im Deux Magots gespeist, oder war es das Flore? Mit der Erinnerung ist es wie mit den Verflossenen, je mehr sie verblassen, desto mehr vermissen wir sie, erschrecken aber umso mehr, wenn sie plötzlich vor uns stehen. Das Vergessen ist die letzte Kunst, die es zu meistern gilt, bevor man, na du weißt schon …«

Sie machte eine kleine wegwerfende Geste. Ich sah sie überrascht an.

»Wie meinst du das?«

»Regarde, mon p'tit, es gibt so viele, wie sagt man, Stadien des Vergessens, Ebenen? Ach, mein Deutsch ist furchtbar. Das zum Beispiel ist eine weniger interessante Ebene, oder Stadium, verstehst du? Wenn alles ungenau wird. Unscharf ist schon besser, aber ungenau ist nicht akzeptabel. Die Schärfe ist für das Sehen, was die Logik für das Denken ist, man kann einiges damit erreichen, aber das Wesen der Dinge bleibt einem im hellsten Licht verborgen. Es gibt diese deutsche Amnesie, die, par contre, nichts mit dem Vergessen zu tun hat. Vergessen ist etwas Natürliches, Amnesie eine Krankheit. Beim Vergessen schaffen wir Platz. Nichts verschwindet, wir schichten um, so etwas kann interessant sein. Wer alles sieht, kann nichts mehr finden. Wenn du kreativ sein willst, brauchst du einen gut sortierten Keller und einen hellen Dachboden, die anderen Räume sind zum Arbeiten gedacht.«

So ging es von nun an jeden Tag. Auf eine einfache Frage sprudelte ein unerschöpflicher Quell an Gedanken und Assoziationen aus ihr hervor, die unpassendsten Farben wurden versuchsweise übereinandergelegt, vermischt oder verworfen, bis sich mir der Kopf drehte. Und immer sagte sie »mon p'tit«, was mich anfangs sehr irritierte, schließlich hatte mir noch niemand vorgeworfen, ich würde wie ein Junge aussehen, aber mit der Zeit dachte ich, dass »ma petite«, also meine Kleine, wohl abschätzig klingen würde, während ich mit »mon p'tit« in den Adelsstand des Infanten gehoben wurde, was mir im Gedanken an Sputnik ganz hervorragend gefiel.

Lola liebte es, ein »p'tit guelleton« zuzubereiten, ein kleines Essen. Meine Mutter war keine Köchin aus Leidenschaft, es gehörte für sie zu den lästigen Pflichten, ihrer Familie jeden Tag eine warme Mahlzeit zuzubereiten. Sie selbst machte sich nichts daraus, war eher »gourmande«, als »gourmet«, was bedeutete, dass ihr ein üppiges, gerne auch überzuckertes Essen lieber war als die elegante französische Küche. »Zu viel Chichi, zu wenig Essen«, sagte sie dazu.

»Mais non, dann sie hat vergessen, wie man in Frankreich auf dem Land isst, in den einfachen Gasthöfen, wo die routiers, wie sagt man, die …«

»Lastwagenfahrer?«

»Mais oui, tout à fait, mon p'tit, Lastwagenfahrer. Ha, die deutsche Sprache ist doch etwas Wunderbares, diese Art, aus zwei oder drei Wörtern ein neues zu konstruieren, hat zwar etwas von einer Zwangsheirat, aber wer weiß schon, ob diese Ehen am Ende nicht die besten sind. Dein Französisch scheint recht gut zu sein. Aber weißt du, ich bin eine Egoistin, und auf meine alten Tage werde ich aus meiner Mördergrube kein Herz mehr machen. Ich genieße einfach Deutsch reden mit dir. Oder sagt man zu reden?«

Ich nickte.

»Und nie artig sein, ja? Brave Mädchen sind grau und langweilig. Aber wir lassen das Leben leuchten. Probier das foie gras. Tu m'en diras des nouvelles. Robert? Es ist immer dasselbe mit ihn. Er kommt, wann er will, und er nicht geht nie, wann ich will. Un vin doux pour le foie gras, je vous prie.«

»Voilà, das ist dein Zimmer. Hier hat auch Sala gewohnt. Damals hatten wir noch Personal, jetzt ist das nicht mehr zeitgemäß. Wenn du etwas brauchst, lass es mich wissen.«

Als sie die Tür zuwarf, wehte mir ihr Parfum entgegen, ein kühler Duft aus Sandelholz und Vétiver, dazu die spitze Süße einer Mandarine. Ich war angekommen, oder war es nur eine weitere Etappe auf der Flucht vor meiner Vergangenheit, auf der Suche nach neuer Gegenwart? Taumelte ich blind in meine Zukunft, auf den Wegen meiner Mutter?

Dans la rue

Zunächst fielen mir die sprachlichen Unterschiede auf. Die Franzosen spazierten *in* und nicht *auf* der Straße. Damit war nicht nur der Boden gemeint, auf den man seine Füße setzte, zur Straße gehörte alles, vor allem die Häuser, die den Blick begrenzten und zugleich nach oben in den Himmel lenkten. Paris lebte seine Geschichte, nicht zerrissen von seiner Vergangenheit, wie Berlin, nein, hier atmete alles weiter zurück als in das Jahr 1945. An manchen Ecken glaubte ich Buenos Aires zu erkennen, unzuverlässige Bilder, die sonst verschwommen in den hinteren Winkeln meiner Erinnerung verstaubten. Paris und Buenos Aires, wohin ich auch sah oder meine Gedanken schickte, überall begegnete ich meiner Mutter.

Von Quartier zu Quartier veränderten sich Licht und Wetter. Der April ließ die Fassaden der Haussmann'schen Boulevards leuchten, während ich *in* den verwinkelten Straßen des zwischen drittem und viertem Arrondissement liegenden Marais nach dem ersten Regenguss in einer anderen Zeit landete. Hier roch es nicht nur nach einem fernen Jahrhundert, irgendwo zwischen Bastille und Place de la République, hier gab es noch jüdische Geschäfte, eine alte Synagoge, Restaurants, koschere und nicht koschere, Antiquitäten und Trödler, Buchhandlungen, Galerien, aber auch Tuchhändler oder kleine Boutiquen. In St. Michel und St. Germains lebten die Menschen auf der Straße oder in den Cafés.

Ganz egal, was die Französinnen trugen, sie wirkten nicht nur elegant, sie waren es auch. Niemand verkleidete sich, sie alle sahen aus, als hätten sie wenig Zeit gebraucht, um sich am Morgen zurechtzumachen, als seien sie gerade aus dem Bett in einen Rock, in eine Hose, eine Bluse oder einen Pullover geschlüpft, unterwegs einen bol de café au lait, dazu ein croissant in einer der zahllosen boulangeries, und von dort schnell weiter – mit Schwung, aber ohne Eile. Mittags nahm man an einer Ecke in einem Bistro Platz, knabberte eine Kleinigkeit, juste pour grignoter, und eine Stunde später ging es weiter. Abends das diner en famille, bei Lola und Robert immer warm und nie unter vier Gängen, oft auch fünf oder sechs. Anfangs gab es immer einen plat de crudités, das konnte ein einfacher Rote-Bete-Salat mit Tomaten sein, oder in Nudelform geschnittene Zucchini in Öl, Zitrone und Knoblauch eingelegt, danach Roberts Lieblingsentrée, rillettes de veau, ein typisch französischer Brotaufstrich, den Lola mit in Streifen geschnittenem Kalbfleisch von der Brustspitze zubereitete, dazu etwas Estragon, Karotten, Zwiebeln, Nelken, Salz, Pfeffer, Butter, crème fraîche und einen Schuss Weißwein. Manchmal eine klare Suppe, um den Magen zu entspannen, etwas Fisch, meistens gedämpft, zweimal die Woche Fleisch, Rind oder Geflügel, niemals Schwein. An Festtagen ein Früchtesorbet, etwas Käse und zum Dessert meistens Obst, oder eine tarte tatin, hauchdünn karamellisiert. Immer wieder tupfte Robert sich den Mund mit seiner Serviette ab und murmelte un grand repas, ein großes Essen. Dabei leuchteten seine Augen, als wären diese Gerichte einzigartig, als würde Lola jeden Tag ihm zuliebe eine neue Komposition entwerfen. Dazu eine Flasche Wein, fast immer rot, zum Fisch aus Burgund, zum Fleisch aus dem Rhônetal, oder ein Bordeaux aus St. Estèphe, Pauillac oder Margaux. Weißwein gab es nur zu Austern, zu kräftigem Fisch auch mal ein Glas Condrieu, ein Wein von unvergleichlicher Tiefe. Diese Diners waren der Höhepunkt des Tages, sie befreiten ihn von seiner Alltäglichkeit, Herz, Seele und Verstand fanden zueinander, keine Völlerei, ein Konzentrat für die Sinne, mit dem die Mühen belohnt, die Nerven beruhigt und auf alles eingestimmt wurden, was noch kommen mochte. Lola und Robert wirkten asketisch, aber ihre Augen, die fein gezeichneten Lippen verrieten ein ausgeprägtes Gespür für kultivierten Genuss. Anschließend nahm man den Kaffee oder Tee in der Bibliothek, Robert servierte sich einen Digestif, ein Glas Calvados, einen Cognac oder einen Armagnac, Lola rauchte eine filterlose Zigarette der Marke Craven A mit offener Korkspitze, bester Virginiatabak, benannt nach dem Earl of Craven, eine Zigarette, die angeblich auch der General de Gaulle im englischen Exil schätzte. Man studierte die wichtigsten Tageszeitungen, die am Vorabend druckfrisch von einem Boten geliefert wurden, oder las in einem Buch, verdaute den Tag, während man sich auf die Nacht einstimmte. Einen Fernseher gab es nicht.

Morgens sah ich sie nie. Ich glaube, sie tranken ihren Kaffee im Stehen, Robert ging ins Institut, arbeitete den ganzen Tag an seinen Forschungen als Biophysiker, und Lola entwarf in einem winzigen Hinterzimmer ihrer Boutique in der Rue du Faubourg Saint Honoré ihre neue Kollektion, ihren surrealistisch inspirierten Schmuck, ihre Seidentücher oder suchte nach neuen Düften, Séga, um die Nachtgeister zu vertreiben, und Gant de Crin, um sie zu betören.

93, Rue du Faubourg Saint Honoré

Lola war immer die Erste. Morgens um sechs Uhr schob sie das schwere Eisengitter hoch, um ihr Reich zu betreten. Nach dem Krieg war das Innere in neuem Glanz erstrahlt, erzählte sie. Die Wände waren jetzt aus Mahagoni, empfingen die Kundinnen in warmer Geborgenheit, eher ein stiller, fast privater Raum als eine offene Bühne. Neben den hellen Sportmoden hatte Lola ihre Lust am Spiel der Farben wiederaufleben lassen, kombinierte sie immer neu und ungewöhnlich, suchte ihre Inspiration in der Malerei, liebte die Impressionisten, die Surrealisten. Besonders liebte sie Piet Mondrians fast religiöse Abstraktionen, seine geometrischen Formen inspirierten sie noch vor Yves Saint Laurent zu einer Kollektion von Damenhandtaschen. Erstausgaben von Appolinaire und Proust wachten in einer Glasvitrine über Lolas Entwürfe. Auf Proust angesprochen, erklärte sie, er suche in *Die Gefangene* für seine Heldin Albertine ein Kleid von Mariano Fortuny, wie Madame de Guermantes es getragen habe, die sich in Fortunys Entwürfen zu kostümiert fühlte. Zwar teile sie die Auffassung dieser Romanfigur, aber eine Frau könne auch nicht immer nur in dezentem Schwarz herumlaufen. Der Anstrengung überdrüssig, wechselte sie vom Deutschen ins Französische.

»Fortuny ist ein Universalgenie, der ebenso als Maler, Architekt, Bildhauer, Ingenieur und Erfinder reüssierte. Er hat neue Methoden der Textilfärbung erfunden und vieles mehr«, sagte sie.

Den Einfluss seiner Stoffe aus Brokat, Samt, Seide, Taft und Satin, in ihren besonderen Farbkombinationen silber- und golddurchwirkt, konnte man in Lolas Zeichnungen wiederfinden. Nichts, rein gar nichts entstehe von allein, sagte sie, auch Fortuny habe seine Damenkleider nach antiken Vorbildern entworfen, treu im Geist, aber auch eigen und authentisch.

»Seine Stoffe stammten aus Venedig, bereits Anfang des Jahrhunderts wurden sie im Louvre ausgestellt. Kurz darauf eröffnete er seine erste Boutique in Paris, dann in London, Madrid und New York. Sarah Bernhardt, die Duse, sogar Lilian Gish und Martha Graham zählten zu seinen Kundinnen.«

Lolas Kenntnisse wurden nur noch von ihrem schier unerschöpflichen Wissensdurst übertroffen, sie konnte neidlos bewundern, wenn ihr etwas gefiel. In einem winzigen Raum hinter den Garderoben stand ihr Arbeitstisch, darauf ein frischer Blumenstrauß, Zeichenpapier und Stifte in allen Farben. Wenn ihre dienstbaren Geister Claudine und Amélie pünktlich um halb neun den Laden betraten, beendete sie ihr Tagwerk, um mit ihnen die bevorstehenden Termine zu besprechen. Um punkt zehn Uhr kam die erste Kundin. Lola hasste Laufkundschaft. Ihren Rat musste man sich verdienen. Verirrte sich doch mal eine Passantin in dieses Refugium, erfasste sie ihr Wesen mit einem kurzen taxierenden Blick, um sie ebenso schnell, höflich, aber bestimmt hinauszukomplimentieren. Die meisten kamen auf Empfehlung, ohne Termin wurde man nicht empfangen. Man könne ja auch nicht in eine Theatervorstellung oder in ein Konzert hereinplatzen, nur weil man mit ein paar Hundert-Francs-Scheinen wedele. Jeder Kundin widmete sie sich, als sei sie nur für sie da, als gelte es, ihre Sorgen in Stoff und Farben aufzulösen oder sie aus eingefahrenen Bahnen behutsam auf neue Wege zu lenken. Vielen ersparte sie auf diese Weise eine Therapie, nahm sie bei der Hand mit Farben, Stoffen, Mustern und Schnitten, die ihnen nicht immer ein neues Leben, aber einen entscheidenden Impuls, einen Ruck in die heimlich ersehnte Richtung gaben. An ihren Bewegungen las sie ihre verlorenen Träume ab, wie eine Ärztin, die bei der ersten Berührung ihrer Patientinnen die verborgenen Ursachen ihrer Schmerzen zu entdecken vermochte. Tat etwas in der Seele weh, sagte sie mir, verändere dieser Schmerz die Bewegung. Gerade die inneren Verletzungen erkenne man an der Leblosigkeit, mit der manche Menschen fremd durch den Tag staksten, ihr Schicksal fliehend, anstatt es zu umarmen. Eine Schönheit ohne Leid sei wie eine glatt polierte Fassade, hinter der die Räume unbewohnt verrotteten. Man dürfe nicht an Außenwänden arbeiten, wenn das Innenleben zu verfallen drohe, manchmal helfe eine einzelne Blume, ihre Farbe, ihr Duft könnten den Raum an seine ursprüngliche Bestimmung erinnern, der Rest käme peu à peu. Aber dafür brauche es neben der Zeit auch die Geduld, sie arbeiten zu lassen.

Wenn sie so sprach, dachte ich an meine Mutter, sah sie mit Tüten behängt von ihren Einkaufstouren bei Woolworth oder Peek und Cloppenburg nach Hause taumeln, die Neuerwerbungen wie eine Anklage schwenkend, als wollte sie sagen, seht her, mehr hat das Leben nicht für mich übrig gelassen. Ich wusste nicht, ob ich darüber wütend oder traurig war, am liebsten hätte ich meinen Kopf gegen eine Wand geschlagen.

»Sala schrieb mir, du würdest dich für Mode interessieren.«

Auf meine ausdrückliche Bitte hin sprach sie nun immer Französisch mit mir. Ich war froh, mich auf diese Weise zu verbessern.

»Sie hat dir geschrieben?«

»Natürlich, was denkst du? Sie war für mich wie eine Tochter, leider habe ich keine eigenen Kinder. Bah, was heißt schon leider, erst hatte ich keine Zeit und dann keine Lust, jede, wie sie will, wir sind nicht nur zum Gebären da, reicht doch, wenn eine von uns Prussak-Schwestern die Linie weiterführt. Wobei ich mich immer wieder frage, was Cesja davon abhielt? Iza hätte ich es am wenigsten zugetraut, unser Vater wohl auch nicht. Ich glaube, Jean hat sie überrumpelt, er war versessen auf Kinder, weiß der Teufel warum. Was war das damals für ein Theater. Unsere arme Mutter schrieb mir völlig verzweifelt nach Paris, der Vater sei außer sich, weil meine Schwester einen Goij geheiratet habe.«

»Was ist daran so schlimm?«

Lola sah mich mit offenem Mund an.

»Ist deine Frage ernst gemeint?«

»Wieso?«

»Was weißt du über das Judentum? Hat deine Mutter dir gar nichts erzählt?«

»Nein. Wir reden nicht viel. Nicht über diese Dinge.«

»Die Totenkerzen hat er angezündet.« Sie sah still vor sich hin. »Er konnte die Schande nicht ertragen, er hatte erhebliche Summen für den Bau der Synagoge gespendet, und nun heiratete seine älteste Tochter einen Goij, einen Nichtgläubigen. Sie war für ihn gestorben.«

»Meiner Mutter wäre das egal, wenn ich keinen Katholiken heiraten würde, auch wenn sie keinen Sonntag die Messe verpasst.«

»Sie ist konvertiert? Na ja, wir haben uns lange nicht gesehen. Aber du bist trotzdem Jüdin.«

»Warum bin ich Jüdin?«

»Das ist ja nicht zum Aushalten, du weißt ja wirklich gar nichts, mon petit. Du bist von einer jüdischen Mutter geboren, also bist du Jüdin.«

»Und mein Vater?«

»Zählt nicht.«

Ich starrte sie an. Sie lachte.

»Zählt nicht?«, fragte ich.

»Nicht bei den Juden.«

»Das ist ja verrückt.«

»Nein, pragmatisch.«

»Pragmatisch?«

»Pater incertus est.«

»Was?«

»Na, du wirst doch wohl Latein in der Schule gehabt haben, oder? Pater incertus est, der Vater ist ungewiss. Das war schon immer so. Wir Juden sind das einzige Volk, das in der Diaspora überlebt hat, mon petit. Alle Völker, die vertrieben wurden oder ihre Heimat verloren haben, sind früher oder später ausgestorben oder durch Assimilation verschluckt worden. Unser Glaube und unsere Regeln haben uns gerettet, sie wurden zu unserer Identität, manche dieser Regeln basieren auf einfachen Einsichten, man weiß immer, wer die Mutter eines Kindes ist, aber der Vater …«

Sie machte eine vage schwankende Handbewegung und lachte. Ich lachte nicht. Sie hatte, ohne es zu wissen, den Finger mitten in die Wunde gelegt.

»Na, ich sehe, wenigstens auf diesem Gebiet weißt du Bescheid.«

»Glaubst du an Gott?«, fragte ich.

»Schwierige Frage.«

»An ein Leben nach dem Tod?«

»Der Tod? Du stellst Fragen. Was soll schon sein? Der Tod ist das Gegenteil vom Leben, würde es danach weitergehen, bräuchten wir ihn nicht, oder? Nein, nein, irgendwann ist Schluss, das macht das Ganze doch erst reizvoll. Was man nicht verlieren kann, ist auch nichts wert.«

»Du glaubst also nicht an Gott.«

»Ich weiß nicht, ob ich glaube oder nicht, an irgendwas glaubt der Mensch doch immer, nicht wahr? Egal wie er es nennt.«

»Aber, du kannst doch nicht Jüdin sein, ohne an Gott zu glauben.«

»Nein?«, erwiderte sie und warf ihren Kopf entschieden in den Nacken. »Das wäre ja noch schöner.«

Ihr aufleuchtender Trotz erinnerte mich an meine Mutter.

»Und du?«

»Weiß nicht.«

»Siehst du.«

»Ich bin auch keine Jüdin, ich bin Katholikin ... ist auch nicht mehr so wichtig, damals, in Buenos Aires war es wichtig, um dazuzugehören ...«

»Du bist Jüdin, mon petit, ganz egal, wie oft und wo du getauft wurdest. Das zählt nicht, aus unserem Verein kann man nicht austreten. Die Mitgliedschaft kann dir weder entzogen werden, noch kannst du sie zurückgeben, ganz egal, ob du gläubig bist oder nicht.«

»Aber meine Mutter ist doch nur Halbjüdin.«

»Halbjüdin? Was soll das nun wieder sein? Wir sind doch keine Äpfel, die man in zwei Hälften schneiden kann, um sie dann vielleicht auch noch mit Birnen zu vergleichen. Wir sind ganz, verstehst du? – Halbjüdin. Das haben die Nazis erfunden.« Sie schüttelte sich. »So ein Schmonzes. Hat sie das wirklich gesagt?«

Ich nickte. Lola schüttelte wieder den Kopf.

»Da geht ja alles durcheinander bei euch. Kein Wunder, Iza hat deine Mutter zu früh verlassen. Ich konnte das damals nicht verstehen, und im Grunde verstehe ich es immer noch nicht. Vielleicht habe ich deswegen keine Kinder bekommen, damit ich sie gar nicht erst verlassen kann. Weißt du was? Nächste Woche sind wir auf einer Bar-Mizwa eingeladen. Der Sohn von Katias Neffen ist gerade dreizehn geworden. Warst du schon mal auf einer Bar-Mizwa?«

Ich schüttelte den Kopf.

»Dann wird es höchste Zeit. Wir werden mal deine jüdische Seite wachküssen, mon petit. Jetzt haben wir uns aber verplappert. Gleich kommt meine erste Kundin, und ich bin überhaupt nicht vorbereitet.«

Sie stand regungslos da und starrte ins Leere.

»Was ist?«

»Ich sehe meinen alten Vater vor mir. Gut, dass er das alles nicht mehr erlebt hat. Er ist gestorben, bevor die Welt zusammenbrach.« Sie fing sich wieder und lachte. »Wenn er wüsste, dass Jean vom anderen Ufer war, würde er sich jetzt noch im Grabe umdrehen, dabei waren sie ein so schönes Paar. Iza hätte bei ihm bleiben sollen, die Homosexuellen geben oft die besten Ehemänner ab.«

»Warum?«

»Einerseits, weil sie uns besser verstehen, andererseits, weil wir die beste Tarnung für ihre Sünden sind.«

»Sünden?«

»Ja, mon petit, ich weiß, die Jugend sieht das heute alles anders. Passt nur auf, dass ihr bei allem Verständnis nicht den Boden unter den Füßen verliert.«

»Aber es ist doch furchtbar, wenn Menschen für ihre Sexualität eingesperrt werden.«

»Natürlich ist das furchtbar, es ist grausam, aber manchmal ist die Gleichschaltung noch unbarmherziger. Die Hälfte meiner Freunde ist schwul.«

»Wirklich?«

»Der normale Mann sieht in der Mode nicht viel mehr als eine Möglichkeit, eine Frau mit teuren Geschenken zu erobern oder, schlimmer noch, sie gefügig zu machen.

Eine verklausulierte Form der Prostitution. Ich habe nichts gegen das horizontale Gewerbe, aber ich hasse jede Form von Heuchelei, alles hat seinen Preis, Dankbarkeit, steht in keinem Ehevertrag. Ich habe keinen Grund zur Klage, wären die Männer anders, könnte ich meinen Laden schließen. Trotzdem bin ich froh, wenn meine Kundinnen nicht in Begleitung erscheinen. Mode braucht neben der Imagination vor allem Geduld und Einfühlungsvermögen, Eigenschaften, die unter normalen Männern selten sind.«

Ich musste sie überrascht angesehen haben, denn sie strich mir nachsichtig über den Kopf.

»Worüber redet deine Mutter mit dir?«

»Ich weiß nicht.«

»Du weißt nicht? Wie geht das? Und dein Vater?«

Ich zog verlegen meine Schultern hoch. Lola sah mich an.

»Ich habe ihn nur einmal gesehen. Der kleine Otto. Wie sagt ihr in Berlin? Klein, aber oho?«

Wir lachten.

»Als Célestine ihm die Tür öffnete, sie war damals unser Hausmädchen, ein einmaliges Geschöpf, wirklich außergewöhnlich, da stand er breitbeinig vor ihr in seiner Wehrmachtsuniform. Stell dir das mal vor. Mitten im Krieg, ein deutscher Soldat, in einem jüdischen Haus. Ich glaube, die Ärmste wusste nicht, ob sie in Ohnmacht fallen oder ihm die Tür vor der Nase zuschlagen sollte.«

»Und dann?«

»Hat sie ihn reingelassen. Wir sind ein offenes Haus. Aber es fiel ihr schwer, das kannst du mir glauben. Ein Nazi, sagte sie. Ich höre es noch wie heute. Sie war entsetzt. Wahrscheinlich hatte sie Angst. Ich musste ihr erst erklären, dass er bestimmt kein Nazi war, aber da war er schon längst wieder weg, flickte wahrscheinlich in irgendeinem Feldlazarett seine verwundeten Kameraden zusammen.«

»Wie war er damals?«

»Kennst du keine Bilder von ihm?«

Ich schüttelte den Kopf.

»Nur ein Jugendbild aus der Schulzeit, ein Klassenfoto mit Haaren auf dem Kopf.«

Lola lachte.

»Er war keine Schönheit, außerdem etwas klein geraten. Aber eine Energie, wie ich sie selten gesehen habe. Willenskraft vom Scheitel bis zur Sohle, aber trotzdem von einer erstaunlichen Sensibilität. Weiche Augen, ja, ich erinnere mich an seine weichen Augen, mit denen er alles aufsaugte.«

Den Nachmittag verbrachte ich im Jardin du Luxembourg, sah den alten Damen nach, an der Leine ihren Hund oder den Tod, sorgfältig frisiert wie ihre Besitzerinnen. Ich lief durch die Straßen des Quartier Latin. Überall Studenten. An einer Fassade las ich in dicker weißer Farbe, *Unter dem Pflaster liegt der Strand.*

Ein Foto

Die Zeitungen zeigten Bilder von demonstrierenden Studenten. Sie hielten die Sorbonne besetzt, forderten Veränderungen ein, solidarisierten sich mit den Arbeitern.

Als wir nach dem Abendessen wieder in der Bibliothek saßen, fragte Lola mich nach Bildern meiner Mutter. Ich besaß nur ein Familienfoto, aufgenommen kurz nach unserem letzten Umzug, auf der Rückseite stand Hainbuchenstraße, 1964. Wegen der kurz aufeinanderfolgenden Wechsel benannten wir die Häuser jeweils nach den Straßen, in denen wir lebten, von der Welfenallee über den Gralsritterweg bis zur Hainbuchenstraße. Es war ein merkwürdiges Bild. Sputnik saß auf einem kleinen Baum, einem Apfelbaum, glaube ich. Ich habe mich nie für Botanik interessiert, nicht einmal Bonzo war es gelungen, mich langfristig dafür zu begeistern. Unter dem Baum standen meine Mutter, mein Vater und ich. Meine Eltern hielten sich eng umschlungen, ich hielt mich etwas abseits, den Blick nach oben gerichtet. Unsere Beine wirkten wie abgetrennt, drei Oberkörper, am unteren Bildrand verstümmelt, aber vielleicht empfand nur ich es so.

»Schau an«, sagte Lola.

Schweigend betrachte sie das Foto. Ich rutschte unruhig auf meinem Sessel hin und her.

»Robert, Ihre Brille, bitte.«

Dass sie einander siezten, wusste ich von meiner Mutter. Dass sie ihre Brillen vertauschten, war ein weiteres Zeichen ihrer Vertrautheit, mit der sie in verliebter Distanz die ungewöhnlichste Ehe führten, die ich bisher gesehen hatte.

»Bitte, meine Liebe.«

»Sie sind ein Schatz.«

Robert zwinkerte mir mit seinen vor Intelligenz und Neugier blitzenden Augen zu.

»Sehen Sie selbst.«

Sie reichte Robert Bild und Brille. Auch er ließ sich Zeit. Schließlich atmete er tief ein und aus.

»Erstaunlich.«

Ich traute mich nicht zu fragen, was ihnen an diesem Bild so besonders erschien.

»Wie alt ist Sala jetzt, mon petit?«, fragte Lola.

Ich rechnete kurz nach.

»Neunundvierzig, glaube ich.«

Lola sah kurz auf.

»Geboren?«

»1919«, antwortete Robert schnell.

»1919 … dann war sie damals … mein Gott, neunzehn … neunzehn Jahre?«

Robert nickte.

»Dreiundzwanzig, als sie nach Gurs kam.«

»Dreiundzwanzig«, wiederholte Lola. »Sie wollte damals nur noch weg. Wir haben ihr angeboten, mit uns nach La Voulte zu fahren. Das war ein Schloss in der Ardèche. La Voulte-sur-Rhône, Katia Granoff hatte es gerade gekauft. Vollkommen verrückt, aber es war unsere Rettung.«

»Und warum wollte sie nicht mit?«, fragte ich.

»Ich glaube, sie hatte Angst. Sie wollte sich nach Marseille durchschlagen und sich dort nach Amerika einschiffen. Amerika«, sagte Robert.

Es wurde still. Über allem, was sie sagten, lag immer eine leichte Ironie, alles Schwere war ihnen verhasst, aber jetzt konnte ich sehen, wie die Vergangenheit auf ihre Schultern drückte.

»Iza saß damals in der Todeszelle in Madrid, weil sie gegen Franco gekämpft hatte, und unsere Mutter ... die letzte Nachricht kam aus dem Getto in Kutno.«

»Kutno?«

»In der Nähe von Łódź, wo wir wohnten. Mutter war in Kutno geboren, nach dem Tod meines Vaters ist sie dorthin zurückgezogen. In Łódź konnten wir als Juden frei leben, mein Onkel hatte aus Manchester die ersten elektrischen Webstühle importiert, aus dem Hinterzimmer seines winzigen Ladens war eine große Tuchfabrik geworden.«

Sie richtete sich auf und drehte sich zu Robert. »Chéri, wir gehen nächste Woche mit Ada zur Bar-Mizwa, von Katias Großneffen. Sie hat nicht die geringste Ahnung von ihrem Judentum. Das muss sich ändern. Du wirst sie lieben, mon petit, sie besitzt eine der besten Galerien von Paris. Das Schloss in La Voulte wollte sie im Krieg für ihre Künstler kaufen. Es war vollkommen marode. Mein Gott. Aber dann kamen belgische Soldaten und haben es requiriert. Kriegsnotwendig, oder irgend so ein Schmonzes. Und Katia? Sie hat es tatsächlich geschafft, dass sie unter ihrem Kommando die Renovierung übernahmen. Unfassbar. Sie kam als Kind von Petersburg nach Paris. Eine wohlhabende Familie, die in der Revolution alles verloren hat. Ein Flüchtlingskind. Sie hat sich nie beschwert. Frankreich hat mich aufgenommen, sagt sie immer. Sie ist patriotischer als jeder Franzose, den ich kenne, und Gott weiß, wie patriotisch sie hier sind. Das kannst du dir als junge Deutsche wahrscheinlich nicht mehr vorstellen, oder gibt es bei euch noch Patrioten?«

»Ich weiß nicht«, sagte ich und dachte dabei an den Kreis. Die meisten konnte man getrost zur Gruppe der Unbelehrbaren zählen, außer Onkel Schorsch vielleicht. Pfarrer Krajewski schwebte mit Gott und Messwein über den Dingen, und Onkel Wolfi versuchte, wie viele der Ehemaligen, seinen Kopf als Demokrat aus der Schlinge zu ziehen.

»Was macht ihr an den deutschen Universitäten?«

Lolas Frage schreckte mich aus meinen Gedanken auf.

»Überall geht die Jugend auf die Straße, auch bei uns, auch in Amerika, im Norden wie im Süden, ihr seid die Hoffnung, wenigstens versucht ihr, es zu sein, auch wenn ich dem Braten nicht ganz traue, so gerne ich es täte.«

Ich senkte den Kopf. Wollten sie mich in ein politisches Gespräch locken? Ich würde ihnen kaum gewachsen sein.

»Ich verstehe das alles nicht so richtig und … ich glaube, es interessiert mich auch nicht.«

Erschrocken über meine eigenen Worte sah ich zu Boden. War es wirklich das, was ich sagen wollte? Nein, es machte mir Angst, vielleicht auch, dachte ich, weil ich mich nirgends zugehörig fühlte.

»Was macht dein Vater jetzt?«, fragte Robert.

»Er ist Hals-Nasen-Ohrenarzt.«

»In einer Klinik?«

»Nein, er hat eine eigene Praxis.«

»Ach … ich dachte immer, es würde ihn eines Tages in die Forschung ziehen«, sagte er.

»Ach was«, mischte Lola sich ein »er konnte sich nie unterordnen.«

»Was wollen Sie damit sagen? Dass ich ein Fürstendiener bin?«

»Nein, Sie schwimmen an ihnen vorbei, ohne dass es einer merkt, oder …« Sie sah mich lachend an und griff nach seiner Hand. »Soll ich dir sagen, wie er sich als junger Doktorand einen Termin beim Leiter des Instituts verschafft hat?«

Robert winkte ab.

»Nein, pass auf, die Sekretärin schirmte damals ihren

Chef immer ab, kein Weg führte an ihr vorbei, und Robert hatte sein Anliegen wohl nicht mit der nötigen Demut vorgetragen. Nach ein paar Wochen wurde es ihm zu bunt. Als sie ihn wieder kopfschüttelnd loswerden wollte, griff er nach der Blumenvase auf ihrem Tisch und goss das Wasser schweigend über ihre aufgeschlagenen Akten. Am nächsten Morgen hatte er einen Termin beim Direktor, zehn Jahre später saß er hinter seinem Schreibtisch.«

»Deswegen ist meine Sekretärin auch angehalten, keine Doktoranden abzuweisen.«

Lola warf noch mal einen Blick auf das Foto aus unserem Garten.

»Sala hat zugenommen.«

Es klang wie ein Vorwurf.

»Weißt du, wie sie früher aussah?«

Ich schüttelte den Kopf.

»Wir haben keine Fotos aus Argentinien mehr. Ich glaube, sie hat sie irgendwann alle weggeworfen.«

»Wie alt warst du, als ihr nach Deutschland kamt?«

»Neun.«

»Und du erinnerst dich nicht?«

»Das meiste habe ich vergessen.«

Lola sah mich an.

»Du wirst deine Gründe haben. Wir alle haben unsere Gründe.«

Sie leerte ihr Glas in einem Zug.

»Wenn ihr gesehen hättet, was wir gesehen haben, würdet ihr nicht mehr schlafen. Das ist kein Vorwurf, aber ich sage es den jungen Leuten hier in Paris, wenn sie auf die Straße gehen. Vieles von dem, was sie verlangen, ist berechtigt, aber sie vergessen eines.« Abrupt legte sie beide Hände flach auf den Tisch. »Egal, wie sehr ich jemanden hasse, ich muss versuchen, ihn zu verstehen, ich muss ihn nicht akzeptieren, aber ich muss versuchen, ihn zu verstehen – mir zuliebe. Dessert?«

Sie stand auf und öffnete einen verglasten Bücherschrank.

»Schau mal.«

Sie legte ein großes Fotoalbum mit rotem Ledereinband auf einen kleinen runden Tisch, klappte es auf und begann, darin zu blättern. Die Bilder zeigten sie mit Robert unter Freunden in den Dreißigerjahren. Paris beim Spaziergang an der Seine.

»Hier, die Île Saint-Louis, links davon geht es runter zu den Quais mit den Bouquinisten, etwas weiter hinten kommt Notre-Dame und die Île de la Cité.«

Bilder einer Bootsfahrt, ein Abendessen in einem vornehmen Restaurant. Lolas von silbernen Strähnen durchzogenen Haare glänzten damals noch schwarz wie Rabenflügel. Sie deutete auf ein Bild.

»La Tour d'Argent, das Canard à l'Orange, unerreicht. Mein Gott, Robert, wie jung wir waren. Unverschämt jung. Und hier ist deine Mutter.«

Sie deutete auf ein kleines Foto auf der unteren rechten Seite. Ich beugte mich vor. Sie lehnte an einem Bücherstand und flirtete mit einem jungen Mann. Ich erschrak.

»Wer ist das?«, fragte ich.

»Wer?«

»Na, der Mann, mit dem sie redet.«

»Ach so, den hatte ich gar nicht gesehen. Wer soll es schon sein? Irgendein Mann. Wie du siehst, war deine Mutter recht anziehend, keine Laufstegschönheit, aber sehr apart, genau der Typ, den die Franzosen lieben, solange sie nicht wissen, dass es sich um eine Jüdin handelt.«

»Sind die Menschen hier antisemitisch?«

»Ach, wo sind sie es nicht, aber, ja, auch hier natürlich und damals, unter Pétain, gehörte es in bestimmten Kreisen zum guten Ton. Nicht alle waren in der Résistance, auch wenn man jetzt gerne so tut. Trotzdem, es gab auch anständige Leute. Sehr anständige. Das Schlimme war nur, man konnte nie sicher sein. In Paris trug man seine Gesinnung nicht so offen vor sich her wie in Berlin. Man mochte uns nicht sonderlich, mehr aber auch nicht. Als die Deutschen einmarschierten, änderte sich das schnell. Es war furchtbar, man sah sie überall, auf den Straßen, im Konzert, in der Oper oder im Theater. Es war für viele Franzosen ein Rätsel, dass man klassische Musik lieben und eine Bestie sein konnte. Das haben uns die Deutschen beigebracht. In Frankreich wollte man nicht so gerne mit den Juden arbeiten, aber man brachte sie nicht um.«

»Hatte meine Mutter viele Affären?«

»Affären? Darüber redet man nicht. Sie war jung. Wie ist es denn bei dir?« Sie lachte, als ich verblüfft guckte. »Siehst du? Nein, sie hat mir nichts erzählt, und ich habe nicht gefragt. Es war eine andere Zeit.«

Ich nahm das Foto in die Hand.

»Ist das nicht Hannes?«

»Hannes? Ich kenne keinen Hannes, wer soll das sein?«

»Ein Mann, den sie damals in Paris kennengelernt hat. Sie waren ein Paar.«

»Wirklich? Ein Paar? Davon hat sie mir nie erzählt. Für sie gab es immer nur Otto. Für ihn wäre sie allein nach Stalingrad marschiert. Aber lass uns nicht über die Vergangenheit reden, mon p'tit, fürs Gewesene gibt der Jude nichts.«

»Das sagt meine Mutter auch immer.«

»Na bitte. Chéri?« Sie wandte sich zu Robert. »Time to go to bed. Gute Nacht, mon p'tit.«

»Ich bringe noch schnell die Sachen in die Küche.«

»Nein, lass nur, ich mache das schon. Robert, sind Sie so nett?«

Eine Viertelstunde später ging ich noch mal zurück, ich hatte mein neues Buch in der Bibliothek vergessen. Als ich die Tür öffnen wollte, hörte ich ihre Stimmen.

»Nein«, sagte Lola.

»Warum nicht?«

»Wir wollen keine schlafenden Hunde wecken.«

»Und wenn sie schon wach sind?«

»Was wollen Sie damit sagen, Robert?«

»Sie hat ihn doch sofort auf dem Bild erkannt.«

»Und?«

»Lola.«

»Sala hat mich ausdrücklich darum gebeten.«

»Um was?«

»Sie möchte nicht, dass wir darüber reden.«

»Soll das Kind ein Leben lang diese Frage mit sich rumschleppen?«

»Was denn für eine Frage?«

Robert schwieg.

»Ich habe es versprochen, Punkt«, sagte Lola.

Sie sprang auf. Schnell huschte ich zurück in mein Zimmer. Von meinem Fenster aus sah ich in den Himmel. Hoch über mir der Mond wie eine nackte Kugel. Ein einsamer Spaziergänger auf der anderen Seite eng an die Fassade gedrückt, als müsste er sich verstecken. Hannes? An manchen Tagen glaubte ich, ihn überall zu sehen. Vielleicht hatten sie alle recht, Lola, meine Mutter, Mopp, vielleicht ging es mich wirklich nichts an. Vielleicht ging es ihnen aber auch wie mir, vielleicht wussten sie es nicht. Vielleicht wusste niemand etwas.

Bar-Mizwa

Die Synagoge lag im 4. Arrondissement, in der rue Pavée.
Das Gebäude war leicht nach hinten versetzt, seine drei-
gliedrige Fassade von Zwillingsfenstern durchbrochen,
elegante Pfeiler mündeten in jugendstiltypischen Pflanzen-
motiven. Über dem Eingangsportal ein Davidstern. Als Lola
und ich zusammen mit Robert eintraten, wurde ich von
einer anderen Stimmung erfasst, als ich sie aus katholischen
oder protestantischen Kirchen kannte.

»Entworfen hat sie Hector Guimard im Auftrag russischer
und polnischer Einwanderer«, flüsterte Lola. »Im 19. Jahrhundert haben sich die meisten jüdischen Einwanderer
aus Osteuropa hier im Marais angesiedelt. Guimard hatte
damals schon wunderschöne Häuser im 16. Arrondissement
gebaut. Er war mit einer Oppenheim aus New York verheiratet. Die Jugendstileingänge der Métro stammen auch von
ihm.«

Lola nahm mich bei der Hand, sie führte mich zu einer
seitlich aufsteigenden Treppe.

»Und Robert?«, fragte ich, als ich sah, dass er uns nicht
folgte.

»Da unten dürfen wir nicht rein.«

»Wie …?«

»Wir sitzen oben auf der Empore, wir können die Männer sehen, aber sie sehen uns nicht.«

»Warum?«

»Damit wir sie nicht vom Beten ablenken.«

»Wie denn?«

»Dreimal darfst du raten.«

Wir nahmen unter den anderen Frauen auf der Empore Platz.

»Es gibt 613 Mizwot, unterteilt in 248 Gebote und 365 Verbote. Um ein Bar Mizwa oder eine Bat Mizwa zu werden, ein Sohn oder eine Tochter des Gebots, muss man sie alle kennen.«

»Auswendig?«

»Na ja …«

»Wieso Sohn oder Tochter des Gebots?«

»Es symbolisiert den Eintritt ins erwachsene Leben mit allen Rechten und Pflichten.«

»Aber das sind doch noch Kinder.«

»Früher war man mit dreizehn ein Mann und mit zwölf eine Frau. Die meisten starben jung. Viele Mizwot sind praktischer Natur und leicht verständlich, andere werden wir nie ganz begreifen.«

»Was sind das für Tücher, die die Männer tragen?«

»Das ist ein Tallit, ein Gebetstuch.«

»Und die Mütze?«

»Das ist keine Mütze, das ist eine Kippa. Die Männer tragen sie zum Zeichen, dass Gott über ihnen steht und dass sie ihn ehren.«

Erst jetzt bemerkte ich, dass hier nicht die Grabesstille herrschte, die ich aus katholischen Gotteshäusern kannte. Alle murmelten vor sich hin, manche scherzten, andere beteten, und im Zentrum stand jetzt Marcel, der Großneffe von Katia Granoff. Mit erhobenem Haupt begann er von einer Schriftrolle auf Hebräisch vorzulesen. Er stand vor einem Schrein in der Mitte des Schiffs.

»Was ist das?«

»Er liest aus der Thora vor. Die Thorarolle wird in diesem

Schrein aufbewahrt sie ist der wertvollste Besitz jeder Gemeinde, sie wird nur zum Lernen und für den Gottesdienst verwendet.«

Die Synagoge war bis auf den letzten Platz gefüllt. Das Schiff war schmal und mit zwei Etagen ungewöhnlich hoch. Alle Emporen waren mit Frauen und Mädchen besetzt. Im Gegensatz zu den Männern trugen sie keinen Gebetsschal.

Diese Bar-Mizwa musste so etwas Ähnliches sein wie bei den Katholiken die Firmung oder bei den Protestanten die Konfirmation, aber im Gegensatz zu den Christen war es bei den Juden keine Massenveranstaltung, durch die eine ganze Gruppe von Jungen und Mädchen geschleust wurde. Hier stand nur Marcel. Er war der Mittelpunkt von allem, nicht der Rabbiner, nicht sein Vater oder die anderen Männer, die jetzt zwanglos hinzugetreten waren. Es ging nur um ihn. Ein stechender Schmerz durchzuckte meinen Unterleib. Ich beugte mich gegen den Krampf vor.

»Was hast du?«, fragte Lola.

»Meine Tage.«

»Nicht so laut. Die meisten jüdischen Frauen gehen in dieser Zeit nicht in die Synagoge.«

»Wunderbar«, stöhnte ich. »Dann hat man wenigstens einen Grund, um die Messe zu schwänzen.«

Lola hielt den Zeigefinger an die Lippen, leise kicherte sie vor sich hin. Obwohl die Schmerzen nicht besser wurden, musste ich jetzt auch kichern. In einer katholischen Kirche sah es ganz anders aus. Stumm und ängstlich starrte man dort den Priester an, böse Blicke würden mich jetzt zurechtweisen. Mit Ole war ich einmal bekifft in eine Kirche geschlichen. Von einer der hinteren Reihen aus hatten wir uns die Messe reingezogen und wären fast gestorben vor Lachen. Immer wieder hatten sie sich mit wutverzerrten Gesichtern nach uns umgedreht, während wir zurückgrimassierten, aber gesagt haben sie nichts, schließlich durfte man in einem Gotteshaus nicht schimpfen oder fluchen. Besonders absurd war die Kommunion, wenn alle schön brav aufgereiht darauf warteten, dass der Herr Pfarrer ihnen mit den geflüsterten Worten »der Leib Christi« eine völlig langweilig schmeckende Hostie in den Mund schob. Dabei war es äußerst amüsant zu beobachten, wie die Menschen ihren Mund öffneten, um den Leib Christi zu empfangen. Die meisten nahmen es offenbar wörtlich, manche rissen ihre Kiefer sperrangelweit auf, andere kriegten die Zähne kaum auseinander, warteten brav in Reih und Glied. Ich sah vor mir ihre starren Nacken. Bei den Christen wurde der Mensch Teil eines Kollektivs. Es ging nicht um ihn, es ging um Gott und seinen Vertreter auf Erden, den Priester. Mit der deutschen Obrigkeitshörigkeit war daraus ein explosives Gemisch geworden. Später habe ich mich immer wieder gefragt, ob sie genauso regungslos ihrem Führer gefolgt waren. Treu bis in den Tod hatten sie die Familien der Menschen, die jetzt in der Synagoge beteten, ins Gas gestoßen oder sich in aller Unschuld weggedreht und sie ersticken lassen. Was war schlimmer? Wieder meldete sich meine Mens, zum Glück hatte ich ein paar Reservebinden dabei. Sputnik war auch eine Zeit lang als Messdiener tätig gewesen. Bei einer Beerdigung wäre er beinahe rausgeflogen, weil er am Grab einen Lachanfall bekommen hatte. Als Begründung hatte er angegeben, die Trauergäste hätten ihre Gesichter so komisch verzogen, weil es ihnen entweder nicht gelang, dauerhaft zu weinen, oder weil sie viel zu laut und übertrieben schluchzten, als handelte es sich um einen Wettbewerb, bei dem der beste Trauergast geehrt und die Übrigen mit einem Trostpreis bedacht wurden. Es hatte fürchterlichen Ärger gegeben. Hätte Pfarrer Krajewski nicht als Mitglied des Kreises seine schützende Hand über ihn gehalten, wäre es das mit Sputniks Ministrantenkarriere gewesen. So war er noch mal glimpflich davongekommen, durfte aber nur noch bei Hochzeiten ministrieren, bei denen es im Gegensatz zu Beerdigungen vom Pfarrer kein Extrageld und auch sonst nichts zu lachen gab. Hier in der Synagoge war das Lachen nicht verboten. Die Freude spritzte den Menschen aus allen Poren, keiner stand reglos da. Während ich mich fragte, warum ich ausgerechnet jetzt an Sputnik oder an die katholische Kirche dachte, hob eine dunkle Männerstimme an zu singen. Die Melodie traf mich mitten ins Herz. Meine Menstruationsschmerzen waren verschwunden. Marcel trat darauf allein vor die Gemeinde, um eine Rede zu halten und auf Hebräisch die Zehn Gebote vorzutragen. Die letzten Worte richtete sein Vater an Gott.

»Gelobt seist Du, der Du mich von der Verantwortung für ihn befreit hast.«

Er reichte die Verantwortung an seinen Sohn weiter. Ich konnte mich nicht erinnern, etwas Vergleichbares in meiner Familie erlebt zu haben. Sie sagten zwar immer, ich solle endlich die Verantwortung für mein Leben übernehmen, aber es klang eher wie eine Kampfansage, nicht wie ein liebevoller Rückzug oder eine Ermutigung, den Staffelstab zu übernehmen. Meine Augen füllten sich mit Tränen, aber in mir war keine Trauer, nur Wut, ohnmächtige Wut darüber, dass mir meine Mutter meine Geschichte vorenthalten hatte. Lolas Worte klangen in mir nach. Ja, ich wusste wirklich nichts. Meine Mutter hatte mich um meine Geschichte betrogen und sich damit schuldig gemacht. Schuldig, mich als Christin zu taufen und zu erziehen und meinem Brüderchen zu applaudieren, wenn es mit gesenktem Haupt zu den Worten von Pfarrer Krajewski in der Messe zur rechten Zeit die Glocken schellen ließ. Mein Vater? Schuldig, weil er Nazisoldaten im Krieg zusammengeflickt hatte, anstatt sie zu töten oder verrecken zu lassen. Schuldig, weil er schweigend die Depressionen meiner Mutter ertrug oder mit Tabletten so lange zukleisterte, bis sie halb tot sediert für ein paar Tage Ruhe gab, bis sie langsam wieder zu Kräften kam, bis sie wieder bereit war für den nächsten manischen Schub. Sputnik? Schuldig geboren. Genau wie ich. Aber meine Schuld wog noch schwerer, ihr Register war länger.

»Mir ist schlecht«, flüsterte ich zu Lola. »Wo ist die Toilette?«

»Ich weiß nicht.«

Ich stand auf, drückte mich an den Frauen vorbei die Treppe hinunter.

Draußen hielt ich mich zitternd an der Hauswand fest. Dann kotzte ich auf den Boden. Ich spürte einen Blick. Eine Frau war mir gefolgt.

»Besser?«, fragte sie.

Ich nickte.

Ich lief allein durch die Straßen. Die Polizei fuhr an mir vorbei, große Mannschaftswagen, auf Motorrädern begleitet von Beamten der CRS, der Compagnies Républicaines de Sécurité, der französischen Bereitschaftspolizei. Mit ihren runden schwarzen Helmen sahen sie aus wie Außerirdische, bereit, unseren Planeten zu übernehmen.

Le Coup de Foudre

Auch am nächsten Tag lief ich den ganzen Vormittag durch Paris, mein Magen hing in den Kniekehlen, und mir war schummerig vor Hunger. An einem Zeitungskiosk überflog ich die Überschriften. Studenten hatten gestern die Sorbonne besetzt, um gegen die Schließung der Universität Nanterre zu protestieren. Ich kaufte mir eine Ausgabe von *Le Monde* und las im Gehen, dass sich einige Professoren mit ihren Studenten solidarisiert hatten. Die Polizei hatte die Universität daraufhin geräumt. Es kam zu ersten gewalttätigen Auseinandersetzungen, Tränengas, Festnahmen, weiteren Protestankündigungen. Im Quartier Latin lieferten sich Studenten und die Polizei Straßenschlachten. Ich lebte jetzt in der Stadt der Revolution. Ich erinnerte mich an den 2. Juni in Berlin, dachte an den jungen Mann im roten Hemd. Benno Ohnesorg. Die dummen Sprüche im Kreis. In Paris war alles anders, die Studenten wirkten besser organisiert. Es gab Kontakte zu großen Fabriken. Die Arbeiter kündigten an, sich mit den Studenten zu solidarisieren. Das wäre in Berlin undenkbar gewesen. Die Erwachsenen nahmen uns nicht ernst, nicht als Feinde und noch weniger als mögliche Verbündete. Ich hatte noch die Schüsse auf Benno Ohnesorg im Ohr. Ich bekam weiche Knie und hielt es für ratsamer, das Weite zu suchen, auch hier wirkten die Menschen jetzt angespannt. Meine Erinnerungen an die Berliner Polizei wollte ich nicht in Paris auffrischen. Ich lief vom Pont Neuf bis zum Pont Royal, über die Brücke zurück auf die linke Seite der Seine, in die Rue du Bac, vorbei an der Rue de Lille, der Rue de Verneuil, der Rue de L'Université. Endlich gelangte ich auf den Boulevard Saint Germain. Hier war es ruhiger, und es war nicht mehr weit zum Café Flore. Als ich davorstand, wagte ich nicht mehr als einen Blick durch die Fensterscheiben, hinter denen sich jetzt langsam Frankreichs Intellektuelle zum Mittagessen versammelten. Auf der Terrasse residierten eher die Filmleute, sagte Lola, aber ich konnte weder Brigitte Bardot noch Jean Seberg oder Jean-Paul Belmondo entdecken. Ich spürte einen Blick in meinem Rücken und drehte mich um. Vor mir stand ein Gespenst.

»Hunger?«

Ich starrte ihn an.

»Die Küche im Flore ist überschätzt, wenn du wirklich etwas essen willst, weiß ich einen besseren Ort.«

Ich konnte immer noch nicht sprechen.

»Komm.«

Er bot mir seinen Arm, ich hakte mich unter. Leichten Schrittes schlenderte er los. Ich trippelte neben ihm her, immer wieder stolpernd, bemüht, seinen Rhythmus zu finden.

»Wenn du auf der Suche nach berühmten Orten bist, würdest du sicher gerne in die Closerie des Lilas gehen, oder warst du dort schon mit deiner Tante?«

Er sah mich fragend an. Ich schüttelte stumm den Kopf.

»Du hast sie doch sicher besucht? Seit dem letzten Abend mit deiner Mutter und ihr nenne ich sie immer die Closerie de Lola.«

Er lachte.

»Nein, ich kenne ein wunderbares kleines Bistro in der Rue de Buci, da isst man gut.«

Wir gelangten durch verwinkelte Gassen in den Cours du

Commerce, ein Torbogen, der uns zunächst über drei weitere ineinander übergehende verzauberte Höfe führte.

»La Cour de Rohan«, sagte er. »Henri II hat hier ein paar Häuser für seine Maitresse Diane de Poitiers bauen lassen, weiter vorne hatte der Maler Balthus vor dem Krieg sein Atelier, in dem hinteren Hof, dem Cours du Commerce, stand früher das Haus von Danton, leider wurde es abgerissen. Da sind wir.«

Auf schwarzem Holz las ich in goldenen Lettern *Le Coup de Foudre*. Ein Kellner öffnete uns die Tür.

»Bonjour Hannes.« Er begrüßte ihn, wie einen Stammgast. Der Raum war so winzig, dass es unmöglich war, sich darin auszuweichen. Nackte Tische, Papierservietten, grellbunte naive Wandmalereien, ein Ventilator unter der Decke, alles etwas heruntergekommen.

»Es ist sehr eng hier«, sagte er. »Abends wirst du es kaum wiedererkennen, dann stapeln sich die Wartenden draußen vor der Tür und an der Theke.«

Obwohl das Ambiente eher schäbig war, verriet mir ein schneller Blick auf fremde Teller, dass mich eine Küche erwartete, deren Duft mich nicht weniger überraschte als der Mann, an dessen Seite ich mich zunehmend entspannte. Der Kellner zog den kleinen Zweiertisch zur Seite, ich setzte mich auf den Stuhl an der Wand rechts neben dem Fenster. Draußen begann es zu regnen.

»Sala hat mir gar nicht erzählt, dass du in Paris bist. Wir haben letzte Woche noch telefoniert.«

Waren sie etwa heimlich in Kontakt? Oder wusste mein Vater davon?

»Von Lola habe ich ewig und drei Tage nichts gehört. Ich glaube, sie war über unsere Liaison damals nicht sonderlich erfreut.«

Wieder dieses Lachen, das in ein nahezu unverschämtes

Grinsen überging. Der Kontrast zu den unschuldig lächelnden Grazien auf der gegenüberliegenden Wandmalerei hätte nicht größer sein können.

»Hier gibt's keine standardisierten Zubereitungen, keine Mehlsaucen, Guillaume stammt aus dem Lyonnais, wo man mit einem Kochlöffel im Mund geboren wird. Zwischen Lyon und Dijon kannst du jedes Restaurant oder Bistro mit geschlossenen Augen betreten. Manche haben nicht einmal eine Speisekarte, zwei, drei plats du jour, das war's. Aber das ist dann auch, wie hier, jedes Mal eine Offenbarung.«

Als ich ihn neben einem Salat von geräucherter Gänsebrust eine Kochwurst mit Linsen bestellen hörte, wurde mir etwas mulmig.

»Das Rezept klingt weniger beängstigend, crème d'amourette à la fondue de poireaux«, sagte er.

Bei dem Wort amourette überfiel mich ein heftiger Schluckauf.

»Was so ein kleines Wort nicht alles auslösen kann.«

Wieder dieses unverschämte Grinsen.

»Mit amourette meinen die Franzosen das Innere von Kalbsknochen, Knochenmark, so dick wie ein Makkaroni. Es ist so raffiniert, wie es einfach ist. Man blanchiert die Knochenmarkstücke in gesalzenem Wasser«, er hob in gespieltem Ernst den Zeigefinger, »Kochwasser nicht wegschütten, Lauch kurz in Butter anbraten, würzen mit Salz und Pfeffer, ordentlich Weißwein, mit ein paar Tropfen altem Weinessig einkochen lassen, das in kleine Stücke geschnittene Knochenmark hinzufügen und ein paar Minuten schmoren lassen und ein bisschen Kochwasser dazugeben. Zum Schluss großzügig mit Sahne aufgießen und noch einmal einkochen lassen, mit Salz und Pfeffer abschmecken.«

»Et voici«, sagte der Kellner und schob zwei dampfende Teller auf den Tisch. »Bonne continuation.«

Es hatte gut angefangen, warum sollte es nicht ebenso gut weitergehen?

Mein Schluckauf verschwand, mit dem Essen kam der Appetit.

Eigentlich sah er aus wie ein Gott. *Le Coup de Foudre.* Der Name des Bistros bedeutete so viel wie *Liebe auf den ersten Blick*, man könnte auch sagen, *Vom Liebesblitz getroffen.* Dieser Mann war zu viel für mich, aber wenn es so war, waren alle anderen zu wenig.

Nach dem Essen liefen wir durch die kleinen Gassen. Der Regen zog vorüber. Der Himmel riss auf. Ob ich Hemingway gelesen habe, wollte er wissen? Ich hatte nicht. *A Moveable Feast* sei eines der schönsten Bücher, die je über Paris geschrieben worden waren, die Zwanzigerjahre, Gertrude Stein, die verlorene Generation, Ford Madox Ford, James Joyce, Ezra Pound, F. Scott Fitzgerald, es handele wie diese Stadt vom Leben, vom Schreiben, von der Liebe und ihren Lügen. Die Erinnerung darin sei, wie jede Erinnerung, nichts als Erfindung.

»Unser einziger Weg zur Wahrheit, vielleicht.«

Er blieb stehen und nahm mich bei der Hand.

»Egal, was sie dir sagen, ich habe deine Mutter geliebt.«

Ich sah in seine Augen, sie leuchteten wie gefrorenes Feuer.

»Keine Liebe ist so schön wie die, die man verliert. Zumindest tröstet es uns, das zu glauben. Sonst müssten wir uns eingestehen, wie dumm wir waren oder wie feige, und wir blieben allein zurück mit unserer Reue.«

Ich stand vor dem Mann, den ich seit Jahren suchte, vielleicht ohne es zu wissen. Ich sah in seine Augen, ich hatte ihn die ganzen Jahre über nicht vergessen, er war ein Teil von mir geworden, so wie ich vielleicht ein Teil von ihm war. Alles andere war bedeutungslos. Warum sollte ich versuchen, mit ihm Konversation zu betreiben, von Sartre zu erzählen, oder von der Bar-Mizwa. Es schien mir alles überflüssig.

»Versuche zu verzeihen. Zwei Menschen gleichzeitig zu lieben ist das Grausamste, was einem passieren kann.«

»Sehen wir uns wieder?«

»Mit Paris bin ich fertig, ich fliege morgen nach New York.«

»Nimm mich mit.«

Er legte seine Hand auf meine Stirn. Sie war groß und kalt. Dann schüttelte er den Kopf.

Ich habe nicht geweint. Er lief den Quai entlang, überquerte eine Brücke. Ich stand einfach nur da. Stehen gelassen. Hätte ich Fragen stellen sollen? Anklage erheben? Ich war mir nicht mehr sicher, ich würde es nie wieder sein.

Drei Tage später klingelte bei Lola das Telefon, meine Mutter war dran.

»Wo bleibst du denn? Hat Paris dich verschluckt?«

Sie versuchte es in komplizenhaftem Ton.

»Das neue Semester fängt bald an. Ich finde das nicht so wichtig, aber du kennst ja deinen Vater …«

»Ja? Tue ich das?« Ich spürte, wie die Kälte in mir aufstieg. »Ich habe Hannes getroffen«, sagte ich, bemüht, die Fassung nicht zu verlieren, ihr nicht durchs Telefon das Gesicht zu zerkratzen. Jetzt habe ich dich, dachte ich, diesmal entkommst du mir nicht.

»Ah«, sagte sie und schwieg.

Das konnte sie haben. Ich würde mich nicht erniedrigen und um die Wahrheit betteln. Ich konnte auch schweigen. Vielleicht besser noch als sie. Ich hatte die ersten Jahre meines Lebens geschwiegen, so etwas verlernt man nicht.

»Na jaaaaa«, fand sie schnell zu ihrem gewohnten Ton zurück, »ich gestehe es …« Sie lachte leise, während mir das

Blut in den Adern stockte. Komm, dachte ich, sprich es endlich aus, sag es, damit ich meinen Frieden finde, sag es, verdammt noch mal.

»Eigentlich zum Piepen, weißt du? Letzte Woche ruft er mich an, ja? Typisch Hannes, einfach so, aus dem Nichts taucht er auf und verschwindet wieder ...«

Sie setzte erneut an.

»Sagt mir, dass er in Paris ist und ob ich nicht Lust hätte vorbeizuschauen. Eine glatte Unverschämtheit, wenn du mich fragst. Was denkt der sich eigentlich, ich bin eine verheiratete Frau. Nein, sage ich ihm, aber Ada ist zufällig da. Ihr könnt euch ja mal treffen. Ich glaube, ich habe ihm dann noch Lolas Nummer gegeben, aber nagel mich nicht darauf fest, ja?«

Es wurde still.

»Also was ist jetzt?«, meldete sie sich zurück. »Was soll ich deinem Vater sagen?«

»Ich komme nicht zurück«, antwortete ich.

Dann weinten wir beide so leise, dass es kaum zu hören war.

Die Reise

Ich konnte nicht mehr zurück. Ich dachte an Uschka, an unser Spiel. Wo mochte sie jetzt sein? London, Paris, Rom? Ich lieh mir etwas Geld von Lola, buchte einen Flug nach New York, arbeitete in kleinen Hotels, mal in der Küche, mal am Empfang, eine Zeit lang putzte ich sogar die Zimmer, warf schmutzige Wäsche in große Trommeln, folgte ihren kreisenden Bewegungen, bis mir schwindlig wurde. Würde Uschka mir bald von den Titelseiten der großen Modemagazine entgegenlächeln? Und wenn schon. Zum ersten Mal in meinem Leben hatte ich das Gefühl, das Richtige zu tun. Ich verdiente mein eigenes Geld, zahlte Lola meine Schulden zurück und versuchte, erwachsen zu werden. Im Sommer 1969 kaufte ich mir ein Ticket für Woodstock. Im Bus, trampend und am Ende zu Fuß, kam ich endlich an. Kinder rannten an mir vorbei, Joints kreisten unter ihren Eltern, die bunt angezogen waren und lächelten, während sie ihre Decken ausbreiteten und die Sonne glühend hinter den Feldern verschwand. Vor mir lagen drei Tage Frieden und Musik. Es war mein erstes Konzert seit dem kurzen Auftritt der Stones vor vier Jahren in der Waldbühne. Vier Jahre, aber mir war, als hätte ich in dieser kurzen Zeit mehrere Leben gelebt.

Ich wusste damals nicht, wie viele Menschen an diesem ersten Tag eintrafen, aber dass es weit mehr als hunderttausend waren, konnte man auf einen Blick erkennen. Neben der Bühne und weiter vorne ragten Türme mit schweren Scheinwerfern hoch in den Himmel.

Als Erster trat Richie Havens auf. Er trug einen orangefarbenen Dashiki über einer weißen Hose, setzte sich mit seiner Akustikgitarre auf einen Hocker, links von ihm sein Perkussionist, rechts ein Gitarrist. Er legte los, die Gitarre fast waagrecht, knapp unterm Kinn, die Augen geschlossen, als säße er vor einer kleinen eingeschworenen Gemeinde. Er spielte einen Song nach dem anderen, ohne aufzusehen. Schweißgebadet ging er ab, kam mit einer Zugabe zurück, ließ sich nicht lange bitten und spielte einfach weiter. Dann verschwand er, trat aber kurz darauf wieder ans Mikrofon.

»Freedom! Wisst ihr was? Freiheit ist das, wovon wir alle sagen, dass wir es erlangen wollen. Es ist das, wonach wir suchen … Ich glaube, das hier ist es.«

Er zupfte ein paar Töne auf seiner Gitarre, sein Fuß wippte mit, spornte ihn an, ließ ihn einen immer schnelleren, kraftvolleren Rhythmus anschlagen.

Freedom
Freedom
Freedom
Freedom

Sometimes I feel
Like a motherless child

Ich zuckte zusammen, lauschte mit geschlossenen Augen.

Sometimes I feel
Like I'm almost gone, yeah
A long, long
Way
Way from home, yeah
Yeah

Bei dem Wort Freedom war es still geworden, jetzt sprangen alle auf. Ich drehte mich um und sah ein wogendes Meer klatschender Hände, Hunderttausende Körper bewegten sich in Richies beschleunigtem Takt. Die Worte hallten in mir nach, wie in einer leergefegten Kathedrale.

Hey, yeah, yeah, yeah, yeah
Hey, yeah, yeah, yeah
Hey, yeah, yeah, yeah, yeah

I got a telephone in my bossom
And I can call him up from my heart

When I need my brother
Brother

When I need my father
Father

Mother
Mother, hey mother

Hey, yeah, yeah, yeah
Hey, yeah, yeah, yeah

Clap your hands, clap your hands
Clap your hands, clap your hands

Und während seine Begleiter im Hintergrund leise *Freedom* sangen, klang es wie ein Refrain aus weiter Ferne, der mit der Basslinie zu mir hinüberflog und mich mit diesem Ort und uns allen verband, Hunderttausende Menschen, in einer einzigen Woge aus Glück, Musik und Freiheit. Am

Ende des ersten Acts stand bereits mein ganzes Leben vor mir.

Jemand hielt mir eine Pille hin. LSD? Warum nicht, ich war neugierig und konnte mir keinen besseren Ort vorstellen, um meinen ersten Trip einzuwerfen. Ich bedankte mich mit einem kurzen Lächeln und lief weiter.

Im Wald entdeckte ich ein paar Häuser und Straßen. An den Verkaufsständen gab es Lederarbeiten, Schmuck, Batiksachen, ein utopisches Dorf voller Außerirdischer.

Auf der Bühne sang inzwischen Burt Summer *America* von Simon and Garfunkel. Ich sah ins Publikum, die ganze Menschheit war hier versammelt.

Gegen elf Uhr abends hoben die Leute zu Ravi Shankars Sitarklängen endgültig ab. Einzelne standen schreiend auf, warfen die Arme in die Luft oder knieten nieder. Ich warf meinen Trip ein und wartete.

Dann kam der Regen. Zuerst dachte ich mir nichts dabei, aber schnell wurde klar, dass ein schweres Unwetter heranrollte. Zwischendurch blitzte und donnerte es ein bisschen, aber schlimmer waren die Wassermengen, die nun so heftig auf uns niederschlugen, als wollten sie alle Zelte, die Menschen, die Bühne in einem endlosen Strudel mit sich reißen. Um uns herum war der Boden aufgeweicht, Erwachsene rutschten wie die Kinder im Schlamm, keiner wollte gehen.

»Hey«, meldete sich einer der Organisatoren über Mikrofon. »Wir müssen aus Sicherheitsgründen eine Pause einlegen, um Kurzschlüsse auf der Bühne zu vermeiden. Bleibt cool, wir haben es bis hier geschafft, wir schaffen es mit eurer Hilfe auch weiter.«

An verschiedenen Ecken versammelten sich Menschen

tanzend um Lagerfeuer, applaudierten den Bühnenarbeitern, die im strömenden Regen die Anlagen sicherten.

Eine halbe Stunde später überfiel mich ein diffuses Gefühl der Angst. Etwas in meinem Magen schien sich zu bewegen. Wie ein Tier krabbelte es von dort durch meine Gedärme.

Ich versuche, ruhig zu atmen. Jemand setzt sich mit halb geschlossenen Augen neben mich, wiegt sich rhythmisch vor und zurück, neben ihm ein mit bunten Schnitzereien versehener Stab, zwischen seinen Beinen eine Trommel. Seine Finger fliegen leicht über das gespannte Leder. Mit geschlossenen Augen summe ich ein russisches Wiegenlied. Langsam dreht er sich zu mir, deutet auf das Tierfell in seinem Nacken und zeigt mir seine heilenden Hände. Schweigend massiert er meine Bauchdecke, ohne mich anzusehen. Er reicht mir etwas Essbares, das ich nicht kenne, eine süßliche Frucht, die mich an eine Banane erinnert, aber kleiner und runder, wie ein kahler geschrumpfter menschlicher Kopf, der grün zu leuchten beginnt. Während ich die weiche Masse kaue, schmecke ich für kurze Augenblicke Bitterstoffe, die sich mit der zuckrigen Süße zu einem trockenen Geschmack verbinden.

»Papa«, höre ich mich sagen.

Neben ihm tauchen German und Mercedes auf. In ihren stummen Gesichtern liegt etwas Flehendes. Berlin wird zu Buenos Aires, zum Kloster in La Falda, ich kann sprechen, singe argentinische Volkslieder, galoppiere mit den Gauchos auf meinem Pferd Piedras über die weiten Wiesen hinter den Rinderherden, meine Brüste verwandeln sich in kleine Orangen, draußen singt Joan Baez, ihre Stimme zittert durch die Luft, sie ist schwanger, schert sich nicht um den Regen, erzählt von ihrem Mann, der als Wehrdienstverweigerer im Gefängnis sitzt, fröhlich winkend betritt er die Bühne, ihre gemeinsame Energie verwandelt den Mond in kleine Sonnen, die über uns kreisen, Arme mit Feuerzeugen überall, ein Lichtermeer flammt durch das ganze Tal, jemand schreit, das Feuer würde den Regen vertreiben, Joans Gesicht leuchtet rot, blau und grün, in ihrem Bauch sehe ich ihr Baby im Fruchtwasser schwimmen, langsam löse ich mich aus meinem Körper, folge meiner Hülle, die aus dem Zelt heraustritt und hinter die Bühne zu einem kleinen See geht, helllichter Tag, kein Regen, die Sonne heiß über mir, nackte Menschen im Wasser, ich werfe meine Kleider ab, gleite hinab, von seidenweichen Armen umfangen, Grün schimmert in anderem Grün, ich sehe jeden Tropfen, Millionen, Abermillionen winziger Tropfen, Atome, die gegeneinander stoßen, ich tanze übers Wasser, ein hüpfendes Korkboot auf hoher See, über mir der Himmel schwarz und kalt, von Blitzen durchbohrt, Licht in farbigem Bogen über die Erde gespannt, singende Fische fliegen durch die Luft, Entenflügel schlagen auf das Wasser, wie Michael Shrieve auf sein Schlagzeug, Lust trommelt in meinem Bauch, Blumen überall und mitten in diesem Meer meine Mutter, das Gesicht voller Schlamm, die Arme verschränkt in schauderndem Schaukeln, klein und hilflos als fürchte sie mich, graue Wolkenberge schieben sich ineinander, reiben und berühren sich, Skulpturen gebläht, als müssten sie platzen, mein Bewusstsein strömt nach allen Seiten, während ich aufrecht mit weißem Haar durch die Wälder streife, verloren in Raum und Zeit, ein Gedicht in Stein geritzt, jeder Buchstabe ein farbiger Blitz, geführt von meiner Hand.

Ich sehe auf meine Uhr. Eine Stunde ist vergangen, seit ich den Trip eingeworfen habe. Eine Stunde nur?

Das kann unmöglich sein. Es waren Tage, Monate, Jahre. Ich höre und sehe Musik, Grateful Dead, Canned Heat, Creedence Clearwater Revival, Janis Joplin, The Who, Jefferson Airplane, Country Joe and the Fish, Ten Years After,

Joe Cocker, Blood, Sweat and Tears, Johnny Winter, Crosby, Stills, Nash and Young. Fremde Gesichter beginnen sich vor meinen Augen zu verschieben, setzen sich neu zusammen, das Alte erlischt, ich erkenne jede kleinste Ader, jeden Muskelstrang unter papierdünner Haut, vor mir ein Indianer, das Gesicht gegerbt wie die ledernen Wände seines Tipis, faltig, von Rissen durchzogen, Joe Cockers Finger einsam in der Luft, Janis Joplins Schreie durch die Nacht, Alvin Lees rasende Finger, Pete Townshends zertrümmerte Gitarre, im tosenden Regen springen Hunderte Frösche aus dem See, fallen in Scharen vom Himmel, eine Gestalt lockt mich zurück in den Wald, zerfällt zu goldgrünem Hoffnungsstaub, Franz, Hajo, Ole, sie alle wachsen aus Hannes hervor, er wirft mich lachend in die Luft, ein Adler breitet seine Schwingen über das Tal, ein dunkler Himmelsfürst mit Uschkas flachsblondem Haar, Jimi Hendrix, um den Kopf einen roten Schal, ein mit bunten Perlen besticktes Fransenhemd aus weißem Leder, die Augen geschlossen, im Nacken der Kopf, Töne der amerikanischen Nationalhymne, sanft und ehrfürchtig rücken wir zusammen, schlammverkrustete Menschen, Verzerrungen, Rückkoppelungen reißen die Noten auseinander, wie explodierende Bomben, Häuser fallen brennend in sich zusammen, kratzen an Wolken aus dunkler Asche, Studenten mit blutig geschlagenen Gesichtern, verbrannte Soldaten, schreiende Kinder mit fehlenden Gliedmaßen in einem riesigen Feuer erstickt. Eine kleine, winzige Hand greift nach mir, ich drehe mich um und schaue erschrocken in mein Gesicht, eine Stimme flüstert sanft und vertraut.

»Ich bin nicht tot. Ich bin nicht tot. Ich nicht und Ich.«

In diesen drei Tagen starben in Bethel zwei Menschen und zwei wurden geboren, jeder eine neue Möglichkeit oder eine Hoffnung, die zu Grabe getragen wurde. Am Ende blieben die Sätze von Max, dem Farmer, der uns auf sein Land gelassen hatte.

»Ich bin Bauer ... ich weiß nicht ... ich weiß nicht, wie man vor zwanzig Menschen spricht ... ganz zu schweigen von so einer Menge wie hier. Aber ihr habt der Welt etwas bewiesen ... nicht nur der Stadt Bethel oder Sullivan oder dem Staat New York, ihr habt der *ganzen Welt* etwas bewiesen ... das hier ist die größte Menschenmenge, die je an einem Ort zusammengekommen ist, wir hatten keine Ahnung, dass es so viele werden würden, und deswegen hattet ihr einige Unannehmlichkeiten, Wasser, Nahrung ... eure Veranstalter haben einen Mammutjob gemacht, um euch zu versorgen, sie verdienen ein Dankeschön. Aber mehr als das ... das Wichtigste ist, dass ihr der Welt bewiesen habt, dass eine halbe Million Kids, und ich nenne euch Kids, weil ich Kinder habe, die älter sind als ihr ... dass eine halbe Million junge Menschen zusammenkommen können und drei Tage lang Spaß haben und Musik hören, und dass es wirklich nichts ist als das: Spaß und Musik ... und dafür segne euch Gott.«

1993 im Frühling

Ich verabredete mich zuerst mit meiner Mutter. Wir trafen uns nach neun Jahren in der Lobby eines anonymen Hotels, in einer fremden Stadt. Unser Gespräch war ruhig und sachlich. Ich erzählte von meiner Analyse. Ich sagte ihr, ich würde auch sie mit der einen oder anderen unangenehmen Wahrheit konfrontieren, wenn sie es zuließe. Sie nickte. Ihre Mutter war gestorben, als ich in Woodstock tanzte und sang. Bis zu ihrem letzten Atemzug hatte sie sie gepflegt. Etwas Geld war ihr geblieben, ein paar Bilder alter Meister, ungeschliffene Diamanten in verstaubten Penicillintuben und eine sie täglich heimsuchende Erinnerung an das Erbe einer missglückten Beziehung zu einer Mutter, die ihre siebenjährige Tochter verlassen hatte. Ich nahm ihre Hand. Ich schämte mich. Zum ersten Mal in meinem Leben war es ein gutes, ein befreiendes Gefühl.

Meinen Vater Otto sah ich ein paar Monate später wieder, in Andalusien, wo sie seit zehn Jahren lebten. Er hatte ihr versprochen, Deutschland zu verlassen, sobald er aufhören würde zu arbeiten, und Wort gehalten.

Die Wüstenluft schlug mir heiß ins Gesicht. Von der Propellermaschine lief ich über die gelben Streifen zu dem kleinen Flughafengebäude. Ich sah ihn auf der Terrasse stehen, auf dem Kopf etwas unsicher eine weiße Schiebermütze, als staute sich darunter seine Aufregung wie die Hitze in der Luft. Sein Körper war alt, aber seine Augen leuchteten. In der Ankunftshalle umarmten wir uns zaghaft wie Teenager, aus Angst, die neuen, noch hauchdünnen Bande zu zerreißen. In seinem alten Mercedes fuhren wir über Ziegenwege zu ihrem Haus. Unter uns lag das Meer, rechts von uns schlängelte sich ein einsamer Weg hinauf in die Berge. Ich hatte meine Mutter wieder, aber was noch wichtiger war, neben mir saß mein Vater. Er nahm meine Hand. Im Mondlicht lag scharf gezeichnet das Tal, ein heller Strich über den Bergkuppen, klar wie ein Traum. Auf dem Berg gegenüber, in einem verlorenen Haus, flackerte ein Licht. Wie das Auge eines Wals, dachte ich. Behutsam beugte er sich übers Meer, über uns und die Zeit.

Als der Professor die Tür öffnete, musste ich an mich halten. Beinahe wäre ich ihm um den Hals gefallen. Ein schöner Schlamassel wäre das gewesen. Ich ging vorbei an dem golden wehenden Samtvorhang und ließ mich fröhlich auf die Streckbank fallen. Wie viele Stunden hatte ich mich hier durch meine Vergangenheit in eine neue Gegenwart gequält? Irgendwann hatte ich aufgehört zu zählen. Durch das Fenster in seinem Rücken fiel spätsommerliches Licht auf mich und die Couch, streifte das Rautenmuster des Perserteppichs neben mir an der Wand. Ich wusste immer noch nicht, was meine Krankheit gewesen war. Gleichviel. Er hatte recht, was bedeutete ein Etikett, was nützte es mir? Zu Beginn war ich auf dieser Couch gestrandet, gescheitert in der Liebe, im Beruf, im Leben. Alles verloren. Und jetzt?

»Ich glaube, ich bin verliebt.«

»Sie glauben?«

»Nein«, lachte ich. »Ich weiß es.«

Er schwieg. Zum ersten Mal stellte ich mir vor, wie er schmunzelte. Für eine frustrierte, dauerunglückliche, unzufriedene Tussi, die nicht wusste, wohin sie gehörte, ein beachtlicher Erfolg. Auch sein Erfolg. Darüber durfte man in Ruhe schweigen. Und lächeln. Aber ich lachte. Ich lachte und lachte.

»Sie lachen.«

»Ja … es ist nämlich, ich weiß nicht, wie ich es sagen soll. Also … na jaaaa, er … er heißt Heinrich, und er ist gehörlos.«

Er schwieg.

»Finden Sie das schlimm?«

»Warum sollte ich?«

»Also nicht richtig gehörlos, beziehungsweise schon, er … wissen Sie, er konnte als Kind nicht sprechen, genau wie ich … seine extreme Schwerhörigkeit wurde erst spät entdeckt, als er in den Kindergarten kam. Er ist aus einfachen Verhältnissen, seine Eltern hatten kein Geld, um eine Behandlung zu bezahlen, sie konnten es sich nicht leisten, aber … er war so ehrgeizig, er wollte es schaffen, er wollte nicht auf eine Schule für Gehörlose, er wollte in den Kindergarten und danach weiter, wie alle anderen auch, er wollte ein normales Leben, auch wenn er wusste, dass es so etwas für ihn eigentlich gar nicht geben konnte. Mit der Zeit wurden die Hörgeräte immer besser, er lernte von den Lippen zu lesen und in den Gesichtern. Wissen Sie, dass es für Gehörlose in Deutschland und Japan besonders schwer ist, uns Sprechende zu verstehen?«

»Erzählen Sie.«

»Das Lippenlesen ist ein Märchen, man kann nicht jedes Wort erkennen, außerdem nuscheln manche Leute so stark, dass sie kaum die Lippen auseinanderkriegen. Deswegen sind die Gehörlosen auf die lebendige Mimik ihres Gegenübers angewiesen, und jetzt kommt's: Die deutschen Gesichter sind dafür zu starr. Man sieht nichts. Kein Gefühl, ein schlechtes Land für Gedankenleser, die treten hier auch nur selten im Zirkus auf. Zum Piepen, nicht? Na ja, jedenfalls hat er rote Haare und einen roten Bart. Eigentlich ein Unding für mich. Ich hasse rote Haare. Als mein Bruder mit roten Haaren geboren wurde, hätte ich ihn am liebsten zurückgehen lassen, und noch mehr hasse ich Männer mit Bart, das ist immer so … ach, ich erspare Ihnen die Details, aber das Komische ist, es war mir von Anfang an egal. Seine Augen sind wunderschön, sein Gesicht so lebendig, seine Hände können sprechen, sie sind so … ach, ich schäme mich, es klingt so banal … sie sind zart. Für die Wissenschaft ist er ein Wunder, er spricht, er spricht wie Sie und ich, er verfügt über ein so starkes Einfühlungsvermögen, dass er sogar als Mann Frauen verstehen kann und die Hoffnung, dass es so was gibt, hatte ich nun wirklich schon aufgegeben.«

Wir schwiegen eine lange Zeit, in der wir, glaube ich, beide lächelten.

»Vielleicht sollte ich mich mal bei Sputnik melden. Ich meine … wir haben uns ja auch noch das eine oder andere zu erzählen. Hannes lebt jetzt in Johannisburg. In Paris hat er mich tatsächlich angelogen. Er wollte unsere Begegnung wie einen Zufall aussehen lassen. Ein Hallodri. Ich glaube, meine Mutter hat sich für den Richtigen entschieden. Das heißt, eigentlich war ich es ja. Lustig, was? Vielleicht fahre ich mal hin. Oder?«

»Ja«, sagte er. »Machen wir da weiter.«

Danksagung

Ich danke der Familie, in die ich hineingeboren wurde, mit all ihren Verästelungen –

Und der, die mir geschenkt wurde, um herauszufinden, wer ich bin.

Ich danke Karsten Kredel, Maria Barankow und Barbara Laugwitz für ihren Geist, ihre Sensibilität und ihre Geduld.

Ich danke meiner Agentin Sabine Pfannenstiel und allen schreibenden, singenden, spielenden, malenden Menschen, die für eine bessere Welt kämpfen, indem sie uns die schlechtere zeigen.

Christian Berkel

Der Apfelbaum

Roman.
Gebunden mit Schutzumschlag.
Auch als E-Book erhältlich.
www.ullstein-buchverlage.de

»Jahrelang bin ich vor meiner Geschichte davongelaufen. Dann erfand ich sie neu.«

Für den Roman seiner Familie hat der Schauspieler Christian Berkel seinen Wurzeln nachgespürt. Er hat Archive besucht, Briefwechsel gelesen und Reisen unternommen. Entstanden ist ein großer Familienroman vor dem Hintergrund eines ganzen Jahrhunderts deutscher Geschichte, die Erzählung einer ungewöhnlichen Liebe.

»Wenn wieder einmal jemand fragt, wo es denn bleibt, das lebensgesättigte, große Epos über deutsche Geschichte, dann ist von jetzt an die Antwort: Hier ist es, Christian Berkel hat es geschrieben. Dieser Mann ist kein schreibender Schauspieler. Er ist Schriftsteller durch und durch. Und was für einer.«
Daniel Kehlmann

ISBN: 978-3-550-20046-5

© Ullstein Buchverlage GmbH, Berlin 2020

Alle Rechte vorbehalten

Quelle des Songtextes auf Seiten 307–309: »Eleanor Rigby« (Lennon / McCartney).
Revolver, The Beatles, erschienen 5. 8. 1966 bei Parlophone, Seite A, Song 2.
330–331: »Mama« (Bixio / Balz / Cherubini). Heintje, Heintje,
erschienen 1968 bei Ariola, Seite A, Song 2.
343 »Oh Mia Bella Napoli« (Siegel / Winkler).
Rudi Schuricke singt Gerhard Winkler, Rudi Schuricke,
erschienen 1959 bei Polydor, Seite A, Song 2.
384–385: »Freedom (Motherless Child)«
(Traditional American Folk). Richie Havens.
Woodstock: 3 Days of Peace and Music. USA 1970.
Zitat auf Seite 7: »Sophokles.« Friedrich Hölderlin:
Sämtliche Werke. Band 16. Hrsg. Michael Franz.
Stroemfeld / Roter Stern 1988, S. 196.

Gesetzt aus der Dante MT

Satz: Pinkuin Satz und Datentechnik, Berlin

Druck und Bindearbeiten: GGP Media GmbH, Pößneck

Printed in Germany